글쓰는 농부의

시골일기

글쓰는 농부의

시골일기

정혁기 지음

이담
Books

책을 내며

    초·중·고 학창시절 한 교실 공간에서 비슷비슷한 생각과 생활을 하던 친구들이 성년이 되면 사회 여러 분야에서 각기 다른 일을 하고 산다. 세상은 변화의 연속이어서 의외의 만남이 이어지고 뿔뿔이 흩어지기도 한다. 사람 사는 생애가 한순간이라지만 생명의 시선에서 보면 미욱한 생명일지라도 절대적이어서 굴곡과 곡절이 저마다 많을 수밖에 없다. 그런 세월의 길을 따라 살면서 삶의 방향과 장소를 바꾸고 싶은 욕구가 일어나는 때가 종종 있다. 어쩔 수 없이 바꾸어지는 때도 있다. 나에게 그러한 경우에 해당하는 것을 꼽자면 세 가지 사건을 말할 수 있을 것 같다.

    첫 번째는 시골에서 살다 도시 학교로 전학 나간 일이다. 초등학교 4학년 새 학기가 시작된 지 얼마 안 된 때였다. 고등학생이었던 누나하고 같이 방 한 칸을 빌려 자취생활을 시작했다. 도시 학교 적응은 어렵지 않았다. 그렇게 도시와 인연이 처음 맺어졌다. 당시 난 도시학교로 전학 가는 것을 반겼다. 어린 시절 시골에서는 동네친구와 맞싸움이 잦았다. 서로 몸싸움하다 코피 터지고 안 되면 돌을 집어 때렸다. 머리가 깨지면 된장을 붙이고 다녔다. 서로 지지 않으려 했다. 그런데 전학 간 지 얼마 안 돼 편지 1통을 받았다. 나와 싸움이 잦았던 그 녀석으로부터 온 편지였다. 의외였다. 잘 있느냐, 보고 싶으니 방학되면 꼭 놀러 오라는 내용이었던 것 같다. 여름방학 때 해거름에 소꿉동무 집을 찾아갔다. 그의 어머니와 이웃집 아주머니가 백열전등 아래 별말 없이 앉아 계셨다. 분위기가 무거웠다. 매달린 채 빛을 뿜는 백열전등을 싸고 여름 한철 벼멸구 떼가 끝없이 회전비행을 하고 있었다. 그가 어디 있냐고 물었다. 어머니 대신 옆 아주머니가 집안 안부를 물어 오고 난 다음 질문에 답해 주었다. "죽었단다. 오늘 애를 묻고 왔다." 충격이 컸다. 살아 있었다면 좋은 친구가 되었을 것이다.

두 번째는 서울에 올라온 것이다. 고등학교를 졸업하고 방황하던 나는, 서울에 먼저 올라간 친구에게로 갔다. 여름이었다. 자취 생활에 합류해서 함께 공부를 했고 대학에 들어갔다. 그의 도움이 컸다. 졸업을 하고 취직을 했다. 1970~1980년대는 박정희 유신독재와 전두환-노태우 군사독재로 이어지는 암흑시대였는데 그대로 있을 수 없어 직장을 그만뒀다. '민주화운동청년연합' 활동을 시작했다. 고 김근태가 인권상을 받아 세운 재야조직이었다. 환경이 바뀌어 새롭게 시작하는 새로움이 컸었다. 당시를 회상하면 아까울 것 없는 시절이었다.

다시 할 일을 찾아야 하는 시기가 왔다. 첫 번째, 두 번째에 이어 세 번째 삶의 방향과 장소를 바꾸고 싶었다. 도시에서 할 일을 찾기 힘들었다. 무슨 일을 해야 할까? 어떤 일을 하고 싶은가? 농사일을 하고 싶었다. 적지 않은 일터를 빙빙 돌아 농사일이 내게 남아 있는 일이라는 생각이 들었다. 서울에서 36년 동안 살다 농사일을 시작한다는 것이 쉬운 일은 아니었다. 일제 치하 36년의 길이가 얼마나 긴 시간인지 비겨 보았다. 대한제국 당시 젊은 청년이 해방되던 해에 노인이 되어 버린 만큼의 시간이다. 몸과 마음은 대도시 서울의 생활습관에 길들어 있었고 묶여 있었다. 운이 닿아 때맞춰 일자리가 주어졌다. 먼 길을 돌고 돌면 제자리로 간다 했던가. 충청도 괴산군에 있는 친환경농업회사 농장이었다. 서울대학교 농과대학 농업생물학과를 졸업하고, 사단법인 농어촌사회연구소와 관계를 맺어 농업이 생소하게 느껴지지는 않았지만 머리로 농사를 지을 수는 없는 것이었다. 근육·뼈·신경을 농사 체질로 개혁하고 농사기구·기계에 익숙해지고, 봄·여름·가을·겨울 따라 철 맞춰 일머리를 배우는 것이 내가 마음에 세운 목적이었다.

낮에는 일하고 저녁에는 틈틈이 '삼방재일월기(三訪齋日月記)'라는 제목으로 글을 썼다. 지인들에게 이메일을 보냈다. 모이니 분량이 꽤 됐다. 출판을 해 보자고 한 친구가 권유했다. 출판사 교섭까지 해 주었다. 이 책이 출판에까지 이른 것은 그의 관심과 수고 덕이다. '종이로 불을 쌀 수 없다'는 말처럼 애써 덮여 있던 것이 드러나듯 많이 팔려 출판을 수락하고 애써 준 출판사에 보답이 되었으면 좋겠다.

목차

1장

봄날이 어디로 가나

철을 몸으로 느끼며 지낸다.

도시에서 만난 철과 확실히 다르다.

겨울처럼 매섭지는 않지만

심술부리듯 변덕스럽고 춥게만 느껴지는 봄 날씨는,

그러나 되돌릴 수 없는 걸음을 걸어오고 있었다.

시작하는 말

봄이 기지개를 켤 무렵인 2010년 3월 17일 서울을 떠나 충청북도 괴산군에 소재한 친환경농업회사가 운영하는 농장에 들어왔다. 봄·여름·가을 지나 겨울까지 이곳 농장에서 일하게 된다. 월요일부터 금요일까지 농사일을 하고 토·일요일 쉬는 주말에는 서울로 올라간다. 고등학교 졸업한 해에 시골을 떠나 서울로 나와 지금까지 살았다. 가끔씩 답답한 대도시를 벗어나 보는 생각을 했었는데 서울을 완전히 떠났다고 할 수는 없지만 농업노동자로 생활 무대를 이곳 농촌으로 옮긴 셈이다.

농장 면적은 4천 평이다. 그중 1천 평은 100평 넓이의 비닐하우스 10동이 자리 잡고 있다. 하우스 열 동 중에 일곱 동은 고추, 한 동은 감자, 두 동은 채소(수박, 오이, 방울토마토, 상추 등)를 재배할 계획이 서 있었다.

농장에 도착한 첫날 오자마자 가래 작업이 시작됐다. 가래질은 처음 해 보는 작업이었다. 3인 1조로 1명은 가래 삽날 장대를 잡는 장치꾼, 2명은 줄꾼으로 한 조가 되어 일한다. 서로 손발, 호흡이 잘 맞아야 힘도 안 들고 일 양도 붙을 테지만 그렇지 않으면 삽날은 튕기고 허우적댄다. 가래질은 "노인이 자반 떼어 먹듯" 해야 한다고 했다. 가래질로 물길과 둑을 보수하며 언제 쏟아질지 모르는 비에 대비한 작업이 며칠 이어졌다. 지난해 자란 수초와 허물어지고 흘러내린 토사로 물길이 막히고 정체되어 있어서 그대로 두면 물길이 자연스럽게 흐르지 못할 것이다. 수로를 뚫어 놓으니 보기에도 시원하다. 수로와 둑의 유지보수 작업과 함께 감자 파종, 골에 볏짚 덮기, 거름 뿌리기 작업이 계속됐다. 연속되는 농사일이 내 몸에는 갑작스러운 일이었을 터라 그동안 사용하지 않던 근육들이 반란을 일으키며 뭉치고 쑤셔 온다.

일하는 농장은 마을과 제법 떨어져 있고 주위는 산으로 둘러싸여 있는 자연 지형으로 앞에는 개천이 흐른다. 마을 이름은 괴산군 불정면 삼방리(三訪里)다. '삼방리'라는 마을 이름의 유래와 관련해서는, 고려 말에 배극렴(裵克廉, 1325~1392)이 이곳에 은거하였는데 조선 태조 이성계(李成桂)가 세 번 찾아와서 그의 조선 개국에 동참을 요청했다 하여 '삼방(三訪)'이라는 명칭이 생겼다고 전한다. 배극렴은 고려 공양왕을 폐하고 이성계를 추대하여 조선 개국공신 1등이 되었다.

앞으로 이곳 삼방리 농장에서 일하고, 느끼고 생각한 이야기들을 적어 나갈 생각이다. 봄부터 겨울까지 이곳에서 일어나는 농사와 자연이야기, 계절의 흐름과 함께 변화해 가는 주변 산하, 그 밖의 이런 저런 얘기들…… 들에는 벌써 풀들이 고개를 내밀고 하루가 다르게 솟아 올라오고 있다. 나무와 풀들이 서로 경쟁하듯 꽃들을 피울

날이 눈앞에 와 있다.

이 이야기들을 묶어 뭐라고 이름을 붙일까 생각하던 중 가까운 벗이 '삼방재 일기'라 하면 어떠냐고 말해 준다. 이를 빌미로 하여 '삼방재일월기(三訪齋日月記)'라 이름을 붙였다. 일기처럼 매일 쓰는 것이 아니고 해와 달, 세월 따라 쓸 요량으로 '일월(日月)'이라 했고, '삼방'은 이곳 마을이름인 '삼방리(三訪里)'에서 땄다.

삼방재의 '재(齋)' 자는 '재(齋)'와 '제(齊)' 사이에서 생각하다가 '재(齋)'로 정한다. '재(齋)'는 집을 뜻하는데 글자가 정자 모습을 닮았다. '제(齊)'는 앞 글자와 비슷하여 종종 두 글자를 잘못 혼동해 쓰기도 하는데 뜻은 아주 달라 '가지런히 함'을 뜻한다. 수신제가(修身齊家)의 그 '제' 자이다. 허균이 늘그막에 그가 머문 집을 '사우재(四友齋)'라 하였고, 정약용은 역시 강진에 머물러 살던 곳을 '사의재(四宜齋)'라 이름한 것에 따라 '재(齋)' 자로 정한다.

월요일마다 마주치는 일상

　얼마 만인가. 새벽에 집을 나와 일찍 일을 시작한 사람들의 대열에 몸을 실어 본 지가……. 전날 저녁 짐 챙길 필요 없이 들고 나가기만 하면 될 수 있게 미리 챙겨 둔 보따리 같은 가방을 들고 아침 일찍 일어나 집을 나선 때는 4시 50분이 조금 지난 시간. 집 문을 밀고 나

오자마자 신문 배달원과 마주쳤다. 그러고 보니 이곳에서 여러 해 살아왔으면서도 그와 처음 마주쳤다. 평소 아침마다 신문 배달원이 집 문 앞에 떨구고 간 신문을 집어 올 때 가끔 이 사람은 몇 시쯤에 신문을 놓고 갈까 하는 궁금함이 있었는데 오늘에야 그 시간을 알게 되었다. 우리 집은 《한겨레신문》을 창간 때부터 보고 있는데 이 동네에 살게 된 이래 지금까지 하루도 빠짐없이 잘 배달해 주고 있다. 이 동네에 이사 와 10년째 살고 있다.

매주 월요일 새벽, 서울서 출발해 일하는 농장까지 가는 경로는 이렇다. 집을 나서서 연신내에서 3호선 전철을 타고, 을지로3가에서 2호선을 갈아타고, 강변역 동서울터미널에서 6시 30분의 충북 음성행 첫 버스를 타고, 다시 음성에서 군내버스를 갈아타면, 목적지 농장에 9시경 도착하게 된다.

그런데 시작부터 예상치 못한 일이 생겼다. 연신내에서 3호선 전철을 타려 하니 아침 출발하는 첫 전철이 5시 33분에야 기동한다. 동서울의 첫차가 6시 반인데 이 시각 전철로는 시간 맞추기가 어려울 듯싶다. 어떻게 하나 생각 끝에 시내버스를 타고 2호선을 잡아 탈 수 있는 시청역으로 향했다. 2호선은 다닐 것이다.

버스에 오르니 생각보다 사람이 많다. 새벽 버스에 탄 사람들의 행색이 눈에 들어온다. 대부분이 허름한 복장에 가방이나 보따리를 들었다. 아침 일찍 일 나가는 사람들이다. 간간이 젊은이가 끼여 있지만 대부분 나이 든 사람들이다. 차에 올라 자리에 앉은 사람들은 대개 앉자마자 부족한 잠을 놓치지 않으려는 듯 눈을 감고 조각 잠을 청한다. 깊은 잠이 아닌 겉잠이어서 내릴 정류장에서 실수 없이 일어난다. 홍제동에서 다시 한 무리의 사람들이 타고, 중간 정류장에서 또 몇 사람이 타고 내리고, 시청 앞에서 한 무리가 내린다.

시청역에서 5시 38분에 탄 2호선도 첫차다. 2호선에는 벌써 좌석을 거의 메운 다양한 행색의 사람들이 저마다 하루 일을 시작하기 위해, 혹은 마무리하고, 어디론가 가고 있다. 아저씨, 아주머니, 노장년층이 많다. 모두들 이른 시간에 어디로 가는 걸까. 동서울터미널에 도착한 시간은 6시 10분경. 6시 30분까지 남은 시간은 충분히 넉넉하다. 먼저 표를 끊고 우동 한 그릇으로 요기를 하고 화장실 다녀오고 나면 차 뜰 시간이 될 것이다. 매표소 앞은 붐비지 않은 편이다.

"음성 6시 반 표 한 장 주세요."

"아저씨, 매진이에요."

무슨 말이지? 잘못 들은 거 아닌가.

"예? 뭐라고요?"

"표 다 팔렸어요."

"벌써요?"

갑자기 한 대 맞은 것처럼 혼란이 일어난다. 벌써 다 팔려 버렸다니……. 어찌 이런 일이……. 어떻게 한다? 다음 차는 7신데……. 새로운 생활을 시작하는 마당에 첫 번부터 지각하게 생겼다. 할 수 없다.

"7시 차표는 있나요?"

음성행 버스는 거의 30분 간격으로 배차되어 있다.

"아저씨, 가시려면 지금 바로 사세요."

조금 젊어 보이는 매표 아가씨가 표 사기를 채근한다.

만 원짜리 1장을 창구로 밀어 넣었다. 음성까지는 8천 원이다.

"아저씨! 7시 차표도 지금 표 마지막 한 장뿐이에요."

매표가 여러 창구에서 동시에 이루어지고 있으니 다른 매표창구에서 누군가가 사 버리면 7시 표도 사려야 살 수 없다는 얘기다. 자리 뜨지 말고 지금 바로 사라는 까닭을 알겠다. 일러 준 게 고맙다. 새벽부터 일하는 표 파는 직원은 누구 못지않은 부지런한 사람들이다. 이들 말고도 터미널에서 일하는 사람들—운전기사, 배차원, 식당 매점 직원, 청소부 들—역시 이곳을 찾아오는 사람들을 맞아야 하니 하루를 일찍 시작하는 직업들이다.

"그런데 왜 이렇게 사람이 많아요? 전번에 갈 때는 자리가 넉넉하던데……."

지난여름 가끔 음성, 괴산행 버스를 타 보았지만 오늘처럼 매진되는 경우는 처음 겪어 보았기 때문이다.

"매주 월요일 아침 이 시간은 항상 그래요."

곧 알게 됐지만 매주 월요일은 음성 공단에 일하러 내려가는 사람이 많기 때문이었다. 7시 표나마 구한 것이 다행이라 여길 수밖에 없다. 출발시간까지는 시간이 많이 남았다. 오히려 여유로워졌다. 국수한 그릇을 비우고 대합실로 들어오니 조금 전보다 한층 사람이 붐비기 시작한다. 도시가 깨어나 움직이기 시작했다.

매주 월요일마다 터미널에 첫 전철로 와도 표를 살 수 없다면, 오늘처럼 출발시간 20분 전에 이미 다음 차편 표까지 다 팔려 나가 버린다면, 제시간에 갈 수 있는 방법이 무엇일까. 예매하면 될 것이다. 예매 방식은 어떻게 되어 있는지 알아보기로 했다. 매표창구로 가 물었다.

"예매할 수 있어요?"

그렇다는 대답이 돌아온다.

"언제부터 되나요?"

"한 달 전부터 돼요."

"그래요?"

"음성, 다음 주, 그다음 주, 월요일 6시 반, 두 장 주세요."

"만 6천 원입니다. 날짜, 시간 맞는지 확인하세요."

표 2장을 받았다. 다음 주 월요일 6시 30분 차표를 살펴보니, 좌석 번호가 벌써 20번까지 나갔다! 나처럼 처음 첫차를 타러 오는 사람이라면 오늘 동서울터미널에서 겪은 이런 일은 계속될 것이다. 실제로 음성행 6시 30분 첫차를 타러 왔다가 표가 없어 줄 서 기다리다가 결국 타지 못하는 경우는 매번 반복된다. 종종 발을 동동 구르며 서서라도 가겠다며 나를 태워 달라고 사정하거나 가벼운 실랑이가 일어나는 모습을 보는 것은, 이제 여기에서 마주치는 익숙한 풍경이 되었다.

음성 버스정류장

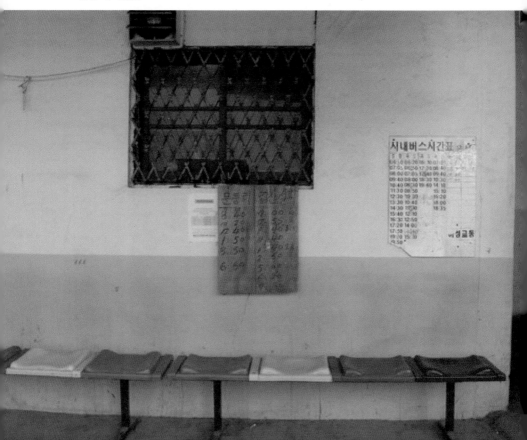

농장 소개

  농장 일에 참여한 3월 중순, 농사일이 바야흐로 시작되고 있었다. 때는 겨울과 봄 사이였다. 밀고 밀치고 버티고 밀려나지 않으려는 동장군과 봄처녀 사이에 싸움이 엉켜 날씨는 하루하루 전진, 후퇴가 반복되는 때였다. 눈이 오다 비가 내리고, 봄이 오나 보다 하다가 찬 바

람 불고 진눈깨비가 날렸다. 햇빛이 비쳐 조금 날이 풀리는가 싶으면 다시 추워지길 여러 차례 반복했다.

삼방리 비닐하우스 10동 중 파종이 이루어진 곳은 씨감자를 심은 하우스 한 동에 불과했다. 모를 길러 내는 비닐하우스에서는 1월 중순 파종한 고추 어린모가 포트에서 발아해 자라 나오고 있었고 상추, 겨자 등 채소도 못자리판에서 조그마한 어린잎을 막 틔워 내고 있었다. 고추, 상추, 겨자 등 채소류가 묘판에서 자라고 있었을 뿐 이제 농사일을 본격적으로 시작하는 때를 맞춰 합류한 셈이었다.

이곳 농장은 일반 농가처럼 쌀, 고추, 고구마, 옥수수 등 많은 작목 중에서 몇 가지 품목만을 선택해 짓는 농사가 아니다. "작년에 130여 종 심었는데 올해는 300종은 될 거 같습니다."라고 책임자는 말했다. 300여 종이라면 놀랄지 모르겠다. 품목 수가 물론 3백 종은 아니다. 예를 들자면 벼를 수십 가지 품종을 심고, 콩의 경우도 여러 가지 품종을 심기 때문이다. 주로 지금은 거의 재배하지 않거나 재래종으로 알려진 품종을 많이 심는다. 벼는 지난해에 37종을 심었는데 올해는 60여 종에 이를 것으로 예상된다. 주로 흰쌀(백미), 검은쌀(흑미)만을 보아 온 사람들이 다양한 벼를 보게 되면 "아니 이런 벼도 있었어?" 라고 놀라는 반향을 불러일으킬 것이다. 벼가 여름 지나 가을 되어 익어 갈 무렵에 농장을 방문한다면 다양한 색깔의 벼이삭이 보여 주는 '색의 축제'에 놀랄 것이 틀림없다. 녹색, 적색, 검정, 노랑, 하양의 벼 이삭이 줄지어서 바람에 일렁이는 풍경은 처음 대하는 사람에게 감동과 흥분을 안겨 줄 것이 틀림없다.

<삼방재일월기>는 흐르는 시간과 절기에 따라 이곳 농장과 주변 산천에서 일어나는 농사와 시골 이야기로 전개된다. 그런데 농장에서

농사짓는 품종이 많고 전답이 여러 군데 흩어져 있어서 간략히 논밭 위치, 농장과 규모, 재배 작목을 정리하였다.

1) 삼방리(면적: 약 4천 평)

(1) 논과 밭

논에는 벼를 품종별로 수십 종을 심는다. 밭에는 감자, 콩, 잡곡류(수수, 옥수수, 조 등), 고구마, 무, 배추 등을 심는다. 주위에 사과나무, 복숭아, 배, 자두, 감, 뽕나무 등이 군데군데 식재되어 있으며 해바라기, 아주까리, 맥문동, 창포 등도 심는다.

(2) 비닐하우스

100평 넓이의 하우스가 10동이다. 여기에서는 고추, 감자, 얼갈이배추, 상추, 열무, 시금치, 파, 청경채, 겨자, 시금치, 부추, 씀바귀 등 채소를 철에 맞춰 재배한다.

2) 앵촌리

30평 규모의 비닐하우스와 약 400여 평의 밭이 있다. 하우스에서는 씨앗을 파종하여 모를 밭에 정식하기에 적당한 크기까지 기른다. 밭에는 고추와 채소, 그 외 몇 가지 시험재배 작물을 심는다.

하우스에서 육묘하고 있는 품종들은 고추, 토종호박, 일본호박, 단호박, 토종박, 컬리플라워, 해바라기, 토마토, 아주까리, 오이, 수박, 참외, 브로콜리, 청경채, 청겨자, 케일 등이며 산부추, 돌마타리, 라크

스퍼, 니겔라, 로켓, 차이스, 범개미취, 구절초, 꽃양귀비, 층꽃, 노루
오줌, 흰패랭이, 붉은패랭이, 땅나리, 두메부추, 꽃창포, 디아트리스
같은 야생화도 자라고 있다.

3) 제월리

340평 밭과 7마지기(약 1,000평) 논이 있다. 밭에는 블루베리 200여
주가 식재되어 있고 남은 땅에 옥수수, 고구마 등을 심는다. 논에는
찰벼를 심는다.

차츰 일 태가 난다

벌써 반달이 지났다. 시간이 달려오고 도망치듯 한다. '10대 10km, 20대 20km…… 50대 50km…….' 세월이 흘러가는 속도가 나이대로라더니 나이 먹을수록 시간이 빨리 간다고 느끼는 것은 모두 같은 것 같다. 고사에는 인생을 "백구과극(白駒過隙)"*으로 표현하기도 했다. 달리는 흰말이 문틈으로 잠깐 지나가는 시간만큼이나 인생이 짧다는 뜻이다. '10대 10km, 20대 20km, 50대 50km'라는 표현은 무게(킬로그램)로도 해석할 수 있겠다. 나이 먹을수록 느끼는 인생의 무게가 무거워지기 때문이다. 나이 먹을수록 어깨가 처진다.

날이 바뀌며 시간이 흐르니 일이 조금씩 손에 익어 간다. 가래질, 삽질로부터 시작된 일이 농장을 누비니 이곳저곳 적지 않게 내 노력도 더해져 일 태가 보인다. 땅과 나를 둘러싼 모든 환경과 차츰차츰 친근해져 간다.

---

* 《장자》의 〈지북유〉 "人生天地間 若白駒之過隙 忽然而已. 注然勃然 莫不出焉 油然流然 莫不入焉 已化而生 又化而生."사람이 하늘과 땅 사이에 사는 것은 마치 흰 말이 달려가는 것을 문틈으로 보는 것처럼 순식간이다. 모든 사물은 물이 솟아나듯 문득 생겼다가 물이 흐르듯 사라져 가는 것이다. 즉, 사물은 모두 자연의 변화에 따라 생겨나서 다시 변화에 따라 죽는 것이다.

함께 일하는 동료가 경운기로 밭갈이 하고 있다. 그는 올해 농사 2년차다.

산 빛 물드는 봄

철을 몸으로 느끼며 지낸다. 도시에서 만난 철과 확실히 다르다. 아직 봄과 겨울이 서로 지지 않으려는 시샘이 많은 시절, 도시 사무실이 아닌 들녘에서 봄바람을 숨으로 피부로 느낀다. 불어오는 바람을 맞고 흙을 만지니 손이 조금씩 거칠어져 가고 피부도 까칠해져 가는 듯하다. 봄볕에 얼굴도 검어진다. 제 모습을 찾아가는 것 같아 싫지 않다.

3월 중순 이곳에 온 이후 날씨 변덕이 무척 심했다. 갑자기 눈이 오고 기온이 뚝 떨어지는가 하면 바람 불고 사이사이 비가 내렸다. 낮에도 해가 가려 어두우면 기온이 떨어졌다. 저녁, 아침에는 기온이 더 떨어졌다. 아주 추운 날은 바지에 속옷을 껴입었다.

감자 파종이 늦어져 언제쯤 감자를 심게 되는지 걱정이 이어졌다. 4월 4일에야 심었다. 그동안 눈 오고 비 온 탓으로 땅이 질어 심을 수 없었다. 늦는다고 억지로 심게 되면 감자 씨가 썩고 습해를 입거나 냉해를 입게 된다. 감을 맞춰야 한다.

철은 대동강 물이 풀리고 개구리가 튀어나온다는 우수(2/19), 경칩(3/6)을 지나고 낮의 길이가 밤보다 길어지기 시작하는 춘분(3/21)을 거쳐 청명(4/5)도 지나왔건만 여전히 변덕스러웠다. 그래도 시간은 누구도 되돌릴 수 없는 것이어서 지그재그 걸음으로 한 발 한 발 봄의 나라로 들어가고 있음을 느낄 수 있다.

몸도 조금씩 잘 적응해 가고 있다. 농사 준비가 본격적으로 시작되면서 삽질, 가래질, 운반 작업, 거름 뿌리기, 구덩이 파고 둑 만들기 등으로 이어지는 작업 때문에 발목과 무릎, 요추 부위가 쑤셔 와 혹 탈이 났나 말 못 하고 걱정했는데 어느 날부터 통증이 사라졌다. 아픈 것을 남에게 보이기 싫어 감추었는데 다행이다. 안 쓰던 근육을 쓰게 되니 몸이 적응하느라 일어난 일이리라. 시간이 필요했던 것이다. 농사일에 적응하는 데까지는 앞으로도 긴 시간이 필요하지만 몸이 그런대로 적응해 주고 있다. 내 몸을 농사체질로 바꾸어 가는 것은 여기 일하게 된 빠질 수 없는 이유이다.

겨울처럼 매섭지는 않지만 심술부리듯 변덕스럽고 춥게만 느껴지는 봄 날씨는, 그러나 되돌릴 수 없는 걸음을 걸어오고 있었다. 3월에 도랑에서는 미꾸라지, 도롱뇽이 삽날에 떠올려진 흙 속에 드러나곤 했다. 건드려도 잘 움직이지 않았다. 그렇지만 난데없는 삽질에 땅속을 벗어나 내발겨졌으니 벼락도 그런 날벼락이 아니었을 것이다. 하지만 봄은 오고 있었다. 겨울을 이겨 지내고, 어떻게 봄이 오고 있음을 느껴 알게 되는지 난 신비스러울 뿐인데, 여기저기 식물들이 삐죽이 머리를 내밀기 시작했다. 더 놀라운 것은 '이제 나갈 때가 분명 왔구나.' 하고 느껴 알게 되자마자, 수목들이 잎을 피우고 자그마한 꽃을 피우는 데까지 많은 시간이 필요하지 않았다. 산수유가 노란 기별을 내자 냉이가, 꽃다지가 서두르듯 늦은 듯 작은 꽃망울을 올렸고 이어 개나리가 마중하고 민들레와 진달래가 합창해 왔다. 봄은 놀랍다. 생명에는 강인한 힘과 멈추지 못하는 속력이 있고 어울림이 있다!

식물만 그런 것이 아니다. 처음 이곳에 올 때는 새벽닭이 차게 울고 개들이 거슬린 듯 컹컹 짖고 간간이 소 울음소리 말고는 괴괴하더니 어느 날 아침부터 부쩍 소란스러워졌다. 새들이 봄 무대에 나타난 것이다. 이들이야말로 봄을 가장 아름답게 전달해 주는 전령들인 걸 알았다. 새에 대해 아는 게 적어 일일이 이름을 알 바 없지만 아침이면 마당 앞 나뭇가지, 지붕 끝에 앉아 울음을 울었고 하루하루 날이 갈수록 소리에 낭창낭창 탄력이 더해졌다.

이들에게 봄은 그야말로 환희일 것이다. 겨울은 얼마나 힘들었던가. 혹독한 겨울을 살아 견뎌 내고 추위와 먹이의 고난의 시기로부터 벗어나게 되었으니 말이다. 봄날이 되어 아침 해를 맞이하는 것은 기쁨이니 노래하지 않을 수 없는 일이요, 목소리를 힘차게 가다듬어 짝을 찾아 알뜰하게 살림을 차릴 일이요, 보송보송 솜털 어린애 낳아 후손을 이루어 갈 일이다. 봄은 생명의 유일한 기회다.

사람 사는 모습은 이들에 견주면 참으로 호화스럽다. 잠자는 바닥엔 온방시설이 되어 등을 지질 만큼 따듯이 지내고 찬 바람도 온풍기, 히터로 데워 지내니 겨울은 이제 겨울 같지 않다. 춘래불사춘이라면 동래불사동이라 할 만하다. 사람의 수명이 100세 가까이 되도록 늘어난 것도 온방이 기여한 바가 클 것이다. 그러나 나무와 풀, 새들이 겨울을 이겨 내 봄을 노래하는 데에는 추운 겨울이 있기 때문일지 모른다.

낮에 일하러 나갈 때나 일할 때나 밭둑에 앉아 쉴 때나 앞산이 눈에 들어온다. 건너편 산 색깔이 제법 많이 달라졌다. 산 빛이 하루하루 달라져 간다. 땅에서는 새싹 잎이 움터 올라오고 나뭇가지에도 물이 오르기 때문이다. 짙은 흑갈색이던 산이 암갈색으로 변해 오더니 이제 봄빛이 들고 있다. 땅엔 풀들이 솟아 연초록색을 바탕 깔고 여기다 산수유, 생강나무, 개나리가 노랑을 더하고 진달래가 빨강을 점점이 찍으니 빨노초 색의 3원색이 배어들어 산 빛이 고와져 간다. 산 빛이 물들어 간다.

도꼬마리와 찔레꽃

"노루가 애를 업어 가도 쳐다만 보는겨."

너도 나도 바쁜 농사철에 아기 돌봐 줄 사람이 없으니 아이를 데리고 나와 제법 너른 밭둑에 놀게 내려놓고 한참 밭갈이를 하는 봄날. 산노루가 살며시 내려와 밭일에 바쁜 엄마 눈치를 살피며 아이를 훔쳐 업어 간다. 아이 엄마는 자식을 채 가는 노루를 눈앞에서 휜히 바라보지만 일을 손에서 놓지 못한다. 오늘 이 일을 마저 끝내지 않으면 안 되기 때문이다. 아이가 밭둑에서 노루에 업혀 잡혀 가는 것을 뻔히 보면서도 계속 일을 해야 할 만큼 바삐 돌아가는 농사철을, 속담에 빗대어 잠깐 숨을 돌리는 사이에 같이 일하는 어르신이 한 말이다.

봄날은 농부에게 황금 같은 시간이다. 농사가 시작되는 때이니 그르치면 1년 농사를 망친다. 그러나 날씨는 농부 편이 아니어서 간간이 밭 갈고 두둑 올리고 씨 뿌리는 일머리를 방해했다. 언 땅이 얼었다 녹았다 반복하는 세월에 갑자기 눈이 내리면 흙이 질척거려 예정한 일이 뒤로 밀려나고, 날이 이제 봄인가 싶어 작업을 할라 치면 비가 내리기 일쑤다. 또한 너무 빨리 심으면 서리우박 같은 변화무쌍한 날씨에 상할지 모르고 그렇다고 너무 늦으면 제철을 놓쳐 버릴 것이다. "올해는 틀림없슈. 감자, 고추는 괜찮을겨. 날씨가 이리 돼 놔서 일찍 심은 집은 걱정이여. 작년 같으면 진작 벌써 심었어유." 4월 초 씨감자를 심으며 노인이 말했다.

그런가 하면 야속하게도 봄날은 또한 훌쩍 지나가고 말 것이니 몇 날 안 되는 좋은 봄볕 내리는 날이면 애를 업어 가도 바라만 볼 수밖에 없다는 말귀를 알아먹겠다. 오늘이 그런 하루다. 화창한 날씨는 아니지만 구름이 흘러가는 걸 보면 분명 비 올 폼은 아니다. 삼방리 밭과 하우스 일에 바쁜 와중에도 제월리 밭도 더 이상 미룰 수 없을 터여서 날씨 틈을 엿보고 있었는데 마침 오늘이 딱 그날이다.

제월리 밭은 온통 지난해 자란 풀 소굴이다. 작년에 옥식이를 심은 밭인데 거둬들이고 밭 정리를 하지 않아 어질러지고 멋대로 자란 마른 풀로 가득했다. 바랭이가 제일 많다. 저 밭 풀덤불을 긁어 거둬들일 일을 생각하니 언제 마치랴 싶다. 하지만 밭 정리를 해 두어야 그 다음에 흙 고르고 둑 만들고 올 씨앗을 뿌릴 수 있다.

낫으로 치고 베고 열 발 쇠스랑으로 긁으며 군데군데 풀 더미를 쌓아 나간다. 그런데 면장갑 낀 손바닥, 손등에 억척스레 달라붙는 녀석이 있다. 달라붙기만 하는 것이 아니라 장갑을 뚫고 찌른다. 떼어 내고 또 떼어 내도 줄곧 달라붙는다. 도꼬마리 열매(창이자)다. 그 씨가 알코올 중독과 축농증에 좋다고 알려져 있는데 밭 여기저기 무더기로 자라 솟아 씨를 줄줄이 매달고 있다. 가을, 겨울

거쳐 마를 대로 마른 도꼬마리 씨는 금색을 띤 견고한 갑옷을 입고 그 위에 거북 철갑선처럼 갈고리를 온몸에 둘렀다. 누군가가 스쳐 지나가 기만 하면 달라붙기 위한 준비를 하고 이제거니 기다리고 있다. 한겨 울을 묵은 도꼬마리 열매는 껍질이 마를 대로 말라서 갈고리는 더욱 단단하고 날카롭다. 한 짬씩 일하다 허리를 펴고 어깨를 돌리며 몸을 풀어 주는데 그때마다 여기저기 달라붙은 도꼬마리를 떼어 낸다. "이 놈아 인자 고만 달라붙어라." 귀찮아져서 푸념을 하면서 떼어 낸다.

　내일이 내 생일날인데 일 도중 서울에 올라가야겠다는 말을 결국 하지 않았다. 한창 바쁜데 일하 다 말고 중간에 빠져나가기가 미안해서다. 나이깨나 먹어서  웬 생일 타령이냐는 생각도 있 고……. 일 끝내고 차편이 불편 하더라도 서두르면 늦게라도 올라갈 수 있겠지만, 다음 날 새벽에 나와야 하니 이래저래 여러 사람 피곤하게 만들 게 뻔한데 마음에 걸렸다. 주말에 가 뵙겠다며 핑계를 대 그래도 미역국이라도 끓여 주고 싶어 하며 서운해하시는 어머님을 달랬다.

밭일하는 옆에는 재래종 닭들이 땅을 헤집고 이리저리 옮겨 다니며 모이사냥이 한가롭다. 그러면서도 대장인 듯 생각되는 수탉 한 마리가 가끔씩 목청을 돋워 일행을 단속한다. 밭에 그간 보이지 않던 낯선 사람들이 자기들 영역에 나타났기 때문일까. 일행은 수탉 두 마리와 암탉 네 마리인데 벼슬이 크고 몸체가 더 좋아 보이는 수탉이 또 한 마리 다른 수탉을 종종 사납게 날개를 퍼덕이며 부리로 쪼고 발로 차며 단속한다. 수탉이 두 마리다 보니 대장 수탉의 권위와 질서에 벗어나거나 저항하고 어기는 동료 수탉을 완력으로 혼내 길들이는 것으로 보인다. 암탉 한 마리는 일행과 떨어져서 알을 품고 있는 중이다. 담벼락 아래 외딴 곳에서 암탉 한 마리가 가까이 다가가도 도망하지 않고 눈을 크게 뜨고 벼슬을 세워 날카롭게 경계하기에 웬일일까 살펴보니 알을 품고 있는 중이었다. 머지않아 때가 되면 병아리가 알을 깨고 세상으로 나올 것이다.

일을 시작할 때는 언제 이 밭을 매랴 싶었는데 시간이 흐르니 일태가 날 만큼 밭 한쪽이 훤해졌다. 그래도 도꼬마리는 계속 달라붙는다. 잠깐 땅에 앉아 쉬라 치면 엉덩이가 따가운데 누군가 살펴보면 이 역시 도꼬마리다. 이들이 달라붙는 것을 이해 못 할 바는 아니다. 도꼬마리는 이리저리 이동하는 짐승의 털이나 사람 옷에 달라붙어 종자를 널리 퍼뜨린다. 그의 목적은 누군가 움직이는 물체에 달라붙는 것이다. 떼어 내 여기저기에 내버려지니 자연스럽게 여기저기에 종자가 멀리멀리 퍼뜨려지는 셈이다.

밭 정리가 대강 되어 갈 무렵 산불단속원이 왔다. 요즘 시골에선 맘대로 허가 없이 불을 놓지 못한다. 미리 신고해서 산불감시원의 입회하에 풀 더미를 태운다. 논밭 두둑도 마찬가지다. 자주 발생하는 봄철 산불을 예방하기 위해 생긴 행정조치다. 산불감시원은 특별단속 기간이라며 봄철 산불 사고에 대해 얘기했다. 농산촌에서 봄철 산불예방은 주요 사업인 것 같다. 신고 없이 들불을 놓다간 최소 50만 원의 벌금이 나오고 불이라도 번져 소방차라도 출동할 양이면 출동 비용을 포함 이래저래 벌금이 못해도 수백만 원이 나올 수 있단다. 불을 놓으면 제초효과가 있을 뿐 아니라 해충 방제 효과도 있지만 잘못하면 큰 벌금을 뒤집어쓸 판이니 함부로 불을 지를 수 없다. 지난 시절에는 논밭, 두둑에 불 지르는 일이 당연한 풍습이었다. 어린이에게

는 재밌는 놀이이기도 했다. 하지만 큰 불은 담뱃불 같은 작은 불씨나 꺼진 불로 시작된다. 조심해서 나쁠 것 없겠지. 산과 들의 낙엽과 마른 풀은 불씨만 만나면 산불, 들불로 번질 시기다. 거두어 모은 풀 더미에 불을 놓으니 생각보다 불길이 바람을 타며 높이 타오른다. 산불단속원이 불을 업수이 여겨 사고 난 경험을 불길을 고르며 들려주지만 나는 듣는 것보다 속으로는 여기저기 풀 더미에 불 지르는 일이 더 재미있다. 불놀이하던 어린 시절도 떠오르고 해 기울어 가는 하늘로 솟구치는 불길과 마른 풀 타는 냄새를 가득 피우며 뭉실뭉실 올라가는 연기는 사라진 지난 시절의 굴곡을 떠올린다.

밭 풀 정리를 마치고 밭을 빙 에둘러 돌아나가는 또랑 정비에 나섰다. 위 계곡과 밭에서 비에 쓸려 내려온 토사와 나무와 풀 더미가 도랑을 메워서 그대로 놔두다 폭우라도 쏟아지면 다급해진 물줄기는 거센 흐름으로 둑을 치고 밭을 밀어붙이며 들이치고야 말 것이다. 도랑 안으로는 뽕나무, 찔레넝쿨이 침범하는가 하면 쓰러진 나무가 물길을 가로막고 있다. 굵은 나무는 낫으로 내리쳐 잘라 낸다. 자른 나뭇가지를 모아 한곳에 쌓으니 제법 큰 더미가 된다.

문제는 찔레나무다. 찔레나무는 벌써 남보다 일찍 잔가지 잎눈마다 파릇파릇 싹을 내며 올라오기 시작했다. 찔레나무는 생장력이 아주 놀랍다. 이놈은 넝쿨을 이루듯 자라는데 팔 뻗듯 자라는 가지는 흙을 만나면 뿌리를 내린다. 가지를 쳐 땅에 버려도 흙냄새를 맡을 양이면 그 자리에서 새 생명을 시작한다. 게다가 가지에는 가시가 날카로운 바늘처럼 돋아 있어 거둬 내기가 만만치 않다. 여린 가지의 가시는 그래도 참을 만하지만 해묵은 가시는 굳고 단단해 찔리지 않고 제거하는 데 여간 애먹는 게 아니다. 조심한다고 하지만 찔레나무

찔레꽃

가시에 여러 방 찔린다. 도꼬마리씨는 스쳐 지나가는 누군가에 달라붙기 위한 갈고리 가시여서 찔레나무 가시에 비하면 약과다. 찔레나무 가시는 아차 싶을 때마다 손바닥 손가락 마디를 날카롭게 찔러 들어온다. 여간 따가운 게 아니다.

찔레나무는 이른 여름 꽃이 핀다. 여간 정다운 꽃이다. 꽃을 주제로 한 노래도 여러 곡이고 문학에도 중요한 소재가 되어 왔다. 구전설화도 재밌다. 나도 찔레꽃을 좋아하고 찔레꽃 가요를 종종 부르곤 한다. 김영일 작사 김교성 작곡으로 여러 가수가 부른 '찔레꽃이 붉게 피는 남쪽나라 내 고향'이 있고, 장사익의 '찔레꽃 향기는 너무 슬퍼요', 동요 '엄마일 가는 길에 하얀 찔레꽃'으로 시작하는 3곡 정도가 많이 불리는 찔레꽃 노래일 텐데, 나는 그중 세 번째 노래를 제일

좋아하고 첫 번째 노래도 가끔 부른다. 단소나 대금으로도 분다. 특히 동요 <찔레꽃>은 가사가 절창이다. 옮겨 본다.

"엄마 일 가는 길에 하얀 찔레꽃/ 찔레꽃 하얀 잎은 맛도 좋지./ 배 고픈 날 가만히 따 먹었다오./ 엄마 엄마 부르며 따 먹었다오. 밤 깊어 까만데 엄마 혼자서/ 하얀 발목 바쁘게 내게 오시네./ 밤마 다 보는 꿈은 하얀 엄마 꿈/ 산등성이 너머로 흔들리는 꿈. 가을밤 외로운 밤, 벌레 우는 밤/ 초가집 뒷산 길 어두워질 때/ 엄 마 품이 그리워 눈물 나오면/ 마루 끝에 나와 앉아 별만 셉니다."

하지만 오늘의 찔레나무는 내가 가진 찔레꽃에 대해 가진 생각을 고쳐먹게 만든다. 장미에 가시가 있듯 찔레꽃의 가시도 그렇듯이 생 각하던 차에 도랑에 드리운 찔레 덩굴을 쳐 내느라 어쩔 수 없이 가 시에 찔리다 보니 이런 고약한 꽃나무가 있느냐 생각이 드는 것이다. 초여름 찔레꽃이 피면 오늘 생각이 떠오를 것이다.

밭과 물길 정비가 끝나 갈 무렵이 되니 어김없이 다시 기온이 떨어진다. 해가 기울어져 가는 시간이기 때문이다. 한낮은 그런대로 봄기운을 느끼지만 늦은 오후 해가 서편으로 기울기 시작하면 몸에 전해지는 봄바람 끝이 아직 차갑다. 밭 마감정리를 하고 농사도구를 챙겨 하루 일을 마감할 시간이다. 면장갑을 벗고 손을 쥐락펴락하는데 손바닥 손가락 마디가 따끔거리며 얼얼하다. 도꼬마리와 찔레나무 가시에 찔린 탓이다. 아직 서투른 농사일이 익숙히 몸에 배지 않아서이겠지만, 손바닥 손등에 '도꼬마리찔레수지침' 맞은 셈으로 생각하니 나쁠 게 없다. 오늘 도꼬마리와 찔레나무가 놓아 준 수지침이 못 돼도 99방은 될 것이다. 허허.

고맙지만, 내맡길 수 없습니다

"먹을거리의 자급자족은 국가안보적 관심사항입니다. 우리가 먹을거리가 보장되는 나라에 살고 있다는 것은 매우 다행한 일입니다."

"여러분은 국민의 먹을거리를 충분히 조달할 수 없는 나라를 상상할 수 있겠습니까? 그 나라는 국제적 식량 압력에 종속되는 위기에 직면하게 될 것입니다."

"우리가 먹을거리를 자급해야 한다는 것은 국가안보적 관심사항입니다. 고맙지만, 우리는 다른 어떤 이들에게도 국민 건강과 영양을 담보하는 육류 공급을 내맡길 수 없습니다."

우리나라 식량의 해외의존도는 75% 정도이다. 그나마 이 숫자도 쌀을 포함했을 때 얘기고, 쌀을 제외하면 의존도는 90%를 넘어선다. 곧 식량종속국이며 '국제적 식량 압력에 종속되는 위기에 직면'해 있는 참담한 상황을 보여 준다. '먹을거리의 자급자족이 국가안보적 관심사항'이며, 우리는 '국민의 먹을거리를 충분히 조달할 수 없는 나라를 상상할 수 없다'는 말과 동떨어진 나라다. 인용문에 나타난 '다른 어떤 이들에게도 국민 건강과 영양을 담보'하지 않겠다는 결연하고 비장한 표현에 이르면, 세계화·개방의 시대에 이처럼 시대에 뒤떨어진 말을 하는 사람이 누구일까.

이 글 첫머리에 인용한 글은, 다른 사람이 아닌, 전 미국 대통령 부시가 한 말이다. 부시는 먹을거리를 "다른 어떤 이들에게도 국민 건강과 영양을 담보하는 육류 공급을 내맡길 수 없습니다."라고 말하고 있고 "국민의 먹을거리를 충분히 조달할 수 없는 나라를 상상할 수" 없다고 웅변하고 있다. 나아가 자기 나라의 먹을거리의 자급을 국가의 안보적 관심사항(national security interests)으로 간주하고 있는 데에 이르러서는, 농산물 시장개방의 논리를 정당화하며 식량자급 기반을 허물고 소고기를 개방하고 한미FTA를 추진한 고달픈 우리의 처지를 뒤돌아보게 만든다. 다시 읽어 보아도 부시의 다음과 같은 말은 참으로 버리기 아까운 말이다.

> "고맙지만, 우리는 다른 어떤 이들에게도 국민 건강과 영양을 담보하는 육류 공급을 내맡길 수 없습니다(Thanks goodness, we don't have to relay on somebody elses meat to make save our people are healthy and well-fed)."*

미국의 대통령과 정당, 의회, 관료, 이해집단들이 국민 식량식료 자급에 대해 어떤 이익과 인식에 기반하여 정책을 만들고, 국가 간 협상을 하고 있는지, 반면교사가 될 수 있을 것 같아 옮겨 보았다.

---

* 인용 원문(《수입 농산물 가격 급등, GMO-LMO 수입, 바이오 연료의 전면화에 대한 해설》, '한국농어촌사회연구소' 권영근 소장, 2006.7.15.)

① It's a national security interests to be self-sufficient in food. It's a luxury that you've always taken for granted here in this country. (2001년 1월 Australian Financial Review 誌)

② Can you imagine a country that was unable to grow enough food to feed the people? It would be a nation that would be subject to international pressure. It would be a nation at risk. (2001년 7월 Future Farmers of America 회원들에게)

③ It's in our national security interests that we be able to feed ourselves. Thanks goodness, we don't have to relay on somebody elses meat to make save our people are healthy and well-fed. (2002년 초 National Cattlemen's Beef Association 회원들에게)

고추를 심고 나서

　고추씨를 올 초 1월 26일에 심어 8천5백여 고추모가 그간 하우스에서 자라 왔는데 마침내 고추모를 하우스 밭에 옮겨 심었다. 5천수백 주를, 인력 지원을 받아 4월 24일에 심었다. 이로써 농장일의 큰일 하나가 마감되고 2단계로 접어들었다.

　고추를 심기까지 무던 애를 썼다. 땅을 몇 차례 고르고 거름 뿌리고 골과 두둑 만들고, 물을 댈 수 있는 점적 호스를 깔고 비닐을 덮는 등 여섯 가지 작업을 순차적으로 끝내고 나서야 고추를 옮겨 심었으니 최근 한 열흘은 고추 일로 힘들고 바쁜 시간이었다. 그 사이에 철은 봄날 중간에 반쯤 걸치고 앉아 하루가 다르게 풀이 올라서고 있어서 풀도 뽑아야 했고, 농사일이라는 것이 철 맞춰 해야 할 일이 줄 서 기다리고 있고 조금 더 잘하려고 하면 해는 짧고 일은 끝없는지라 노상 일에 쫓기기 마련이었다.

　그래도 고추를 심고 나니 일의 고비를 넘은 것처럼 느껴진다. 고추를 심었다고 해도 앞으로 쇠파이프 지지대를 못 돼도 1천 개는 박아야 하고 그물망 치는 일 등, 힘든 일이 이어질 터이고 바로 이어 바삐 논농사 모내기를 위한 볍씨 침종과 모판 작업에 들어가면 이 역시 일주일의 하루해가 짧게 느껴질 테지만 그래도 5천여 주의 고추를 심었다는 것은 봄철 농사 한 고개를 넘어선 셈이 분명하다.

3~4월 농사 작업을 뒤돌아보니 꽤 일 양이 되어 보인다. 논밭, 물길에 나의 손과 발걸음이 덮이고, 작물들이 손길이 닿아 자람에 따라 어느덧 여기 처음 올 때 가졌던 낯섦, 서먹함도 한결 지워졌다. 생각해 보면 이러한 일련의 체험이 모두 일과 자연 환경과 친해지고 가까워지는 과정인 것 같다.

맨 처음 삽과 가래질로부터 시작된 노동일은 호미, 낫, 괭이 등 오랜 전통적인 농기구를 손에 차츰 익숙히 잡게 해 주었고, 도랑치기 - 거름 뿌리기 - 골 파기 - 두둑 만들기 - 구덩이 파기 - 풀베기 등은 근

육과 신경세포를 재조직하는 일이었고, 이것저것 바쁘게 밀려 있는 일들은 일머리를 느껴 가르쳐 주었다. 농사라는 게 직접 몸으로 해 보지 않으면 도저히 도달할 수 없는 특별한 직업이라는 것을 알겠다.

일과 아울러, 그동안 밥상에서 만났던 곡식과 채소류를 비롯하여 오가는 길섶에 자라나는 풀과 나무들을 새로이 만나 가는 눈뜸도 그에 비기지 않는 과정이었다. 시금치, 겨자, 상추, 얼갈이배추, 아욱, 열무, 토종파, 청경채, 부추 등이 자라나는 어린 모습과 봄을 알리는 냉이, 꽃다지, 민들레, 지칭개, 질경이, 명아주 등 이른바 잡초들이 이 봄에 보여 주는 왕성하고 질긴 생명의 비밀을 어렴풋이 느껴 보았다.

어린아이가 태어나 요에 싸여 자라 가면서 젖내가 사라지고, 동그란 얼굴도 길어지며 부드러운 윤곽이 변해 가고, 골격이 세워지며 굳세어지는 것처럼, 식물이라는 생명체도 처음에 그러하더니 부쩍부쩍 하루가 다르게 자라며 어제 오늘 몰라보게 커 나가는 것을 보노라면

놀라움을 느끼지 않을 수 없다. 도시에 살면서 가끔가끔 눈에 뜨이는 모습만을 보는 데에 익숙했는데 그저께 보았던 애를 어제 보고 다시 오늘 보면서 변해 가는 모습을 포개 가며 보는 것은, 하루를 살아가는 마음을 쉬게 하고 멈춘 발걸음을 종종 가볍게 해 준다.

저이하고 사는 여편네는 누구다냐?

5~6월은 아주 바쁜 농사철인데 고추, 감자, 옥수수, 채소류 같은 밭농사일이 눈코 뜰 새 없이 바삐 몰리고 1년 중 가장 중요한 벼농사 모내기가 시작된다. 벼농사는 볍씨 종자를 선별해 침종한 후 모판으로 육묘해 논에 옮겨 심는다. 지금은 농사 작업이 경운기, 관리기, 트랙터 등 산업기계의 도움을 많이 받고 있지만, 얼마 전까지만 해도 삽, 지게 같은 전통 농기구를 이용했다. 모내기의 경우도 지금은 대부분 기계로 하지만 전에는 모를 쪄서 수레나 지게로 날라 손으로 일일이 심었다. 모내기라면 이앙기 기계로 하는 것이 일반화되어서 손으로 하는 모내기를 손모내기라고 구분해 부르기도 한다.

예전 손모내기의 경우, 모판에서 모를 쪄서 지게에 실어 논으로 나르게 되면 지게에서 흙탕물이 줄줄 흘러내리는 것은 당연지사. 이 흙탕물은 흔들거리는 지게에서 흘러내려 옷을 적시고 지게 진 농사꾼의 엉덩이, 허벅지에도 줄줄이 흘러 떨어질 터. 결국 등짝, 가랑이, 허벅다리 할 것 없이 옷과 몸은 진흙탕물이 줄줄 흐르게 될 것이다. 모를 지게에 지고 흙물이 허리, 엉덩이, 가랑이에 범벅이 된 이 모습을 바라보던 사람이 한 소리 했다.

"저이하고 사는 여편네는 누구여?"

쌀농사가 시작되는 모내기철에 흙탕물 까짓것이 엉덩이, 사타구니, 불알을 타고 흘러내리는 것이 그 무슨 대수일까야마는 우스갯소리라고 그냥 들어 넘기기에는 씁쓸할 수밖에 없다. 그러나 이마저도 논밭에 한 주먹 거름이라도 소중히 하던 시절 얘기였고, 또 똥장군을 지고 퍼 나르는 일에 비하면 여간 향기로운 일이 아닐 수 없었을 것이지만…….

지금에야 똥장군 지는 일 없고 지게일도 흔하지 않을 뿐 아니라 손과 몸으로 하던 많은 일이 기계로 대체되고 있어서 옛날 같지는 않다. 그래도 농사일은 흙을 상대하지 않고는 할 수 없는 노동이어서 농사꾼은 언제나 흙투성이 인생이다. 게다가 내리쬐는 뙤약볕을 받아야 하고 쪼그리고 일하고 밭고랑을 오리걸음으로 걸어야 하는 불편한 노동을 감내해야 한다. 누구 표현대로 땅 파먹고 사는 인생이다.

게다가 힘들게 일하고 나서 소득이라도 괜찮으면 좋으련만 농사지어서는 사람 노릇 못 하고 산다는 것이 거의 대부분 한결같은 말이고 보면 오늘날 농자천하지대본이라는 말은 골동품가게에 먼지 뒤집어쓴 유품 같은 말이 되었다.

이태 전 서울의 한 재래시장에서 처녀 때 고향을 떠나와 시장골목에서 장사한 지가 30년이 넘었다는 60대 아주머니와 말을 나눈 적이 있었다.

"장사 할 만해요?"

"힘들지. 말할 게 뭐요."

아주머니는 가끔 찾는 반 단골을 만난 탓인지 시시콜콜 어려운 사정을 얘기한다. 스무 살 무렵 고향 고흥을 떠나 지금까지 살아온 내력이 쉽지 않은 인생 역정이라 할 만했다.

"고향이 있으면 다시 거서 살면 좋지 않아요?"

그녀는 이 말을 듣자마자 고개를 설레설레 흔들며 힘주어 말했다.

"힘들어도 그래도 고향 갈 마음 없어요."

이 장사 힘들지만 다시 농촌으로 가고 싶은 생각은 없다는 말이 분명했다.

"왜요?"

"농사일이요? 이보다 더 힘들다는 것을 해 봐서 알아요. 돈도 안 되잖아요. 손님, 농사일 해 보기나 했어요?"

봄날이 어디로 가나

5월에 들어서면 험한 길 걸어온 나그네가 잘 다듬어진 반듯한 길에 들어선 것처럼 바야흐로 봄이 전개된다. 멈칫멈칫 이랬다저랬다 하던 얄궂은 봄 날씨도 "이러다가 곧 여름 되는 거 아니여?"라는 말이 튀어나올 만큼 기온이 오르고 공기흐름이 순해지며 초목산천이 눈에 띄게 우거져 간다. 짧은 봄을 아쉬워할 기세다. 앞다투며 피어나던 노랑, 하양, 분홍색 꽃들이 누구에게 질세라 벌써 씨앗을 흩뿌리는 녀석들이 많더니, 이제 이미 승부가 결정돼 버렸다는 듯 한결 느긋해져서 잎이 우거지며 녹색 경쟁으로 들어가는 것처럼 보인다.

5월에 들어서면 토·일요일 말고 쉬는 반가운 날이 있는데 바로 '어린이날'이다. 올해는 수요일이어서 마침 주 한가운데 끼어 있어 하루를 쉬고 가니 한 주일 보내기가 한결 가뿐해진 느낌이다. 일하는 사람이 쉬는 것을 마다할 리 없다. 쉬는 것, 반갑고 기다려지는 일이다. 뭇 목숨 달린 자연계 생물들이 찬란한 생명력을 뿜어내는 이 5월에 어린이날을 배치했다는 것은 참으로 잘 했다는 생각이 든다. 초등학교 운동장에서 어린이들이 체육시간을 만나 먼지바람 일으키며 달

리기, 단체줄넘기를 하며 발랄하게 뛰어노는 풍경도 5월의 봄 이미지
와 어울린다.

이곳 삼방리에 와 월요일부터 금요일까지 일하고 토·일요일 서울
올라가는 일을 몇 달 반복해 왔는데 모처럼 주중 쉬는 날이 생겨 어
린이날에는 조용히 책이나 보며 밀린 <삼방재일월기>를 정리할 심사
였다. 그동안 <삼방재일월기>를 일 마친 저녁에 먼저 제목을 잡아 놓
고 시간 틈틈이 이어 쓰곤 하는데 그러다 보니 늘 시간을 뒤따라가는
작업이 되어서 괜히 쫓기는 압박을 받는 것이 싫었기 때문이다.

모처럼 여유 있는 시간을 보내다가 부음 소식을 들었다. 원로가수
백설희 씨가 "지난해 고혈압에 따른 합병증으로 병원에 입원해 치료
를 받아 오다" 오늘(5월 5일) 새벽, 운명했다는 소식이다. 가수 백설
희(1927년생 본명 김희숙) 씨는 다른 노래도 많지만 특히 노래 <봄날
은 간다>로 널리 알려진 분이다. 뿐만 아니라 작고한 영화배우 고 황
해(본명 전홍구, 1920~2005) 씨가 남편이며 가수 전영록이 아들이고
걸그룹 티아라 멤버 전보람의 할머니여서 세대에 걸쳐 대중의 사랑
을 받은 집안이다.

나도 백설희 씨의 <봄날은 간다>를 좋아하지 않을 수 없었는데 부
음 소식을 들으니 사람이 살아가는 일생이 새삼스럽게 허무하다는
생각이 들고 화창한 5월의 봄날이 야속해진다. 부디 편안히 가시길
빌 뿐이다.

<봄날은 간다>

연분홍 치마가 봄바람에 휘날리더라.
오늘도 옷고름 씹어 가며

산제비 넘나드는 성황당 길에
꽃이 피면 같이 웃고 꽃이 지면 같이 울던
알뜰한 그 맹세에 봄날은 간다.

새파란 풀잎이 물에 떠서 흘러가더라.
오늘도 꽃 편지 내던지며
청노새 짤랑대는 역마차 길에
별이 뜨면 서로 웃고 별이 지면 서로 울던
실없는 그 기약에 봄날은 간다.

열아홉 시절은 황혼 속에 슬퍼지더라.
오늘도 앙가슴 두드리며
뜬구름 흘러가는 신작로 길에
새가 날면 따라 웃고 새가 울면 따라 울던
얄궂은 그 노래에 봄날은 간다.

노래도 노래이지만 가사가 가슴에 다가온다. 다투어 생명들이 싱싱히 꽃을 피우고 잎을 틔우는 봄날에 구태여 "오늘도 울고, 옷고름을 씹고, 가슴 두드리고, 슬퍼지는" 서정의 한을 새긴 <봄날은 간다>는 어느 노래보다도 그 가사에서 매력을 느끼지 않을 수 없다. 노랫말을 지은 이는 손로원 씨인데 그는 "일제 치하에서는 한 줄의 가사도 쓰지 않다 해방과 함께 왕성한 활동을 재개한 작사가"라는 설명이 붙어 있다. 그는 <비 내리는 호남선>도 작사했다니 그를 모르지만 뛰어난 예능을 지녔다는 생각이 든다.

며칠 후 저녁에 친구를 만났다. 막걸리를 앞에 두고서다. 이런저런 얘기를 나누다 고 백설희 씨에 대한 얘기가 오고 가고 <봄날은 간다>도 불러 보았다.

"봄날이 어디로 가는 것 같애?"

술잔을 권하고 마주 대며 물어 온 말이다.

"글쎄……."

봄바람과 더불어 오는 봄, 연분홍 꽃과 함께 오는 화사한 봄, 새파란 풀잎 피어나는 봄은……. 어디로 가는가? 내가 답했다.

"봄날은 녹색 속으로 가는 것 같아."

할미꽃

볍씨 자라는 모양을 보며

　작년 가을에 수확하여 저온창
고에 보관해 온 볍씨를 4월 27일
에 꺼내 올 벼농사 작업에 돌입
했다. 맨 처음 할 일은 선충과
입고병 등을 예방하기 위한 종
자소독인데 방법은 '냉온탕침종법.' 60~65℃ 되는 따뜻한 물에 10분
동안 푹 담근 후 지하수 같은 찬물로 식혀 주는 소독 방법이다. 따뜻
하고 차가운 물에 한 번씩 담그는 방법으로서 사람들이 건강에 좋다
며 목욕탕에서 열탕, 냉탕을 번갈아 들어가는 것에 비유해 볼 수도
있겠다. 냉온탕 사우나를 마친 볍씨는 모판상자에 옮길 때까지 물에
담그고 물을 매일 갈아 준다. 수일이 지나면 볍씨 싹이 트이는데 때
를 맞추어 다시 상토가 담긴 모판상자에 옮겨 육묘하여, 5월 말에서
6월 초 무렵에 모내기를 하는 순서로 초기 작업이 진행된다.

　4월 27일 '냉온탕침종법'을 시작하여 5월 4일 모판상자에 파종하였
고 5월 10일에 평평히 펼쳐 육묘하고 있는 중이다. 매일 1회 이상 물

을 뿌려 주고 있는데 볍씨 싹이 나날이 커 자라는 모양을 보는 것도 아주 흥미롭다. 날씨가 변수이지만 5월 말 모내기에 들어갈 예정이다. 모를 심을 논은 이참에 새로 조성 중이다.

그런데 이번에 심을 벼는 품종수가 무려 60여 가지에 이른다. 추청벼 같은 주 품종 한두 가지나 필요에 따라 찹쌀벼를 조금 심는 것이 대부분 농가의 일 년 농사 양상인데 60여 가지라니 고개가 갸웃거리고 궁금한 일이 아닐 수 없을 것이다[참고로 추청벼는 아끼바레라는 이름으로 많이 알려진 품종인데 일본품종으로 '**あきばれ(秋晴れ)**'라고 적는다].

육묘 중인 품종을 몇 가지 적어 보면 다음과 같다. 돼지찰벼, 각씨나, 강릉도, 돈나, 대관도, 북흑조, 불도, 다마금, 산도, 올벼, 원자벼, 자광도……. 이들은 모두 이름도 들어 보기 어렵고 실제로 지금은 거의 재배하지 않는 품종들로서 토종(土種), 재래종, 재배 중단된 벼들이다. 이렇게 수십 가지를 육묘하고 있는 데에는 이유가 있을 터. 간단히 핵심을 말한다면 올해 쌀농사는 '토종농사'를 짓겠다는 뜻이다. 가을이 되면, 이들 벼 하나하나가 이삭이 영글어 가며 녹색, 자주색, 검정, 노랑, 하양……. 색색의 자태를 뽐내며 바람에 물결칠 것이다.

최근 들어서 '토종'은, 획일화·단일화된 상품이나 수입 품종에 식상한 탓인지, 예전에 비해 사람들의 관심을 끌고 있다. 그러나 그것은 그냥 표면에 나타나는 일부 현상일 뿐 토종이 대우받거나 돈이 된다거나 하는 것은 아니다. 더구나 한 가지 품종으로 짓는 농사도 힘든데 5백여 평 땅을 품종당 20평도 안 되는 면적으로 나누어 심기 위해 수십 종을 섞이지 않게 일일이 분류해 가며 작업하는 것은 몇 배의 노력이 들어가지 않을 수 없다. 지금 육묘하는 토종 볍씨들은 지난해 수확하여 양이 제법 되지만 처음 시작할 때는 이런저런 노력으로

구한 몇 톨의 씨앗이거나 아주 적은 양이었다. 그 과정은 단지 어렵고 힘들었다는 말 이상을 함축한다. 벼농사 모내기가 마무리되면 잡곡류를 비롯하여 그 이외의 품목도 토종을 심을 계획이 세워져 있다.

'토종'이라는 단어는 나에게 미묘한 생각을 불러일으키는 말 중 하나다. 사람들은 '토종'이라는 말을 들으면 뭐가 떠오를까. 난 프로바둑기사 서봉수 씨가 제일 먼저 떠오르는데, 나만의 생각인지 모르겠지만 그를 보면 토종 '분위기'가 풍긴다. 토종과 관련하여 몇 가지 더 적어 보면 그다음은 민들레, 그다음은 블루길, 그다음은 소나무……. 사람마다 숨결이 다르듯이 토종이 불러일으키는 뉘앙스가 다를 것 같다. 내가 좋아하는 국내파 프로기사를 대표하는 서봉수 씨는 한때 바둑계의 정상을 차지했지만 당시 유학파가 대세였으며, 구릉 산천에 흔하게 덮인 게 민들레이지만 토종 민들레는 찾아보기 힘들며, 블루길은 토착 어류들을 제치고 내수면을 활개 치는가 하면, 조선 백성의 얼과 기상이 담긴 소나무는 기후변화로 위기에 처해 있다는 소식이다. 그만큼 토종이 밀리고 있다는 말이 되겠다. 토종벼농사를 짓는 이유도 바로 여기에 있다. 그냥 버려두면 사라져 버리기 때문이다. 이미 종자 '선택권'을 빼앗겨 버린 현대 농업에서 토종이 설 자리는 위태하다. 농부가 심지 않으니 당연한 일이다.

이왕 말이 나온 김에 볍씨 토종 이야기로부터 시선을 멀리, 생물종에 대한 이야기로 넓게 돌려 보자.

지구에서 지금까지 발견된 동식물은 백수십만 종에 달한다고 한다. 그러나 백수십만 종의 동식물은 인간이 발견하여 '등록한' 숫자일 뿐이다. 깊은 바다, 토양, 삼림 등 인간의 손과 발, 눈이 미치지 못한 곳에는 이보다 훨씬 더 많은 미등록 동식물이 존재하고 있어서 실제로 지구상의 생명체는 천수백만 종이며, 어떤 사람은 수천만 종일 거라고 주장하기도 한다. 적어도 천수백만 종에 이를 만큼 많은 생물이 이 지구에는 살고 있는데 이러한 사실은 지구의 '생물종의 다양성 (Bio-diversity)'을 알려 줌과 동시에 사람이라는 동물 역시 이 지구에 살아가는 하나의 생물체라는 사실, 지구의 한 일원에 불과하다는 사실을 깨닫게 해 주는 것이 아닐 수 없다.

그런데 호모사피엔스니 만물의 영장으로 불리는 사람으로 말미암아 사라지고 없어지는 생물종이 아주 많다. 사람이 만든 사회구조와 기구들, 생활양식에 의해 수십, 수억 년을 이어 온 수없이 많은 생물이 아예 생명의 종말을 고하고 있다. 유엔(UN)이 통계를 인용하여 발표한 자료에 따르면 해마다 1만 8천~5만 5천 종에 달하는 생물종이 멸종되고 있다고 한다. 하루로 환산하면 매일 수십~수백 생물종이 사라지는 셈이다! 더구나 이 멸종의 양과 속도는 갈수록 커지고 빨라지고 있다. 현대자본주의가 만들어 낸 세계화된 경제시스템, 대량생산 ─대량소비, 이윤 창출을 위해 일상화되고 독점화된 자원 약탈과 개발행위로 말미암아 생물의 멸종은 누구도 부정할 수 없는 지구의 '위기'로 받아들여지고 있다. 지난 2000년 국제자연보호연합(IUCN)이 발표한 '레드리스트(Red list)'에는 1만 1,046종의 멸종위기 종이 실렸다고 한다. 그러나 이 리스트에 실린 숫자는 단지 인간이 찾아 등록시킨 것일 뿐이어서 눈에 보이지 않은 멸종위기에 처한 생물종은 그보다 열 배, 백 배, 혹은 그 이상에 이를 것이라고 보는 것이 합리적인 생각일 것이다.

이렇게 생물종이 멸종해 가는 원인은 무엇보다도 인간에 의해 서식지가 파괴되고 있기 때문이다. 산업폐수와 각종 화학유해물질로 물과 토양이 오염되고 경제개발을 이유로 자연생태계를 파괴하고 있기 때문이다. 우리나라에 현재까지 등록된 생물종 숫자는 3만여 종에 이른다. 이 중 멸종위기로 등록된 생물종은 170여 종이다. 그러나 이 3만여 종 역시 발견해 등록한 숫자일 뿐이어서 미확인 생물종을 포함하면 생물종 숫자는 그 몇 배일 것이다. 마찬가지로, 170여 종의 멸종위기 동식물 역시 멸종위기에 처한 동식물의 극히 일부분만을 적시하고 있다고 보아야 할 것이다.

이렇듯 해마다 수만 종의 생물이 멸종해 간다는 것은 우리 삶을 둘러싼 구조와 모순을 가장 적나라하게 나타내 주는 지표다. 우리나라도 지난 1992년 리우에서 열린 국제 '생물다양성협약'에 서명하여 1993년 12월 발효되었지만, 경제개발과 소득 증대를 절대가치로 삼는 일이 앞으로도 쉽게 고쳐지지 않을 것이어서 종의 멸종도 그러는 한에서는 지속되어 갈 수밖에 없을 것이다. 그러나 해마다 수만 종의 생물이 멸종하는 생태계는 어떤 방식으로든 인간에게 되갚음으로 영향을 미치지 않을 수 없다. 인간 역시 생태계의 일원이어서 속해 있는 먹이사슬의 운명으로부터 벗어날 수 없기 때문이다.

비 나리는 들에서 문자를 보내며

　여느 때의 월요일처럼 4시 40분으로 맞춰 둔 자명종이 울릴 시간에 맞춰 한 주일 생활이 시작된다. 처음에는 미리 맞춰 둔 휴대전화 알람 벨소리에 일어나더니, 이제 시끄럽게 울릴 휴대전화 알람기능을 해제하게 되었으니 사람 몸이란 습관과 버릇 들이기에 달렸다. 몸에는 신체생리시계, 마음시계가 돈다. 몸이 버릇 들자 마음이 몸을 깨우는 걸 보면 몸과 마음이 따로가 아니며 선후가 없는 것 같다. 마음이

몸속에 있다는 생각이 든다. 하늘이 아니라……. 창문을 열어 보니 아니나 다를까 비가 온다. 요즈음 기상예보가 잘 들어맞는다. 집을 나서 시내버스에 이어 전철, 고속버스, 군내버스를 바꾸어 타며 도착한 농장에도 비가 온다. 농사짓는 사람에게는 싫지 않은 비다. 가문 것은 아니지만 땅에 물이 필요할 때이기 때문이다.

비가 오더라도 오늘은 들일을 해야 한다. 시험 포장용 논을 조성하느라고 여기저기를 파헤쳐 놓아 꽃나무와 화초들이 뿌리를 드러내 놓은 채 방치되고 있는 지가 여러 날째다. 옮겨 심어야 한다. 내일, 모레는 모내기 준비로 바빠 지금 해 놓지 않으면 날 잡기가 어렵다. 밭 정리를 위해 포클레인 삽이 떠 옮겨 놓은 노랑꽃창포, 작살나무 등을 삽으로 적당한 포기로 잘라 농장입구와 둘레길에 한 줄로 옮겨 심는 일이다. 포기를 나누고, 물에 젖은 뿌리 흙을 적당히 잘라 내고, 외발수레에 실어 날라, 구덩이에 심는 작업이 점심때까지 계속됐다. 비가

오는 중에 일하니 흙이 질척거리고 흙물이 튀어 웃옷 아래옷이 흙투성이가 되고 만다.

생각해 보면 바쁘디바쁜 농사철에 곡물이나 채소를 제공해 주는 풀나무도 아닌데 이렇게까지 해야 되나 하고 생각이 들 수도 있지만 햇볕 아래 버려져 희누렇게 말라 죽을 걸 생각해 보면 이 애쓰는 노동이 헛된 일은 아닐 것이다. 애초 심을 때는 좋다고 심어 놓고 환경과 조건이 변했다고 마음을 바꾸는 것보다 한결 맘 편한 일이다.

그런데 오늘 이 작업은 다른 날보다 기분이 좋게 일했다. 하늘이 푸르러 청명하고 맑고 시원한 바람이 불어오는 것도 아니고 흙탕물 튀기며 일하는 것을 물론 좋아할 리는 없다. 이유는, 오늘 빗물이 스며들지 않는 바람막이 옷을 입고 일했기 때문이다. 겉은 물에 젖고 진흙투성이지만 옷 속은 말짱했다. 안성맞춤 모자가 달려 비 가리기도 좋았다.

며칠 전 밭일 때 입을 바람막이 옷을 사러 동네 옷가게에 들른 적이 있었다. 비싸 그냥 나왔다. 외출용이나 등산용으로 사는 것이 아니라 일할 때 막옷으로 입으려고 사려는 것인데 몇 만 원씩이나 들일 마음이 일지 않았다. 별로 좋은 옷도 아닌 것 같은데 값만 비쌌다. 옷 사는 데 조금 까다로운 편이기도 하지만 여간해선 옷을 잘 사지 않는다. 하지만 요즈음은 동네 가게를 들르곤 한다. 신발, 조끼, 바지 등 농사일 하면서 입고 쓸 용품을 사기 위해서다.

3주 전 주말에 한 지인으로부터 전화가 왔다. 그에게도 <삼방재일월가>를 이메일로 보내 주고 있어서 내가 농촌에 가 있는 것을 알고 있었다.

"오늘 볼 수 있을까?"

"다음에 봐야 할 것 같아요."

저녁에 미루기 어려운 약속이 있었다.

"내가 버릴까 하고 입었던 옷 정리해 둔 옷이 좀 있는데 농사일 할 때 입으면 괜찮을 것 같아 생각나서 전화했네. 전해 주고 싶은데 헌 옷이라 괜찮아?"

분명, 입던 옷을 남 주려고 하니 상대방이 어떻게 받아들일까 조심스러워하는 말 향기가 전해 온다. 그동안 막옷이 부족하던 차에 좋다는 말이 바로 올라오지 않을 수 없다.

"좋아요. 좋지요. 어떻게 그런 세심한 데까지 생각하셨어요?"

"버리려는 옷인데 어떻게 생각할지 모르고. 그렇지만 옷은 깨끗하고 괜찮아. 안 입어서 담아 놓은 옷이어서 그렇지."

"고맙습니다. 제가 이번 주는 일이 있어서 그렇고요. 다음 주는 시간이 괜찮습니다."

"내가 안 돼. 다음, 다음 주도 일이 있어 안 되고……. 그럼 세 번째 토요일에 볼까?"

그리하여, 이틀 전 우린 만났고 저녁을 소주와 먹고 당구를 한 판 치고 다시 맥주를 부족하지 않을 만큼 마시고, 옷을 담아 온 쇼핑용 종이가방을 받았다. 조끼, 티셔츠 등 몇 가지가 담겨 있었고 그중에는 바람막이 옷이 들어 있었다. 바람막이 옷을 사려다 물러선 것이 오늘 낮인데 바로 바람막이 옷이 들어오다니…….

서로 마음이 맞는 사람과는 이렇다 저렇다 말하지 않아도 물품 챙기는 일에서도 통하는 것인가. 일주일을 시작하는 오늘 월요일, 비가 내리는데, 마침 바람막이 옷을 잘 써먹는다. 일하다 잠시 숨을 돌리고 문자를 보낸다.

"비가 오는데 들일에 바람막이 옷 아주 잘 씁니다. ^^ 감사!!!"

사는 재미가 이런 것인가.

멧돼지 모정

　"공장 일을 마치니 해가 서편으로 저물기 시작하고 있었슈. 으레이 그 시간이면 마음이 조금 서두르지유. 얼른 집에 가서 밥도 먹고 애들 보고 피곤한 몸 누이고 싶은 생각이 드는 시간 아닌가유. 퇴근 때는 오토바이를 조금 빨리 몰아유. 난 그때 오토바이로 출퇴근하고 있었는데 낡았지만 부루루릉 윙윙 콜콜콜 그런대로 시골길을 잘 달려유. 그날도 강둑 길을 지나 차가 잘 다니지 않는 언덕으로 통하는 지름길로 접어들었슈. 그런데 눈에 번쩍 움직이는 물체가 보이더라구. 멧돼지들이야. 여러 마리가 길 건너 숲 속에서 나오더니 아스팔트 길을 가로질러 길가 편 배수로를 건너 뛰어가더라고…… 반대편 숲 속으로 이동 중인 거지유. 한 마리 껑충, 두 마리 껑충, 세 마리 껑충 하면서…… 길가를 따라 흐르는 콘크리트 배수로를 차례로 건너뛰더라고. 무사히 건넌 놈들은 숲으로 들어가고, 먼저 길을 건넌 어미를 따라 새끼들이 뒤를 따르는 거지. 그런데 아이고, 맨 뒤에 오던 새끼 멧돼지란 놈이 수로를 건너뛰다 빠지고 만겨. 어린 몸에 한 번에 뛰어 건너기는 수로가 넓었던 모양이어유. 수로에 빠진 멧돼지가 가족 일행을 놓치지 않으려고 수로를 오르려 발돋움하지만 못 오르더라구유.
키에 비해 높아서 쉽지 않은 게야. 오토바이를 몰고 가던 난 순간적
으로 저놈을 잡아가야겠다고 생각이 들더라구. 얼른 오토바이를 멈추
고 재빨리 멧돼지 새끼로 다가가서 잡으려 하는데 깜짝 놀란 멧돼지
가 웩웩 소리 내며 수로를 따라 도망치더라고. 나는 얼른 새끼를 안
아 오토바이를 몰고 갈 작정이었는데 문제가 생긴 거지유. 그래서 앞
서 숲으로 가던 어미 멧돼지가 새끼 꽥꽥대는 소리를 듣고 말았쥬.
어미가 상황을 눈치챘겨. 새끼에게 위험이 발생한 걸 소리 듣고 안
거지. 그러자 풀나무가 우거진 경사 급한 둔덕을 어미 멧돼지가 뒤돌
아서 달려 내려오대. 겁이 더럭 났슈. 그것 보고 겁이 안 나요? 곧바
로 들이쳐 나를 들이받을 기세였어유. 도망쳐야 될 다급한 상황이 벌
어진 거지유. 하지만 오토바이로 돌아가기에는 이미 늦었고, 어떻게
해야 되나 몸이 달았슈. 온몸 신경이 곤두서고, 멧돼지가 노리고 달려
오는데 어떻겠냐구. 에라 모르겠다, 나무에 오르고 보자 생각이 들더
만. 다행히 제법 굵고 큰 가로수가 길옆에 있었슈. 나무를 냅다 기어
올랐지유. 쫓아온 어미 멧돼지가 오르는 나무 바로 아래까지 쫓아왔
더라구유. 나무 위에 간신히 올라 아래를 쳐다보니께 멧돼지란 놈이
나무를 기어오르려구 기를 쓰데유. 놈하고 눈이 마주치는데유 난생처
음 잔뜩 화가 난 동물 눈을 보았어유. 지금도 생각하면 섬찟해. 나무
에 올라 이 상황을 바라보는 내 마음이 어땠을 것 같애유? 그걸 어떻
게 말로 그려 낼 수 있겠는가유. 미칠 일이지. 멧돼지는 한참 동안을
나무를 기어오르려 하고, 안 되니께 발과 머리를 부딪치고 소리를 지
르고 온갖 발광을 하드만. 짐승의 자식에 대한 사랑이 그 정도일 줄
몰랐네유. 자기 새끼를 납치해 가려 한 인간을 절대 가만 놔두지 않

겠다는 집요한 복수심인 게지유. 멧돼지가 나무 오르는 재주가 없었
길망정이었지 그렇지 않았으면 어쩔 뻔했나유. 십년감수가 아니라 아
주 갈 뻔했지유. 멧돼지는 하다 하다 나무 오르는, 새끼를 잡아가려
한 인간에게 보복하는 일이 쉽지 않음을 알았던지 돌아가려는 낌새
를 보였어유. 나무 위에서 난 멧돼지가 언제 돌아가나 마음 졸이고
기도했슈. 제발 잘못했으니 그만 돌아가 주라구. 그러나 웬걸……. 멧
돼지는 돌아가려다 다시 돌아오길 몇 차례나 반복하더라구유. 내 새
끼를 잡아가려고 한 네놈을 오늘 기어이 요절내겠다는 것 아니겠는
가유. 멧돼지가 돌아갔다 싶어서 바로 내려왔으면 처참하게 당했겠지
유. 돌아가는구나 생각하고 조심스레 내려올라고 하면 그때마다 멧돼
지는 되돌아오고……. 내가 맘을 놓고 나무를 내려오게 하기 위해 가
는 척 위장했는지도 모르지유. 그러길 몇 차례 했슈. 나무를 도저히
내려올 수 없었슈. 언제 내려왔겠나유? 나무 위에서 뜬눈으로 밤을
새웠슈. 정말 난생처음 그런 긴 밤이 없었네유. 동이 트고 날이 비로
소 훤해진 다음에야 내려왔으니까. 시간이 아침 8시쯤이었을게유. 멧
돼지 새끼사랑이 그렇게 무서운 것인 줄 몰랐네유. 새끼 딸린 짐승
잡을 일 아니유."

세열단풍 야구방망이

농장 하우스 앞에는 관상수 몇 그루가 자라고 있다. 그런데 나무도 사람처럼 저마다 성질이 달라서 어떤 나무는 마른 땅을 좋아하고 다른 또 어떤 나무는 물가를 좋아한다. 일반적으로 말한다면 물 잘 빠지고 마르지 않는 보습, 보수력이 좋고 통기가 잘 되는 토양이 되겠지만 식물과 작물마다 조금씩 성깔이 달라 일률적으로 말할 게 못 된다. 하우스 앞에서 자라는 관상수가 다섯 그루인데 그중 한 놈이 봄이 왔건만 잎이 올라오지 않는다. 계절 신호가 갔을 텐데 소식이 없다. 지난겨울 얼어 죽은 것 같다. 가지를 분질러 보니 뚝뚝 부러진다. 다섯 번째 하우스동 앞이 다른 곳보다 물길이 모여 습기가 많고 땅이 질은 것이 원인임이 분명하다. 일반적으로 땅에 물기가 많고 배수가 나쁘면 뿌리 생육이 좋을 수 없고 세균 침해도 더 발생한다.

결국 이 나무는 이번 논밭 작업 때 뽑히고 말았다. 한 동료가 나무를 토막 내 버리려 하기에 쓸모가 있겠다 싶어 위 가지와 아래 뿌리 부분을 잘라 내 가져왔다. 야구방망이로 쓰려는 심산이었다.

숙소에 가져와 혹시 누가 버릴까 하는 노파심에서 밑둥 부분 껍질

을 벗기고 '버리면 안 됩니다!'라고 적고, 지금은 아침저녁 짬짬이 마당에 나가서 휘두른다. 달밤에 체조라고나 할까. 야구공은 칠 수 없지만 공이 날아온다 생각하고 휘두르다 보면 금세 몸이 풀린다. 농사일은 손목, 팔꿈치, 어깨와 허리를 한쪽으로 많이 쓰기 마련이어서 방망이 따라 허리를 휘휘 돌려 주면 큰 도움이 된다. 이렇게 1년쯤 휘두르다 보면 방망이 운동에 꽤 익숙해질 것이다.

방망이는 키가 93cm이고 위 지름 6cm, 아래 지름 4cm이다. 무게는 아직 재 보지 않았다. 들면 묵직하다. 한국야구위원회 규정을 보면, '(야구)방망이는 겉면이 고른 둥근 나무로 만들어야 하며 굵기는 가장 굵은 부분의 지름이 2³/₄(7cm) 이하, 길이는 42인치(106.7cm) 이하'일 것과 '방망이는 하나의 목재로 만들어져야 한다.'고 나와 있다. 규정에 따르더라도 대체로 해당되는 결격사항은 없다. 방망이의 재목은 둥근 나무이며, 굵은 부분 지름이 6cm, 길이는 93cm다. 접착한 목재가 아닌 하나의 목재인 것은 말할 것 없다. 아직 무게는 달아 보지 않아서 모르겠지만 850~865g이 보통 야구방망이 무게인 걸 보면 대략 엇비슷하지 않을까.

다만 한 가지가 결격사항인데 바로 '겉면이 고른' 나무여야 한다는 규칙에 걸린다. 똑바로 자란 나무가 아니어서 휜 게 흠이라면 흠이다.

그러나 이것도 문제가 안 된다. 휘었을망정 들어 보면 중심이 잡혀 있기 때문이다. 위 사진에서 보듯이 똑바로 균형을 잃지 않고 서 있다.

저녁에 마침 풀과 나무에 대해 해박한 동료를 만나 방망이로 쓰고 있는 나무이름을 물었다. 그는 야생화, 나무에 대해 많이 안다.

"어디서 구했는데요?"

"삼방 하우스 앞에 심어져 있던 나문데 죽어서 가져왔지요."

"아, 그 나무요. 뭐더라? 한번 찾아보지요."

금방 도감에서 찾아낸다.

"세열단풍나무라고 단풍나무과고 이 나무도 가을에 물들면 아주 멋져요. 잎 끝이 여러 갈래로 갈라져서 세열이라는 이름이고요. 수입된 외래종이지만 좋아요. 단풍나무가 나무재질이 단단한데 연습용 야구배트로 좋을 것 같네요."

"나무 나이가 몇 살이나 돼요?"

나무 밑동을 보이며 물었다. 동그라미 나이테가 명확하지 않은 부분이 있어 궁금했던 참이다. 잠시 살피더니 답한다.

"어, 6년…… 된 거 같네요."

어린 나문데 일찍 죽었다. 친구가 하나 생겼다.

재미있거나 부러운 곳이 아니다

쓰다 보니 횟수가 꽤 나갔다. 시작이 반이라더니 틀린 말이 아니다. 가능한 한 1주일에 한 장씩은 꼭 적으려니 마음먹고 있어서 그런 것이긴 하지만 먹은 마음 탓이라기보다 저녁시간에 만남이 없기 때문이다. 시간이 없으면 마음도 믿을 게 못 된다. 여기 오기 전에는 자주 술을 마셨는데 술 마실 기회가 드물다. 내 친구 중 한 사람은 술 한잔을 채 못 마시는 체질인데 여러 권의 책을 냈기에 "잠도 안 자나? 언제 썼어? 참 부지런하다."고 말했더니 그는 "술을 못 마셔 술자리를 갖지 않으니 저녁 밤중 하는 일이 이 일뿐이어 그렇지."라는 실토에 서로 웃고 말았다. 나도 홀로 떨어져 지낼 수 있는 탓에 글쓰기를 끊이지 않고 이어 가고 있다는 생각이 든다. 글 쓰려거나 마음 정리하려거나 공부하려 할 때 조용하고 외딴 자리를 찾아가는 것이 허튼일이 아니다.

지난 이른 봄 이곳에 온 후로 가끔 만나는 사람들로부터 나의 시골 생활에 대해 이런저런 반응을 듣게 된다. "건강 잘 챙겨라."라는 내용이 가장 많고, "잘 선택했다."면서 격려도 받고, 새로운 삶을 시작하는 것에 대한 응원도 있다. "소주 한 잔 하자."거나 "방문하겠다."며 초청을 바라는 내용도 있다. "마침내 전공을 살렸다."는 말도 있다. 농과대학을 졸업하여 이제야 농사를 선택한 걸 두고 하는 말이다. 이러한 덕담들이 싫지는 않다. 모두 변화된 삶을 시작하는 내게 잘하길 바라는 격려일 것이다.

그중 "재미있겠다." 혹은 "부럽다."는 반응도 나온다. 그러한 말에 대해선, 가끔 "재미없습니다."라거나 "부러운 일이 아닌데……"라며 약간 거북스러운 반응이 튀어나온다. 의외의 나의 대답에 상대방도 좀 당황한다. 난 아직 농사일이 재미있다는 생각을 하지 못하고 있을 뿐 아니라 부러운 대상이 될 만큼 농사일을 해내는 것도 아니다. 사실을 말하면 힘들고 벅차다. 농사일이 힘들어서 대부분의 사람들이 농사를 기피하여 농촌을 떠나고 있는 현실인데 '재미'는 무슨 재미며, 뼛골 빠지게 농사지어도 돈이 안 되는데 농사일이 부러운 대상일 수는 없을 것이다. 다만, 그들이 그렇게 말하는 것은 도시의 삶이 경제적으로 여유는 있을지 몰라도 그 역시 힘들고, 종종 얽매이고 짜인 생활을 바꾸고 벗어나고 싶은 욕구가 투영된 도시 생활의 억눌린 심리를 보여 주는 것이 아닐까 추측한다. 그러한 반응에는 내 탓도 있다. 지금까지 내가 쓴 글을 되돌아보면 힘들고 고단한 농촌, 농민 현실을 보여 주는 것이 아니라 다분히 감성적이고 즉흥적인 수사와 경험을 얘기해 왔기 때문이다.

"땅 파먹고 산다."는 말이 있다. 사람은 현재보다도 더 경제적으로 여유롭고 윤택한 생활수준을 바란다. 땅 파먹고 산다는 말은 바로 농사지어 먹고산다는 말인데 이 말 속에는 농민의 처지를 낮추어 보는 자기비하감이 들어 있다. 땅 안 파먹고 사는 직업은 대부분의 사람들

이 바라는 삶이다. 정장, 넥타이, 구두 단정한 옷차림에 농사 아닌 활동을 하는 직업이 대부분 추구하는 직업관이다. 농사꾼부터 자기 자식에게 너는 절대 농사짓지 말라고 말하는 것이 현실이다. 지금 시대 농민은 사회 계층·계급적으로 하층에 속한다. 도농 소득격차가 점점 갈수록 더 벌어지고 경제, 문화, 후생, 의료, 교육, 복지 등 생활조건조차 나쁘다. 그렇지 않다면 지금처럼 젊은 세대가 농촌을 떠나고 노인 세대만 남아 있는 농촌이 되지 않았을 것이다.

지난해 말(2009년 12월 1일 현재) 농민인구는 통계청 발표 자료에 따르면 311만 7천 명으로 전 인구의 6.4%이다. 해년마다 줄어들고 있다. 올해 말이면 300만 명대가 깨지지 않을까 생각된다. 상황변화가 없다면, 다시 10여 년 후 200만 명대가 깨질 것이다. 1년에 약 10만 명 정도가 농촌을 떠나는 셈이다. 급속한 인구 감소. 그런데 농촌인구 감소보다도 정작 더 심각한 문제는 따로 있다. 농촌의 고령화 문제가 그것이다. 농민인구 감소보다도 늙은 농촌이 되어 가고 있는 현실만큼 현재 농촌의 현주소를 드러내 주는 지표는 없을 것이다.

농촌은 이미 고령화-고령-초고령 사회를 지나 '초초고령사회'가 되었다. 10~40대 젊은 생산인구가 계속 줄어들게 되어 갈수록 노인 중심의 농촌사회가 되어 간다. 지난해만 보면, 전 연령층의 인구는 줄어든 반면 70세 이상 연령층은 3.6%가 늘었다. 지난 달 만난 시골에 사는 한 할아버지는 얘기 중에 이렇게 말했다.

"월요일 날 오전 읍내 나가는 버스에는 약 타러 병원 가는 할매, 할애비뿐이지라."

이러한 사회현상은 바로 농촌이 비정상적인 집단으로 변모하고 있다는 것을 보여 준다. 신생아 태어나는 소식, 아이들이 시골학교 교문을 재잘거리며 몰려나오는 풍경을 보기 어렵고, 마을 청장년의 결혼 소식을 듣기 어렵다. 일부 지방자치단체들이 갈수록 줄어 가는 지역 인구를 어떻게 보충해 보려는 유인 정책을 내놓고 애가 태어나기라도 하면 지역 경사가 되는 사정이다.

향후 10년 동안 이러한 상황이 그대로 일어나지 않을지 모르지만 지금대로라면 큰 오차가 발생할 것 같지 않다. 왜 이런 일들이 일어나고 있을까. 이유는 간단하다. 땅 파먹고 살기 어렵기 때문이다. 일은 힘든데 힘든 만큼 대우받지 못하고, 애써 농사지어도 돈이 되지 않는 현실 때문이다. 농촌은 재미있거나 부러운 땅이 아니다.

2장

비 오는 날 고양이를
생각하며

모내기철이 되면 한반도 논은 물로 채워진다.

특히 해거름에 물이 가득 담겨진 논은

햇빛이 물에 반사되어 유리면처럼 빛나며

황홀한 풍광을 연출한다.

물빛 축제

    모내기를 마쳤다. 삼방리 논 4백 평은 손모내기로(5월 28일), 제월리 논 1천 평은 이앙기로 심었다(6월 1일). 모내기를 마치니 큰일 하나를 던 느낌이다. 자식을 결혼시켰다든지 부모 환갑잔치를 마쳤다든지 하는 인생의 고비를 넘어갈 때 느끼는 감정과 비겨 본다. 농장의 1년 농사 순환의 두 번째 고개를 넘어선 셈이다. 첫 고개는 4월 24일 고추정식이었다.

이제 모판을 떠나 논에 심은 벼는 흙내를 맡아 활착하고 가지치기를 하며 우기와 땡볕의 한여름 한가운데를 지내 가며 이삭을 내고 꽃을 피우고 수정되어 이삭이 여물 때를 향해 나갈 것이다.

모내기철이 되면 한반도 논은 물로 채워진다. 특히 해거름에 물이 가득 담겨진 논은 햇빛이 물에 반사되어 유리면처럼 빛나며 황홀한 풍광을 연출한다. 그 풍경을 함께 바라본 적이 있었던 지인이 시를 지어 보내 왔다.

> 논에 물이 들어가는 시절입니다.
> 시냇물도 들어가고, 산골을 돌고 돌아온 냉정한 물도 들어가고,
> 푸른 산천 빗질하던
> 봄비 또한 두말없이 들어갑니다.
> 논이란 논에 물이 다 들어 온 벌판이 거울처럼 닦이면
> 스러지는 또 한 하루에 뒤가 무겁던 석양빛도
> 먼 산위를 미적거리다 말고
> 옳다구나 들어갑니다.
> 지나가던 바람마저 지나치지 못하고 물 위로 내려올 때,
> 산이며 들이며는 아버지의 다정한 어깨 무동 타는
> 아이처럼 밀고 밀려가는 잔물결 등에 오르고,
> 이때쯤이면 밝혀지는 이 집 저 집 작은 등불들은
> 어깨동무 파문 사이로 끼어들 데를 엿보기도 합니다.
> 둑새풀에 자운영에 지난겨울 자리 잡았던 들풀들이
> 겨우 목만 내밀고
> 이게 웬 소동인가 어리둥절한 사이, 이 나라의
> 이 시절은 저렇게 물빛 축제를 벌입니다.

벼농사는 물의 예술이 아닐 수 없다. '물빛 축제'이고 '생명의 예술'이다. 농부는 그 예술과 축제를 펼치는 주인공이다. 쌀농사의 물관리 요령은 어느 때는 높이 대어야 하고 어느 때는 얕게 대며 경우에 따라서는 물을 빼 주기도 하는 수심 조절에 대한 깊은 지혜가 반

드시 필요하다. 예컨대 추운 지역이나 이상저온이 온 해는 물을 깊게 대 줌으로써 냉해를 줄이기도 한다.

공동체를 이루고 살던 인류가 물을 어떻게 잘 이용했는지를 보여 주는 좋은 예가 있다. 헬레나 노르베리 호지(Helena Norberg-Hodge)가 쓴 ≪오래된 미래≫(Ancient Future, 1996년, 녹색평론사 발행)에는 티베트 고원에 자리 잡은 라다크 지방에 사는 주민들이, 황량하고 거친 자연환경 속에서 공동체를 유지하고 있는 모습을 잘 보여 주고 있는데, 인간 생존에 절대적 필요조건인 물을 어떻게 이용해 왔는지 잘 보여 주고 있다.

> "라다크에 온 지 얼마 되지 않아서 나는 개울에서 옷을 빨고 있었다. 내가 더러운 옷을 막 물에 담그려고 할 때 일곱 살도 채 안 된 어린 소녀가 물길의 위쪽에서 왔다. '물에 옷을 넣으면 안 돼요.' 하고 그 소녀가 수줍어하며 말했다. '아래쪽 사람들이 그 물을 마셔야 돼요.' 아이는 적어도 한 마일 정도 떨어져 있는 아래쪽 마을 가리켰다. '저쪽에 있는 물을 쓰면 돼요. 저것은 그냥 밭으로 가는 거예요.' 나는 라다크 사람들이 그토록 어려운 환경에서 어떻게 생존해 가는지를 알기 시작했다(29~30)."

> "대부분의 마을에서 관개는 마을 안에서 지명되거나 선출된 '추르 폰'이 관리한다. 그는 필요한 대로 수로를 막거나 열거나 하면서 물의 흐름을 조종한다. 각 집은 매주 일정한 시간 동안 물을 자기들의 밭으로 돌리도록 할당을 받는다. 한 어머니와 두 딸이 밭에 물을 대는 것을 나는 지켜보았는데, 그들은 조그만 수로를 열었다가 땅이 흠뻑 젖자 흙을 한 삽 떠서 그것을 막았다. 그들은 물이 놀라운 만큼 고르게 퍼지도록 하였다. 그들은 어디로 물이 쉽게 흘러가는지, 어디에서 조금 도와야 하는지를 알고 있었다. 여기에서 한 삽을 떠내고 저기에다 쏟아놓고, 꼭 물길을 열 만큼만 돌을 움직여 놓고—이 모든 것을 아주 섬세하게 때를 맞추어 할 줄 알았다. 때 때로 그들은 삽에 기댄 채 한눈으로는 물의 흐름을 지켜보면서 이웃사람과 잡담도 하곤 했다(25~26)."

나의 역사는 오천 년이 아니라
만 오천 년의 것이다

　만나는 주위 몇 사람들에게 '소로리 볍씨'를 아느냐고 질문을 던져
보았다. "소로리 볍씨? 그게 뭐지?" 한결같은 대답이었다.

　한반도에서 쌀을 먹기 시작한 것은 학계의 정설로는 길어야 5천 년
전을 넘지 않는 것으로 추정된다. 이 같은 추정을 뒷받침하는 유력한
증거물, 탄화미들은 한반도 곳곳에서 발견된다. 다음은 그 목록이다.

- 경기도 고양군 일산읍 유적의 이탄층에서 발굴된 벼 껍질의 탄
  소연대 측정 4천500~5천 년 전(1991년)
- 경기도 김포군 통진면 가산리를 중심으로 한 한강 하류 주변의
  이탄층에서 출토된 벼는 약 4천 년 전(1991년)
- 경기도 여주군 점동면 흔암리 한강변 유적 탄화미는 3천 년 전
  (1977년)
- 평양시 호남리 남경 유적지 탄화미 3천 년 전
- 충남 부여군 송국리 2천6백 년 전(1974년)
- 경남 김해 유적지 탄화미 2천100년 전

그리고 한반도에서 재배되기 시작한 벼는 중국을 통해 전래되었다

는 것이 학계의 정설이다. 어디서? 벼는 1만 년 이전에 아시아에서 재배되기 시작한 것으로 추정되어 왔는데 그 기원지로는 인도의 아삼, 미얀마 및 라오스의 북부를 거쳐 중국 윈난 성에 이르는 지역이 꼽힌다. 이 지역은 아열대 몬순 지역으로 벼가 자라기 좋은 자연환경을 고루 갖추고 있다.

이는 지금까지 발견된 벼와 탄화미 등의 유물로도 증명되어 왔다. 세계적으로 공인된 가장 오래된 것은 중국 옥섬암 유적이다. 중국 후난 성 옥섬암(玉蟾岩) 유적과 장시 성 선인동(仙人洞) 동굴에서 발견된 벼는 각각 1만 1천 년, 1만 5백 년 전으로까지 거슬러 올라간다. 중국에서는 앞의 두 지역 외에도, 중국 저장성 위야오의 허무두 유적(浙江省 餘姚縣 河姆渡)에서 출토된 탄화미(6000~7000년 전), 허난성의 황하 지역(4500~5200년 전), 후베이성 탄화미(4500년 전) 등이 있다.

이런 탄소연대 측정법 등에 따르면 한반도에 이르는 '벼의 길(rice-road)'은 중국 양쯔강과 산둥성을 거쳐 서해바다로 통하거나, 요동을 거쳐 한반도 서안과 동북부에 이르는 것으로 추정된다. 양쯔강 유역에서 바다를 건너 한반도 남부지역으로 전해졌다는 학설도 있다.

한편 우리처럼 쌀이 주식인 일본에서도 '벼의 길'을 쫓는 작업이 진행되어 왔다. 현재까지의 정설은 한반도를 경유하거나 남부 규슈 지역을 통해 전파되었을 것으로 보는 것인데 그 시기는 대략 3천 년 전으로 보인다.

지금까지 간략히 벼의 기원과 한반도에 전래된 '벼의 길'에 대해 살펴보았다. 그런데 이 같은 학설들은 2002년 중대한 위기를 맞게 된다. 무려 1만 5천 년 전으로 '확인'된 볍씨가 한반도에서 출토되었기 때문이다.

충북 청원군 옥산면 소로리. 이곳에서는 1997년부터 2001년 사이 역사적인 발굴이 진행되었다. 그 결과 1만 5천 년 전후의 볍씨 59톨이 출토된다. 이는 지금까지 가장 오래된 것으로 알려진 중국 볍씨보다 4천 년이 앞선다. 우리나라에서 지금까지 발견된 것에 비하면 무려 1만 년이 앞서는 것이다. 이는 미국의 방사성 탄소연대 측정연구소인 지오크론(Geochron)과 서울대학교 연구소 두 기관에 의해 확인된 것인데 세계적으로도 공식 인정됐다.

이하는 이와 관련된 기사의 일부이다.

"충북대 박물관은 1998년 충북 청원군 옥산면 소로리 오창과학단지 구석기유적 A지구 토탄층에서 발굴된 볍씨가 지금으로부터 1만 7000~1만 3000년 전의 것으로 확인됐다고 밝혔다. 기존 세계 최고(最古) 볍씨는 1997년 중국 허난(河南) 성에서 출토된 약 1만 년 전 볍씨였고 한국 최고 볍씨는 경기 고양시 일산에서 1991년 출토된 약 5020년 전의 볍씨였다."

"세계 최고(最古)의 볍씨는 한국에서 발굴된 소로리 볍씨이며 국제적으로 가장 오래된 것으로 인정받아 왔던 중국 후난(湖南) 성 출토 볍씨보다 약 3천 년이 앞선다." (영국 BBC 방송국)
"충북 청원의 소로리 구석기 유적에서 출토된 탄화벼가 국제미작연구소(IRRI)로부터 세계에서 가장 오래된 볍씨로 공식적인 인정을 받았다. 충북대 이융조, 서울대 허문회, 영남대 서학수 교수는 지난주 필리핀 로스 바노스 국제미작연구소 외 국제벼유전학술회의에서 <1만 3천10년 전으로 연대 측정된 탄화벼>라는 논문을 발표했다.
이융조 교수는 이 결과는 미국의 권위 있는 방사성 탄소연대 측정기관인 지오크론(Geochron)과 서울대의 AMS 연구팀으로부터 동일하게 얻은 것이어서 국제적으로 공인받은 것이라고 설명했다. 이교수는 '농촌진흥청 작물시험장의 박태식 박사가 이 볍씨에 대해 야생벼가 아니라 재배벼라고 밝혀 1만 5천 년 전에 한반도 중부에서 농사가 이뤄졌다.'고 말했다."

"최근 개최된 중국 허난 성 문물고고연구소 개소 50주년 기념 국제 학술회의는 청원에서 출토된 소로리 볍씨의 국제적 위상을 확인할 수 있는 자리였다. 이번 학술대회에는 중국 사회과학원 고고학연구소 유경주 소장과 왕위 부소장, 안지민 교수를 비롯, 문물고고연구소 소장 등이 참석해 그 비중을 짐작케 했다."

"속내를 드러내지는 않지만 중국 측으로 보면 상당히 자존심이 상하는 일이고 우리 측으로 보면 한반도의 유구한 농경문화를 내세울 수 있는 호기였다."

"중국 첸저우 시에서 열린 '첸저우 국제학술회의'에서 충북대 박물관이 발굴한 소로리 볍씨가 세계 최고(最古)로 인정받았다. 중국 허난 성 문물 고고연구소 창립 50주년을 기념해 열린 이번 회의는 한국, 중국, 일본, 미국 등에서 5백여 명의 고고학자가 참여한 가운데 지난 7월 29일부터 31일까지 열렸다.
회의에 참석한 이융조 교수는 <구석기 시대의 소로리 볍씨와 토탄층>을 주제로 △ 미국과 서울대 연구실의 볍씨 연대측정 결과, △ 볍씨 출토의 원지점 발견, △ 재배벼와 야생벼의 논란 확인 등에 대해 발표했다. 또한 소로리 볍씨가 야생벼에서 재배벼로 가는 단계임을 설명하기 위해 '순화벼(domesticated rice)'라는 용어를 처음 사용했다. 이번 회의에서는 볍씨 연대가 1만 3천 년~1만 5천 년 전으로 밝혀져 가장 오래된 볍씨의 기원이 우리나라로 공인받았다. 또한 볍씨의 소지경(곡식 낱알이 떨어지는 부분)을 통해 재배벼와 야생벼를 구별 가능하다는 학설이 발표되었다." (2003년 11월)
"소로리 유적은 우리나라에서 유일하게 구석기시대 야외유적과 토탄층이 함께 확인된 곳으로 고고학과 고생물학, 제4기 지질학 등 학문연구를 통하여 벼의 기원과 진화, 전파 경로를 밝히는 데 큰 역할을 할 것으로 기대되며, 2004년 1월 16일 프랑스 파리에서 세계문화유산 관계자들은 이 유적이 세계문화유산으로의 등재 가치가 충분하다는 의견을 제시하였으며, 깊은 관심을 기울였다." ('소로리 볍씨 사이버 박물관' 홈페이지)

이렇게 '소로리 볍씨'가 현재로는 세계에서 가장 오래된 볍씨인 것으로 밝혀짐에 따라 벼의 기원, 진화, 전파 등에 관해서도 논란이 일고 있다. 연대로만 보면 이 볍씨의 발견에 따라 쌀의 기원, 전파경로 등에 대해 역사를 새로 써야 할지도 모른다. 한반도에서 벼가 재배되기 시작해 세계 각지로 퍼져 나갔다고 말이다. 적어도 볍씨가 발견된 연대로 보면 그렇지 않은가. 그러나 벼의 기원과 전파는 단지 가장 오래된 탄화미의 발견만으로 해결될 일은 아니다. 중국 등 벼를 재배해 왔던 다른 지역에서 더 오래된 벼의 유적이 발견될 수도 있으니 말이다.

그러나 적어도 다음과 같은 사실은 확실하다. 조선 반도에서 재배 벼로 추정되는 1만 5천 년 전의 볍씨가 발견됐고 우리의 쌀, 그 재배의 역사가 1만 5천 년 전으로 거슬러 올라간다는 사실이다. 이는 곧 우리의 농업의 뿌리가 1만 5천 년 이전이라는 사실, 이 연대는 단군에 의해 시작된 역사시대의 기록으로 삼는 '반만년 역사'의 3배에 이른다는 사실이다.

우리나라는 현재까지 지구에서 가장 오래된 볍씨가 출토된 나라다. 이 사실은 출토된 탄화미 연대측정을 통해 이미 국제적으로 확인된 사실이다. 그동안 세계적으로 공인된 가장 오래된 것으로 알려진 중국 후난 성 옥섬암(玉蟾岩) 유적의 볍씨를 훨씬 앞선다. 중국 옥섬암 유적과 장시 성 선인동(仙人洞) 동굴에서 발견된 벼는 각각 1만 1천 년, 1만 5백 년 전으로까지 거슬러 올라간다. 이에 비해 소로리 볍씨는 4천여 년을 앞선다.

그동안 중국은 장시성 선인동이나 후난 성 옥섬암 볍씨가 세계 최고라 하여 쌀의 종주국으로 자신을 내세우는 한편, 출토지를 대대적인 단지로 구획하고 세계적인 역사문화 관광지로까지 선전해 왔다.

갑자기 솟아오른 뜨거운 국제적 볍씨 논쟁과 관심의 와중에 한때,

세계 문화유산 관계자들이 이 유적이 세계 문화유산으로서 등재할 가치가 충분하다는 의견을 제시하였으며, 깊은 관심을 기울였다고 '소로리 볍씨 사이버 박물관' 홈페이지는 기록하고 있다.

금강으로 흘러드는 까치내와, 소로리를 감싸며 돌아드는 뒷산 사이의 볍씨 출토지는 마음만 먹으면 국제적인 명소가 되기에 부족함이 없는 환경을 갖추고 있다. 한강변에 자리한 서울 강동구 암사동 선사 유적 발굴 터에 꾸며놓은 선사유적지 못지않다. 꿈을 꾸어본다. 소로리, 산과 강이 조화된 세계 최고의 볍씨 출토지, 소로리가 쌀 문화의 기원을 밝히는 세계적 명소가 되는 것을. 세계문화유산으로 등재되고 초등 중고 학생의 수학여행지가 되며 쌀의 기원과 문화를 찾는 세계 각국 사람들의 순례지로 되살아나는 꿈을.

출처: 소로리볍씨박물관사진
소로리 고대벼

유사벼 출토사진

녹음방초가(綠陰芳草歌)

앞서거니 뒤서거니 아침이면 새롭게 피어나던 봄꽃들이 지고 풀씨
가 바람결에 날리기 시작하면 여름이 다가온다. 그중 할미꽃이 보여
주는 봄꽃의 생은 과연 '할미'라는 이름다운데, 한창 봄날 내내 얼굴
크고 키 작은 처녀인 게 부끄러워 고개 숙이고 지내더니 6월이 오기

도 전에 늙어서 흰머리를 바람에 날린다. 양지바른 봄날 다소곳 고개 숙인 고아스러운 자태에 '할미'라니 웬 말인가 싶었는데, 봄 뒷자락에 벌써 백발이 되어 버리니 왔는가 느낀 사이에 가 버린 봄날 청춘이 서러운 성싶다. 할미꽃뿐이랴. 봄꽃들이 그렇게 멀어져 간다. 노랑, 분홍, 하양 화사했던 봄날이 푸른 녹색으로 채워지면 봄 바람기 나던 마음도 심드렁해져서 모내기도 끝낸 터라 마음으로는 거지반 농사를 지어 버린 것 같다. 그래도 여전히 꽃은 줄지어 피어나고 쭉쭉 무럭 무럭 산과 들에 풀과 나무가 자란다. 찔레꽃이 지고 애기똥풀 꽃도 뜸해지고 애벌레들이 부화하여 나비 되어 날아오르고 뻐꾸기, 개구리 가 울면, 그 사이 여름이 들어앉는다.

여름 되니 무엇보다 햇볕이 강해졌다. 비스듬히 비치던 태양이 머 리 위에서 내리쬔다. 사람들은 덥다 하지만 풀은 제 세상을 만났다. 풀의 세상이 펼쳐진다. 옥수수, 감자, 고구마, 고추 밭에 일신우일신 (日新又日新) 풀이 자라 오른다. 뽑고 돌아 나오면 다시 올라온다. 땅 속에 내린 풀뿌리 힘이 만만치 않아서 뽑는 것도, 땅이 굳으면 호미 질도 쉽지 않다. 자라는 속도가 사람 생각을 앞선다. 농부에게 여름은 열기 속에서 벌이는 풀과의 싸움이다.

인류는 이 풀을 잡기 위해 농사에 이용할 수 있는 여러 가지 방법 과 지혜를 개발해 왔다. 가장 혁명적인 방법은 1940년대에 개발된 제 초제의 출현이었다. 화학농약제로 이사디(2,4-D)와 MCPA가 개발되 면서 잇따라 수백 종의 제초제가 개발되었다. 화학적으로 합성된 농 약을 뿌려 풀을 죽이는 제초제는 전통적인 농사 환경을 크게 변화시 켰고 풀 매는 농사 노동을 대폭 줄여 주었다. 제초제를 쓰면 풀 매는 노동이 열 배 이하로 줄어든다는 말이 실감난다. 바쁜 농사철엔 사람

구하기도 힘들고 손이 열 개라도 부족할 판이다.

현대 제초제는 합성 농약에서 더 나아갔다. 미국의 몬산토사는 자사제품 제초제를 치면 다른 모든 풀은 죽지만 그들이 공급한 콩은 죽지 않는 이른바 '제초제 저항성' 콩도 개발해 시판했다. 콩은 GMO제품이었다. 제초제는 '라운드업레디'라는 강력한 이름을 가지고 있는데 이 콩과 제초제는 세트 상품이다. 그러나 최근에는 이 독한 '라운드업'에 대해서조차 내성을 지닌 슈퍼잡초가 대거 발생해 미국의 콩, 옥수수 농사를 위협하고 있다는 소식이 들려온다. 제초제가 해결방법이 아니라는 것을 나타내는 사례다.

'삼방리 농장'에서는 풀을 잡기 위해 제초제를 사용하지 않는다. 제초제가 생태계에 해롭다는 것은 이미 잘 알려진 사실이다. 두둑에는 비닐을, 골에는 부직포를 덮는 방법을 주로 사용하고 있다. 부분적으로는 고랑에 짚과 낙엽을 깔기도 하고 노지 상태로 두기도 한다. 논에는 우렁이를 넣었다. 그러나 땅바닥을 뒤집어 고르고 며칠만 지나면 벌써 파랗게 풀씨들이 싹을 틔우며 올라오는 양을 보면 풀들의 세상이 놀랍다. 뙤약볕이 내리쬐는 밭에서 풀 매는 일을 하다 보면 절로 농사일 못 해먹겠다는 말이 나올 만하다. 작은 농사를 늘려 경작 규모가 커지면 더 어려운 일이 아닐 수 없다. 새로운 농법에 대한 실용적인 연구가 요구된다.

지난주까지 고추, 고구마, 옥수수 밭에 풀을 매고 부직포 까는 일을 마무리했다. 풀 예비 단속이 된 셈이다. 논에 올라오는 풀은 우렁이가 잘 해결해 주길 기대하고 있다. 풀과 다투다 보니 절로 풀이름도 익숙해진다. 명아주, 바랭이, 독사풀, 쇠비름, 질경이……. 올라오는 풀들이 다양하다. 성질도 다르다. 비교적 뿌리가 잘 뽑히는 놈이 있는가 하면 땅을 붙잡고 떨어지지 않으려 세게 거부하는 놈도 있다. 잎과 줄기가 질겨 밟혀도 일어서는 녀석이 있고, 부드럽고 물러 보이지만 빠른 성장으로 잎을 펼쳐 땅과 햇볕을 독점해 버리는 녀석도 있다. 농사라는 것이 원래 풀이 자라는 자리를 빼앗아 경작하는 것이라고 생각해 보면 풀에 인정을 베풀 만도 하건만 타협은 없어 보인다. 농부의 여름 시절은 풀과 함께 간다. 콩밭 매는 아낙네의 베적삼이 젖는다는 유행가처럼 흘러내린 땀으로 옷이 젖고 햇볕에 마른다. 한여름 하루해가 짧다.

앵두 꽃병

마당에 자라는 나무 친구들.

산수유 - 올봄 이 집에 들어왔을 때 제일 먼저 노란 꽃을 피워 인사
　　　　해 준 놈. 열매 성숙 중.

벗나무 - 요즘 버찌가 한창. 좀 지나면 너무 익어 맛이 없을 듯.

명자나무 - 빨간 꽃 색의 요염함에 놀란 나무. 일명 아가씨 나무.
　　　　　이젠 꽃 지고 맺은 열매에 살이 오르고 있다.

찔레꽃 - 한창 하얗게 마당을 밝히더니 꽃 지고 조용.

밤나무 - 밤꽃 냄새 마당 가득.

이 외에도 개나리, 수수꽃다리, 복숭나무, 장미, 무궁화, 단풍나무,
측백나무 등.

마당에서 요즘 가장 볼만한 나무는 단연 앵두. 작고 탐스럽고 빨간
열매를 조롱조롱 달고 있어서 눈요기도 좋지만 오며 가며 따 먹으며
맛을 즐길 만하다.

지난 금요일 오후에 앵두나무 몇 가지를 질끈 꺾어 챙겼다. 집에
가는 주말이어서 아이들에게 "너희들 이거 알아? 이게 앵두라는 거란

다.”라며 보여 줄 심산으로…… 말로는 들어 봤을지 모르지만 아마 처음 보는 것 아닐까.

음성 터미널에서 동서울행 버스 표를 미리 끊고 한 식당에 들어섰다. 일 마친 뒤 출출한 시각이라 종종 막걸리 한 잔 입에 적시고 출발하곤 하는 식당이다. 단골이 됐다. 막차는 9시다. 나를 가끔 음성 터미널까지 태워다 주는 동료와 함께 들어서니 주인아주머니가 눈인사하며 맞아 준다. 술과 안주는 매번 같은 것으로 정해져 있다. 돼지고기 모둠 한 접시와 음성 '설성 막걸리.' 주인아주머니가 먼저 밑반찬을 내온다. 말을 걸었다.

“아주머니 올해 앵두 보았어요?”

“아니요, 왜요?”

가방을 열었다. 조금 전 꺾어 온 앵두나무 가지를 꺼내니 앵두가 떨어지며 식탁 위로 구른다. 앵두가 많이 달려 보이는 곁가지를 꺾었다.

“먹을 만합니다. 따 드셔 보세요.”

곁가지 둘을 아주머니에게 건넸다. 고맙다며 환하게 웃는다. 이 집 돼지고기 모둠안주가 먹을 만하다. 고기를 직접 삶아 여러 부위를 내오는데 한 접시 만 원이다. 시간도 마침 무얼 먹어도 맛이 있을 출출한 때다.

그런데 눈이 휜해지는 상상외 광경이 내 눈에 들어온다. 아주머니가 받아 든 앵두나무를 매만져 잠깐 사이에 유리컵 꽃병으로 예쁘게 꾸며 눈에 잘 띄는 선반에 살포시 올려놓았다. 꽃병 하나 방금 새로 놓았을 뿐인데 식당 분위기가 새로워졌다. 앵두나무 푸른 이파리와 빨간 앵두가 형광등 빛을 받아 화사한 모습을 발산하니 선술집 같던 공간이 멋이 흐르는 목로주점으로 변한 듯하다. 아주머니의 감각이 빛난다. 난 앵두를 보고 기껏 먹는 것밖에 생각지 못했는데 저리 예쁘게 꽃병을 만들어 놓다니……

감자 수확

6월 22~23일 감자를 캤다. 감자를 '하지감자'라고 부르기도 하는데 22일이 하지였으니 이름 따라 제날에 캔 셈이 되었다. 71상자가 나왔다. 감자농사를 마치니 지난 시간이 떠오른다. 날씨가 궂어 심을 날을 못 맞춰 고생한 거며, 씨감자 눈을 자르고, 거름 뿌리고, 밭 만들고, 감자 심고, 약 치고 풀 매고 했던 일련의 작업들과 하얀 감자 꽃이 떠올랐다. 감자 수확이 제법 괜찮았다. 흰 감자가 대부분이고 일부

감자캐기

자주감자

는 자주 감자, 붉은 감자다. 캐낸 감자를 본 사람들이 모두 알도 좋고 양도 좋다고 말한다. 잘된 이유가 뭐냐는 물음에 노인의 대답이 간단했다.

"다행히 올해 땅 감을 잘 맞춘 거 같아유."

감자 심을 때 습기, 거름기 등이 잘 맞았다는 뜻일 게다. 흙이 너무 마르거나 축축하지 않은, 흙을 손으로 쥐면 약간 뭉쳐질 정도가 아닐까 생각한다. 저녁에 먹어 볼 셈으로 캐낸 감자 몇 알을 가져왔다. 첫 수확이고 직접 지은 것이어 먹어 보고 싶었다. 청고추도 한 주먹 땄다. 이렇게 제철, 제때에 딴 것은 식감이 좋다. 그러나 제철 채소 등 식재료들이 갈수록 줄어든다. 식품이 철없어 지고 사람은 철부지가 되어 가고 있는데, 예를 들면 5월 딸기를 한겨울에도 먹고 토마토, 참외 등 채소류의 생산은 철을 가리지 않고 생산되는 농사가 빠르게 확대되고 있다. 남보다 먼저, 남이 못한 시기에 생산하려고 경쟁이 심해져 이중 비닐하우스를 치고 방한보온하느라 농사비가 갈수록 올라간다. 소비자는 철없이 먹는 철부지가 돼 좋기도 하겠지만 되짚어 보면 무엇보다 제철에 먹으면 훨씬 값싸게 먹을 텐데 비싼 돈을 들이게 되고 농사꾼을 이런 농사로 내모는 현실이 안타깝다. 제철에 자라는 게 가장 값싸게 먹힐 뿐 아니라 맛도 뛰어나고 생물의 생리작용도 무리가 없을 것이 당연한 이치일 것이다.

돌아오는 길에 목도리에 가서 에프킬라와 설탕을 샀다. 모기, 파리가 극성부리기 시작한다. 설탕은 따 놓은 뽕잎과 쇠비름에 뿌려 효소를 담가 볼 요량이다. 집에 와 샤워하고 빨래하고, 스티로폼 논에 물 주고, 뽕잎과 쇠비름 효소를 담고, 저녁밥을 지었다. 삶은 감자와 김 몇 장, 멸치 몇 마리, 소금, 고추장이 오늘 저녁식사 메뉴다. 막걸리도 있다. 막걸리는 농장을 찾은 방문객이 한 말들이 통을 사 온 것인데 남은 걸 가져왔다. 음성 한내 막걸리인데 입맛에 맞는다. 술이 들어가니 마음이 풀어진다. 술은 대단한 것이다. 마음과 몸을 새롭게 만들어 준다. 평상에 느끼지 못한 심정이 움직인다. 많은 생각이 떠오른다. 어머니 생각이 많이 났다.

청와일야구도생기(靑蛙一夜九渡生記)

내가 기거하는 방에는 책상이 하나 있고 바로 앞은 가로세로가 6자, 5자쯤 되는 유리 창문이다. 책상에 앉으면 창이 넓어 북동향 창을 통해서 경치가 제법 시원하게 펼쳐진다. 철이 지나가고 수시로 날씨가 변해 그에 따라 풍경이 변화무쌍하니 창밖 세상을 보는 게 지겹지 않다.

창문 밖 가까이에는 어느 날부터 익모초와 명아주가, 다른 풀도 많은데 두 놈만이, 누가 키가 크나 누가 빨리 자라나 내기하듯, 내가 사는 방 안을 기웃 들여다보려는 듯 창문 위까지 쭈뼛이 자라 올라와 서 있다. 익모초가 조금 더 크다. 그 뒤로 담배, 복숭아, 콩 밭이 옆으로 펼쳐지고, 2차선 지방도, 하천과 다리가 보이고, 연이어 밭들이 겹쳐지고 이웃 추산리 마을의 파랗고 빨간 지붕들과 만년저수지 뚝방이 아스라이 보인다. 더 멀리는 여러 산허리의 능선이 풍경화를 마무리하듯 하늘을 이고 있다.

저녁밥을 8시경 대강 챙겨 먹고 동네를 거닐다 책상에 앉았다. 밖은 이제 깜깜한데 마을 앞을 지나는 516번 지방도를 달리는 자동차

불빛이 이따금 지나가고, 자동차 바퀴의 아스팔트 마찰음과 바람 가르는 소리가 창문을 통해 전해진다. 이때가 나에게 가장 자유로운 시간인 셈인데 할 일이 없으면 컴퓨터를 켜고 <삼방재일월기>를 적는다. 이날도 그런 날인데 글 매듭이 풀리지 않아 창문으로 시선을 옮기는데 바깥 유리창에 무엇이 움직이는 것 같다. 깜깜해 잘 보이지 않지만 창문에 무언가 달라붙어 움직이는 게 확실하다. 누굴까? 숨죽이고 찬찬히 들여다본다. 네 다리를 창문에 붙이고 이따금 발을 옮겨 창문을 오르고 있다. 누굴까? 어린 청개구리다!

청개구리가, 유리 창문에 네 발을 찰싹 붙이고 한 발 한 발 천천히, 쉬어 가며 오르고 있다. 풀 더미나 채소밭에서 몇 번 보았는데 오늘 밤 유리창을 기어오르는 청개구리를 만나니 신기롭다. 이 애는, 이 밤에, 하필, 유리 창문을 기어오르는 것일까. 청개구리가 제 어머니가 시키는 일을 반대로만 하는 말썽꾸러기였다가 어미가 죽음에 임박해서 죽으면 냇가에 묻어 달라니 비로소 곧이곧대로 냇가에 묻고 비에

떠내려갈까 운다더니 이 애도 풀밭에서 놀아라 했는데 거슬러 유리 창에 와 노는 것인가?

유리창 높이가 약 1.5미터는 족히 되는데 어디까지 오를까. 설마하 니 창문 끝까지 오르려고? 하다 말겠지. 가끔씩 숨을 고르듯 쉬었다 가 마치 암벽등반하듯이 한 팔 한 발 뻗고 당기며 오르는데 보는 내 가 숨이 막힌다. 대체 이 애는, 밤중에, 유리창을 왜 오르는 것일까? 도무지 알 수가 없다. 이왕 시작한 것 끝까지 가 보자는 심사일까. 아 닌 게 아니라 포기하지 않고 끝까지 오른다. 유리 창문 끝이 얼마 남 지 않았다. 참 희한한 녀석이다. 오늘밤은 '청개구리 유리 직벽등반 시범'을 보는 날이다.

그런데 유리 창문 끝이 얼마 남지 않았는데, 순간 찰나, 청개구리 가 철렁한다. 결국 떨어지고 마는구나. 그러면 그렇지, 더 올라가 봐 야 시멘트 처마 밑인걸. 아뿔싸, 그런데 아래로 떨어져야 할 청개구리 가 철렁하더니 그 자리에 그대로 매달려 있다. 웬일일까?

거미줄에 낚여 걸렸다. 거미의 순간 공격에 걸려들었다. 창틀 구석 에 거미가 사는 줄 지금까지 몰랐는데 유리 창문 위 구석에 거미가 집을 짓고 웅거하고 있었던 것이다. 거미가 청개구리가 포획 사정거 리에 들어서자 순간적으로 덮친 것 같다. 순간에 일어난 일이었다. 난 처음에는 청개구리가 미끄러져 떨어지는 줄 알았다.

생각지 못한 돌발 상황에 처한 청개구리가 몸을 빼 보려 흔들어 본 다. 여의치 않다. 몸과 사지가 거미줄에 묶인 딱한 처지가 되어버렸 다. 청개구리와 거미 사이에 팽팽한 긴장의 시간이 시작되었다. 청개 구리가 몸을 빠져나가려 몇 번 시도하더니 쉽지 않은지 조용하다. 거 미줄을 한 번 당기듯 튕기던 거미도 조용하다. 시간이 멈추고 소리도 멈추고 모든 것이 멈춰 섰다. 팔, 다리, 눈과 귀도 필요 없고, 신경감각 세포만이 팽팽히 긴장해 있다.

청개구리는 예상치 않은 사고에 당황한 반면, 거미는 결코 생각지 않은 오늘밤 큼지막한 왕건이 먹이 사냥에 흥분되고 어찌할 바 모를지 모르겠다. 이놈을 어떻게 요리하지. 기운이 빠지면 나의 탄력 있는 점액질 끈끈이 똥구녁 줄로 둘둘 말아 꼼짝 못하도록 포획해야 할 텐데……. 한편 청개구리는 어떻게 이 난경을 빠져나가야 할지 골똘히 생각하는 듯하다. 시간이 흐른다. 어떻게 결말이 날지 바라보는 내가 더 애가 탄다. 양측이 모두 조용하다. 움직임이 없다.

얼마나 흘렀을까. 거미에게나 청개구리에게 긴 시간이었을 것이다. 마침내 청개구리가 먼저 행동에 나섰다. 거미의 움직임 기미를 먼저 눈치챘을지도 모른다. 청개구리가 순간 숨을 모아 몸을 활짝 도약시키며 거미줄을 퉁긴다.

성공이다! 거미 똥구녁 줄이 청개구리를 포획하기에는 약했나 보다. 생사 운명의 대왕은 청개구리의 손을 들어 줬다. 청개구리가 거미줄을 벗어나 그대로 아래로 곤두박질친다. 유리 창문을 타 오르기 시작했던 처음 그 자리, 유리 창문턱에 나뒹굴어진다.

바로 앉는다. '휴우 살았나?' 하는 듯하다. 죽을 뻔했다. 잠시 시간이 흐른다. 사지에서 살아나느라 혼이 빠진 정신을 추스르는 것 같다. 정신이 돌아왔다.

돌아가자 집으로. 힘 모아 건너 뛰니 바로 익모초 잎사귀 위다. 다시 뜀박질로 어둠 속으로 사라진다. 호랑이가 물어 가도 정신만 차리면 산다. 구사일생, 나 청개구리는 오늘 하룻밤 사이에 생사의 강을 아홉 번이나 건넜다(一夜九渡生).

오늘밤 청개구리가 생사의 강을 건너는 아찔한 등반 시범을 보고 나니 문득 연암 박지원의 <산장잡기(山莊雜記)> 중의 '일야구도하기(一夜九渡河記)'가 생각난다. 찾아 다시 읽어 보았다. 나의 긴 말이 필요 없다. 다시 읽어도 질리지 않는다. 새롭다. 이 글 제목 '청와일야구도생기(靑蛙一夜九渡生記)'는 연암의 글 '일야구도하기(一夜九渡河記)'에서 따 만들었다.

벼, 우렁이, 여름

5월 하순 모내기 이후로도 줄곧 밭일이 계속됐다. 감자, 옥수수, 고구마, 고추, 오이, 토마토 등 밭작물 농사로 심고, 캐고, 말뚝 박고, 줄 매고, 두둑 만들고, 물주고, 비닐 씌우고, 부직포 덮고, 거름 뿌리고, 풀 뽑는 등 밭일이 이어졌다. 이번 주에는 콩, 팥, 수수, 조, 기장, 참깨, 들깨를 밭에 심었다. 이달 말경엔 배추 씨앗을 포트에 육묘해 다음 달 하순 밭에 정식하는 일정으로 일이 진행된다. 무던히 밭일을 했다.

그에 비하면 논농사일은 모내기 이후 물 관리를 하는 것 말고는 특별히 논에 들어갈 일이 없었다. 제초제를 쓰지 않으니 논에 자라는 잡초를 어떻게든 뽑아야 하지만 이 일은 우렁이가 잘 해 주거니 하고 논의 풀 걱정은 내려놓고 있었다. 우렁이는 싹 틔우며 올라오는 풀을 먹어 치워 준다. 잘만 하면 논이 깨끗하다. 참으로 놀랍다. 논바닥이 높은 데 없이 평탄하고 물을 잘 대면 우렁이가 안 가는 데 없이 돌아다니며 번식하며 풀을 먹어 준다. 논이 평탄하지 않아 우렁이가 가지 않는 곳은 당연히 풀밭이 되어 버린다.

종종 우렁이가 논에서 움직이는 동태를 관찰해 보는데 이 녀석이 기어 미끄러져 다니는 줄만 알았는데 벼를 타고 오르기도 하고 낙하

우렁이가 벼줄기에 낳은 알

도 하며 건너기도 한다. 느려 보이지만 우렁이의 분주한 하루 생활 이동거리가 수백 미터가 된다니 종일 논바닥을 헤집으며 풀을 비롯한 수생생물을 먹고 싸면서 제초하고 비료를 보태 주는 걸 생각하면 논농사의 일등 공신이라 해도 지나칠 것이 없다.

일명 '우렁이농법'은 1992년 처음 시도된 이래 우렁이가 벼와 환경에 미칠 수 있는 영향에 대해 우려가 일기도 했지만 그간의 경험 축적과 검증으로 잦아든 것 같고 지금은 쌀농사를 짓는 많은 농가들의 친환경농법으로 자리 잡았다. '우렁이농법'은 제초제와 손 혹은 제초기로 하던 김매기를 우렁이가 대신해 줌으로써 제초제를 쓰지 않아도 되고 김매는 수고를 대폭 줄여 주었다. 이 농법은 우렁이를 죽일 수는 없어서 병해충 화학농약을 사용 못 하거나 조심스러울 수밖에 없는데, 무농약 혹은 저농약 쌀밥을 먹게 될 것이어서 친환경농법을 실천 연구해 온 농업계의 성큼 걸음 내디딘 개가라 부를 수 있는 성과라고 나는 생각한다. 농약회사는 매출이 줄어 심기가 어지러울지 몰라도 생산자, 소비자 모두에게 이롭다. 국민 다수가 좋은 밥을 지어 먹을 수 있는 노력과 지원이 절실하다.

논은 두 군데에 있다. 삼방리 시험포장용 4백여 평과 제월리 1천 평. 삼방리 논의 100평에는 우렁이를 넣지 않았다. 달포 동안 물관리만 해 왔는데 우렁이가 없으니 풀이 자라 누가 보더라도 "웬 논 관리를 이렇게 해." 혹은 "이게 농사여? 창피하지도 않아?"라는 힐난이 나올 만할 정도가 되었다. 시험포장이라는 게 이유가 될 수 없다. 게다가 군데군데 도열병도 심하다. 우선 김을 안 맬 수 없다. 제월리 논도 김을 매야 했다. 땅이 고르지 않은 군데군데에 논 잡초가 많이 자랐다. 우렁이가 가지 않아서인 것 같다. 요즘 우렁이는 게을러져 풀을 안 먹는다는 우스갯말이 있지만 믿을 게 못 된다.

오랜만에 논에 들어가게 되었다. 줄곧 밭일을 하다 논에 들어가게 되니 생기가 돈다. 나는 수많은 식물 중 벼를 가장 멋진 식물로 생각한다. 이유는 벼로부터 주곡인 쌀을 거두어들여서만이 아니다. 사람에게 귀한 밥을 대 주는 식량작물이니 그렇기도 하겠다고 생각할지 모르지만 나는 그보다 벼라는 식물 그 자연그대로의 모습, 벼가 지닌 '자세'와 '혼백'을 좋아한다. 그는 참으로 곧고 단정하며 흐트러짐이 없으며 기상이 넘치고 평화롭다! 난 숙소 옆 빈터 풀밭에 벼 31포기를 심어 아침저녁으로 가까이 두고 자라는 나날을 지켜본다. 단정하고 곧은 식물이다. 줄기와 뿌리는 한 움큼 땅에 자립해 몸을 곧추 세우고 벼 잎은 깃대처럼 창처럼 자라 오른다. 피는 벼와 엇비슷한 외양이지만 완전 딴판이다.

보통 작물이 3~4개월 자라고 화초도 대개 화려한 일생이 길지 않은 편인데 벼는 생육기간이 긴 편이다. 볍씨를 4월에 뿌려 6월 초경 모내기, 9~10월 수확하면 기간이 7개월이나 된다. 가정에서 마당과 베란다에 여러 가지 관상용 화초와 채소류를 심고 가꾸는데 스티로폼 상자나 화분에 벼를 심어 보기를 적극 추천하고 싶다. 봄부터 가을까지 벼를 대하다 보면 다른 식물에서는 느낄 수 없는 새로운 정서와 감흥, 마음의 교류를 경험할 것이 틀림없다.

또한 이 글에서 자세히 얘기할 수 없지만 벼는, 어떤 곡물도 감히 따라올 수 없을 만큼 우수한 영양 요소를 고루 갖추고 있으며, 어느 것 하나 버릴 것 없는 식물이며, 단위면적당 생산량이 높아서 앞으로도 인류의 식량자원으로 가장 우수한 작물이며, 생태, 환경, 경관으로도 조화로운 작물이다.

그러나 현실의 벼농사는 갈수록 어려워진다. 매년, 특히 최근 수년간 쌀값은 계속 떨어져서 벼농사를 지을 마음이 없어져 간다. "지사 떼고 성주 떼면 남는 게 없슈." "그럼 왜 짓죠?" "돈 생각하면 쌀농사 못 해요. 그렇다고 땅 놀릴 수는 없는 노릇이니……"가 돌아오는 대답이다. 벼농사에 들어가는 비용을 얼추 계산해 보았는데 참담하다. 농부의, 다른 산업에서 생산비 계산에서는 빠지지 않는 '인건비'를 계산하지 않아도 그렇다. 그래서 논은 갈수록 인기가 없다. 이곳저곳 밭과 과수원 땅으로 바뀌는 논이 부쩍 많이 눈에 띈다. 논보다는 밭이 돈이 되기 때문이다.

한반도의 벼농사 역사는 1만 5천 년 이상으로 거슬러 올라간다. 충북 청원군 옥산면 소로리에서 약 1만 5천 년 전의 볍씨가 출토된 때는 1998~2001년. 확인 결과 세계에서 가장 오래된 볍씨였다. 우리는 그 볍씨를 '소로리 볍씨'라 이름 붙였다. '소로리 볍씨' 출토 이전까지는, 중국이 최고(最古)의 볍씨를 가진, 논농사의 역사와 농사문화의 원류라는 자부심을 가져왔는데, 한반도 중부지역에서 세계적으로 가장 오랜 중국 옥섬암 유적 볍씨보다 4천 년이나 앞선 볍씨가 출토되었으니 세계의 이목을 집중시킨 대사건이었다. 그러나 불행히도 이 나라, 이 나라 사람에게 '소로리 볍씨'는 외면당하고 대우받지 못했다.

논일은 밭고랑을 따라 일하는 밭일과 달리 물이 담긴 논에서 일하기 때문에 일 맛이 다르다. 물찬 논에 들어가면 진 땅속으로 발이 깊숙이 빠져 이 발 저 발 옮기며 허리 굽혀 엎드려 일한다. 한 발 두 발 오른발 왼발 빼 가며 벼를 따라가며 두 손을 부지런히 놀리며 김매기를 해 나가면 찰방찰방 꾸룩 꾸루룩 발과 손이 흙탕물 속에서 만들어 내는 소리가 뒤따라온다. 3일을 논에서 일했다. 첫째 날은 100평이어서 그런대로 할 만했지만 둘째 날은 만만치 않다. 청명한 파란 하늘에 뭉게구름 둥실 두둥실 떠가고 앞산에서는 종일 까마귀가 울어 쌌는데 바람은 자고 볕은 뜨거웠다.

앉아 쉬어도 땀이 줄줄 흐르는데 뽑아야 할 논의 길이 멀었다. 난 벼를 좋아하고 밭보다 논에 들어가면 반가워 훨씬 기꺼울 줄 알았는데 하루 더 피사리 일을 하자 하면 이유를 대 미룰 것 같다. 벼가 한여름 들판을 푸르게 덮고 가을을 향해 가고 있다. 잠자리 날고 메뚜기도 출현했다. 여름 열기 한가운데인데 가을이 이미 들어와 있다.

빗소리를 적을 수 있나

저녁 10시. 비가 내린다. 처마가 달린 집이라 처마에 부딪치는 빗소리가 유난히 크게 들린다. 잦아들면 잦아든 대로 빗발이 강해지면 강해진 대로 약해지면 약한 대로, 비가 소리로 전달되어 온다. 그뿐이 아니다. 지붕에 내린 비가 처마에서 떨어져 땅에 떨어지며 부서지는 소리도 들린다. 정겹다. 홈통을 타고 흘러내리는 소리도 들린다. 창문 앞 명아주 이파리가 빗물 떨어질 때마다 몸을 떤다. 저 빗소리와 풀 잎의 흔들림을 어떻게 적을 수 있나.

비가 잦아들었다. 빗소리 그치고 처마와 홈통을 타고 떨어지는 소리만 들린다. 그러다가 다시 몰아친다. 지형이 산을 의지하고 있어서인지 골바람 따라 세찬 소낙비가 반복해서 지나간다. 명아주 잎 진동이 빨라진다. 모든 소리가 커지고 박동 박자가 빨라진다. 이 음향을 어떻게 적을 수 있나.

농사를 지어 줄 농부가 갈수록 줄어든다면

지난 1970년 540만여 명이었던 서울 인구가 1천만 명을 훌쩍 넘고 329만 명이었던 경기도 인구 역시 900만여 명을 넘는 동안, 농가인구는 1970년 1,442만 2천 명에서 2008년 318만 7천 명으로 급격히 줄어들었다. 70년 이후 30여 년 만에 1천3백만 명 이상의 농촌인구가 농촌을 등졌다. 그 결과 1970년 인구의 45%에 달했던 농가인구 비율은 2008년에 이르러 불과 6.6%로 줄어들었다. 이 추세가 조금 더 진행되면 농가인구 비율은 미국의 4%에 불과할 것이란 전망도 과장이 아닐 것이다.

농촌을 떠난 인구는 대부분 수도권과 대도시에 이주하였고 그 결과 도시는 만원이다. 콩나물시루다. 현재 남한 인구는 4천8백만 명을 웃돈다. 농가인구가 318만 명이니 인구의 대부분이 농업 외의 일에 종사하고 있고 전 인구의 약 절반이 수도권에 살고 있다. 수도권 거주인구는 '2005년 인구주택 총 조사결과'에 따르면 2천227만 명으로 전체 인구의 48.2%를 차지한다. 도시화율도 이 현상을 보여 주는 지표의 하나다. 남한의 도시화 비율은 80%를 훨씬 넘는다고 한다. 10명 중 8~9명이 도시에 살고 있다는 얘기다. 지역균형발전이라는 헌법적

원칙은 말뿐 공허한 수사적 사치가 되었다.

이렇게 비대해진 도시가 여러 가지 비정상적이고, 기형적이며, 해결하기 어려운 골칫덩어리들을 안게 될 것은 자명하다. 주택, 교육, 실업, 의료보건, 식품, 연료, 복지, 교통, 공기, 물, 쓰레기 등등 삶 전반에 걸쳐 발생한다. 이러한 문제들이 만약 도시와 농촌 간에 상보적인 관계가 지속되고 적정한 규모로 인구이동이 가능하여 신축적이라면 도시문제는 덜 심각해질지 모른다. 그러나 지금도 농촌에서 도시로의 탈출은 지속되고 있고 그 경향이 수그러들 가능성은 없어 보인다.

그렇다면 향후 10~20년 후의 농가인구 추이는 어떻게 될까. 전망치는 분석방법이나 상황설정에 따라 차이가 있지만 어느 자료도 농가인구가 늘어날 것으로는 예측하지 않는 점에서 동일하다. 2008년 12월 현재 318만 7천 명인 농가인구는 2010년이면 290~300만, 2020년이면 180~190만, 2030년이면 120~150만 명으로 추산하는 자료들이 눈에 띈다. 지난 2000~2008년 사이에만 농가인구는 85만 명이 줄었다. 한 해 평균 9만 4천여 명씩 줄어든 셈이다. 앞으로도 10여 년 동안 한 해에 약 10만 명이 줄어들 것으로 통계들은 예측하고 있다.

이렇게 농촌인구가 줄고 도시가 이렇게 사람으로 몰려 미어터질 때 농촌은 지속적으로 공동화, 고령화되어 갔다. 얼마만큼 심각한지는 도시의 고령화율이 10.3%인 데 비해 농촌은 33.3%라는 숫자에서도 드러난다. 도시와 비교하여 고령화율이 3배 이상이다. 일반적으로 고령화 비율은 65세 이상 노인인구수로 구분하는데 7% 이상이면 고령화사회(aging society), 14% 이상이면 고령사회(aged society), 20% 이상이면 초고령사회(post-aged society)라고 부른다. 농촌은 이미 고령화-고령-초고령 사회를 지나 '초초고령사회'가 되었다고 평가할 수 있다. 10~40대 젊은 생산인구가 계속 줄어들게 되어 갈수록 노인 중심의 농촌사회가 된다는 말이다. 이러한 사회현상은 바로 농촌이 비정상적인 집단으로 변모하고 있다는 것을 보여 준다. 신생아 태어나는 소식, 아이들이 시골학교 교문을 재잘거리며 몰려나오는 풍경을 보기 어렵고, 마을 청장년의 결혼소식을 듣기 어려운 농촌은 이미 사람 살 만한 곳이 아니다. 일부 지방자치단체들이 갈수록 줄어 가는 지역인구를 어떻게 보충해 보려는 유인 정책을 내놓고 애가 태어나기라도 하면 지역 경사가 되는 사정이다.

이렇게 농사를 지을 후계세대가 확보되지 않아서 농사를 계속 지어 줄 농부가 없어지는 현실에서 한국 농촌, 농업의 미래 모습이 어떻게 될까. 십 수 년 후면 2백만 명 수준으로 줄고 오늘날 60~70대 노인세대 농부가 계속 농사를 지어 줄 거라고 기대할 수조차 없다. 더구나 농촌에 아직 남아 있는 상대적으로 젊은 40~50대가 지난 세대처럼 미래가 보이지 않는 땅에 머물러 있으리라고 생각하는 것도 무리일 것이다. 2005년 한 조사통계에 따르면 전체 농가 중 영농후계자가 있는 농가는 4만 5천 호에 불과하고 나머지 122만 8천 호는 영농후계자가 없는 현실이다. 향후 10년 동안 이러한 상황이 그대로 일어나지 않을지 모르지만 지금대로라면 큰 오차가 발생할 것 같지 않다. 농업문제가 이제 농사지어 줄 '사람' 찾는 문제가 되고 만 것 아니냐는 한 농민의 한숨에 농정 실패로 인해 왜곡된 한국농촌의 현실이 담겨 있다.

못에 찔리고 벌에 쏘이고

벌에 쏘였다. 제월리 옥수수 밭에서 옥수수 따다가……. 옥수수 잎에 집 틀고 사는 벌을 못 보고, 오른 손등에 대여섯 방, 오른손 가운데 손가락에 두어 방, 배에 몇 방……. 잠깐 사이였다. 작은 벌이어서 걱정할 정도는 아니었지만 꽤 따끔거렸다.

며칠 전에는 오른발 뒤꿈치를 녹슨 못에 찔렸다. 여름이라 일할 때 슬리퍼를 신고 다니는데 결국 사고가 났다. 디디는 순간 슬리퍼와 살을 뚫고 박히는 느낌이 전달돼 왔다. 통증으로 자유롭게 발 디디기가 쉽지 않다. 생각보다 상처가 깊었다. 음성 병원에 가서 파상풍 예방주사를 맞고 먹는 약을 받아 왔다. 오늘은 새벽 6시부터 고추를 땄는데 쩔뚝거리는 바람에 같이 하지 못하고 오후에는 결국 방으로 돌아와 쉬었다.

장마철 날씨

날씨 변화가 많다. 오늘만 해도 낮에는 해가 떠 찌는 듯 덥더니, 구름이 끼다가 소나기가 내렸다. 저녁이 되어서는 소낙비가 세차게 쏟아졌다. 처마가 플라스틱 지붕이어서 빗소리가 요란하다. 이웃 음성에는 비가 내리지 않았단다. 종종 그렇다. 여긴 쏟아지는데 다른 덴 내리지 않는다.

오늘은 상추, 갓, 배추, 쪽파의 포트 트레이 350여 판에 필요한 작업공간을 만들기 위해 비닐하우스 풀을 제거하고, 평탄작업을 하느라 땀을 몇 되는 흘린 것 같다. 구름이 끼어 해는 비치지 않으나 습도가 높아 여름 장마날씨에 땀이 줄줄 흘러내린다. 내일은 새벽부터 고추 따는 작업을 해야 한다고 연락이 왔다. 태풍 '덴무'가 남해안에 상륙했다는 뉴스가 나온다.

기후변화와 농업

현대문명은 가속기는 있지만 제동장치는 잘 듣지 않는 고속열차와 유사하다. 달려야 하는 열차가 목적지로 가기 위해서는 끊임없이 에너지를 태우며 가속하여 달려야 한다. 그러나 열차가 그렇게 달릴 수 있는 것은 제동장치의 덕이라는 것은 두말할 것이 없다. 열차가 멈출 수 없다면 그것은 열차가 아니라 흉기일 것이다.

산업혁명 이후 전개된 미증유의 자본주의 개발 역사는 인간이 필요로 하는 일반 상품생산 단계를 넘어서 생명까지 복제·생산할 수 있는 수준에 이르렀고, 이를 뒷받침하는 과잉 생산력은 공황이 아니고서는 해결할 수 없는 만큼 높다. 이에 기초한 생산과 소비 시스템, 즉 '석유문명'은 이로 말미암아 지구환경을 악화시켜 앞으로 지금 이대로는 더 이상 유지될 수 없다는 인식을 확대시키고 있다.

지구환경의 위기 징후는 심각하다. 지구 생산·생활 시스템이 배출한 CO_2 등 온실가스로 인해 지구 평균기온이 올라 남북극 빙하와 만년설, 툰드라 지역 같은 동토가 녹아내리고, 해수면이 상승하고, 하천 수량이 줄고, 식물·동물 등 생물상이 변화·멸종되는가 하면, 엘니뇨·

쓰나미·가뭄·사막화·해일·홍수·폭설 등 기후변화가 예측 불가능할 정도로 진행되고 있다. 지표 고도가 낮은 나라는 불어난 해수에 땅이 잠겨 '국토포기선언'을 하는가 하면, 강우량 감소로 농사를 포기하는 등 미래에 발생할 파국적 불안에 전전긍긍하고 있기도 하다.

이러한 상황은 한편으로는 화석원료가 더 이상 펑펑 쓸 수 있는 무한한 원료가 아니라 조만간 생산이 감소되는 정점에 도달해 있어서 불가피하게 생산시스템을 변화시키지 않을 수 없고, 다른 한편으로는 자본과 권력 측에도 이러한 변화가 결국 자본주의 생산 시스템을 위태롭게 한다는 위기의식을 공유케 하고 있다. 이렇게 에너지 고갈과 기후변화로 생산과 생활에 압박이 일어나고, 절대적으로 의존하고 있는 석유가 생산량이 줄어 국제시장 가격이 고공행진을 계속한다면 미래에는 어떤 변화가 전개될 것인가.

1997년 '교토기후협약(교토의정서)'에 참여를 거부했던 미국이 중국과 함께 코펜하겐 회의에서도 탄소저감 노력에 완강한 반대 국가라는 점은 상징적이다. 미국과 중국은 CO_2를 가장 많이 배출하는 국가다.

미래는 인간이 백수십 년 넘게 유지해 온 '석유문명'에 대한 비판적인 성찰이 중요한 주제가 되지 않을 수 없을 것이다. 소위 '석유문명'은 우리 생활 모든 영역에 걸쳐 있다. 석유 없이 산다는 것을 생각할 수 없다. 먹고 입고 노는 기본적인 의식주 생활물자를 비롯해 일반 제조업, 전기, 수도, 건설, 의료, 교통 등 물자의 생산·유통은 말할 것도 없으며 정치, 문화, 교육, 서비스 등 사회상부 구조도 석유에 기반하고 있다. 사람들은 이 문명에 오랫동안 익숙해져 왔다. 그로부터 벗어나는 것을 꿈꾸는 것은 어려울 것이다. 그러나 '석유문명'은 변화를 강제받고 있다. 어쩔 수 없이 변화하지 않을 수 없는 것이다.

우리의 처지로 시선을 돌려 보자. 우리나라의 원유소비량은 세계적 수준이다. 2006년 기준 1인당 석유소비량은 세계 5위(1위 사우디아라비아, 2위 미국), 아시아 국가에서는 1위이며, 산유국을 빼면 세계 2위다. 더구나 원유 생산지로부터 수송거리가 길고 원유시장의 공급구조가 매우 불안정하며 가격변동에 민감한 상황이어서 다른 나라보다 취약한 구조다.

덜 석유에 의존하려는 노력은 이미 여러 나라에서 시작되었다. 에너지 자급률이 한 자릿수에 불과하여 거의 대부분을 수입에 의존하고 있는 우리나라는 아직도 그 심각성을 느끼지 못하고 있는 것으로 느껴진다. 특히 철강, 석유화학 등 에너지 다소비 산업에게 탄소 감축 문제는 발등의 불이 되어 있다. 여기에서 농업도 예외가 아니다. 농업도 비료, 농약이 석유산물임은 말할 것도 없으며 비닐, 농기계, 수입사료 등 농자재도 마찬가지다. 한반도에서 일어나고 있는 기후변화가 몰고 올 농업환경 역시 그 앞날을 가늠하기 어렵다. 에너지 못지않게 곡물도 외국에 의존하고 있다. 농업을 살리기 위해서는 에너지와 기후변화, 정책에 대한 새로운 접근이 뒤따르지 않으면 안 된다.

온 밤 내내 소쩍새가 우는 것은

하루 농장일을 마친 저녁 밤중에 종종 마루에 앉으면 풀벌레 우는 소리로 마당이 가득하다. 찌륵찌르르 삐이비삐입 쩌저쩌쩌 쓰르르 쓰르르……. 말로 흉내 낼 수 없는 수많은 소리가 실타래처럼 얽혀 들려온다. 끊어지지 않는다. 저마다 여기 이곳에 살아가고 있음을 알린다. 여름이 깊어지면서 풀벌레 소리가 아주 많아졌다. 그 소리는 담을 넘지 않는다. 마당 안에 가득하다.

풀벌레소리가 밤에만 이런 건 아니다. 낮에도 그렇다. 밤에 풀벌레 소리가 크게 들리는 것은 캄캄해 귀가 민감해진 탓이다. 낮에 밭둑에 앉아 쉴 때면, 역시, 풀벌레 소리가 차 있다. 잘 느끼지 못하고 듣질 못할 뿐이다.

듣건대 밤중의 소리는 소쩍새 울음을 따라올 수 없다. 해가 져 어두워지면 어김없이 소쩍새가 소리를 시작해 앞산, 뒷산, 옆산 마을 근방으로 옮겨 다니며 온밤 내내 운다. 새벽 아침에는 내가 언제 그랬냐는 듯 그친다. 자주 듣다 보니 소쩍새 음색에 익숙해졌다. 매양 비슷한 소리여서 한 마리 같다. 틀리다면 내 귀와 나이를 탓할 일이다.

소쩍새 우는 소리는 맑으면서도 공명이 있고 처량하게 들린다. 연암은 소리가 듣는 사람의 마음에 따라 달리 들린다 했지만 목소리마다 자기만의 음색이 있다는 것 또한 사실일 것이다. 저녁에 들어도 새벽에 들어도 술 취해 들어도 맨 정신에 들어도 독특한 음색이 있다. 소쩍새는 밤에 활동하는 새다. 밤과 어울린다. 밤이 되면 지금도 시골 마을에서 어렵지 않게 소리를 들을 수 있으니 긴 세월 산골 사람의 삶과 어우러진 새다.

소쩍새 울음은 두 마디, 어떨 땐 세 마디로, 또 어떨 땐 한 마디로 짧게 끊어서 운다. 김소월은 <접동새>라는 시에서 소리를 "접동접동"이라고 적었다. "소쩍소쩍", "솥적다"로, 가요에서는 "소쩌궁"으로 표현한 경우도 있다. 소쩍새 울음에 얽힌 설화도 몇 가지 된다. 계모설화도 있고 가난한 빈농의 배고픔에 얽힌 이야기도 있다.

소쩍새는 부엉잇과의 가장 작은 새로 천연기념물이다. 소쩍새의 다른 이름도 많다. '접동새, 불여귀, 자규, 귀촉도, 망제혼, 두우' 등. 이름 하나하나마다 얘깃거리가 담겨 있다. 문장가와 시인들의 글에서도 자주 등장한다. 네이버 지식검색에서는 접동새(두시언해, 1481년), 접동이(신증유합, 1576년), 자규(청구영언, 19세기) 등으로 나타난다고 적고 있다. 많이 인용되기로는 고려 때 문신 이조년(李兆年, 1269~1343)의 "이화에월백하고……"라는 절귀가 아닐까 한다. 또 서정주의 <귀촉도(歸蜀途)>가 있다.

밤이면 이 산 저 숲, 저 산 이 수풀 더미를 오고 가며 울어댄 소쩍새, 접동새, 자규, 귀촉도는 그가 가진 야행성 생활습성으로 많은 인간들의 관심을 끌고 주제가 되어 온 것 같다. 나는 듣고 생각하건대 그 첫 대목에 하나 더 더하고 싶다. 많은 인간들이 소쩍새에 얘기를 보냈는데, 그리고 그 얘기가 소쩍새 울음을 인간의 삶과 관련지어서 삶의 양식을 풍부하게 해 주고는 있지만, 복잡하게 전개되는 현대사회에서 현실감이 떨어지는 것도 사실일 것이다.

　오늘밤 소쩍새가 목울대를 울리며 캄캄 밤중을 소리로 새는 것은, 인간의 이기적 문화생활을 위해서 막개발이 자행되어 산림이 난도질당해 급격히 서식지를 잃어 가고 있어 우는 것 같다. 삶터를 지키며 살아가기 힘든 가쁜 절규로 들린다. 그 울음을 문자로 어떻게 적을 것인가.

말복, 입추 지나 여름 돌아보고 가을 생각한다

밤이면 비가 자주 온다. 한여름 동안 밤잠을 자주 설치고 깨어나더 비를 자주 본 것 같다. 지형적으로는 괴산 동쪽으로는 백두대간이 지나고, 이곳 자연 지형이 산이 많은 탓으로 생각된다. 소나기도 잦다. 준비 없이 밖에 나갔다가 비를 쫄딱 뒤집어쓰기 알맞다. 황순원의 단편 <소나기>가 실감나게 읽힐 만하다.

날이 변했다. 8월 7일 입추, 8월 8일 말복을 지나니 바람결이 달라진 것을 느낀다. 아직도 맑은 날 낮일을 할라 치면 땀으로 멱을 감지만 한더위의 숨 막힘은 덜어졌다. 자연의 순환이 어김없다. 8월은 말복, 입추를 지나 8월 23일 처서를 고비로 여름 넘어 가을로 가는 징검다리 달이다. 처서가 지나면 "모기입이 비뚤어진다."는 옛말처럼 여름이 자기 집으로 돌아가고 서늘해지면서 만물이 성숙하는 때다. 8월에는 입추, 말복, 처서 말고도 지금은 그 의미와 풍습이 퇴락하고 말았지만 재미있는 날이 또 있다. 칠월칠석(七月七夕)과 백중(百中)이다.

칠석날은 8월 16일인데, 견우성(牽牛星)과 직녀성(織女星)이 은하수를 사이로 가장 가깝게 접근하는 날이다. 견우직녀 전설이 전해 온다. 까마귀들이 견우직녀를 서로 만나게 해 주기 위해 머리를 맞대 은하수를 건너는 오작교를 놓느라 머리가 벗어져 대머리가 되었다니 이 날은 청춘 선남선녀들의 만남의 날로 새길 만하다. 천문학상으로는 견우성과 직녀성은 태양 황도상(黃道上)의 운행으로 가까이 모여 보이기 때문에 1년에 한 번씩 만나는 것처럼 보인다. 두 별은 밝은 1등성이어 관찰이 쉬워 여름밤 별자리 관찰로는 제격이기도 하다.

또한 칠석날에는 전통놀이 '칠석놀이'가 전해지는데 "견우·직녀 두 별을 보고 소원 성취와 칠석요(七夕謠)를 부르며 여인들은 바느질, 수놓기 대회를 하고, 남자들은 새끼 꼬기, 농악, 씨름을 하며, 공부하는 소년들은 두 별을 제목으로 하는 시 짓기를 즐겨 한다. 칠석날은 깨끗한 의복으로 갈아입고 밀국수와 밀전병을 만들어 먹으며, 즐겁게 보내는 날"이었다고 한다.

백중은 음력 7월 보름으로 양력으로는 8월 24일이다. 백중은 농업 사회 시절에는 마을에서 풍악이 울리고 씨름판이 벌어지고 다채로운 놀이가 함께했다. 산업구조가 변하면서 퇴색해 버린 대표적인 전통 전래풍습이다.

백중 무렵이면 농사일이 여름의 힘든 일로부터 잠시 숨을 돌리는 여유를 찾는 때이고 가을걷이를 앞둔 때이며 이른 햇곡식과 과일이 나오는 때다. 한 자료에 실린 백중의 풍습이다.

"각 가정에서는 익은 과일을 따서 사당에 천신(薦新)을 올렸으며, 궁중에서는 종묘에 이른 벼를 베어 천신을 올리기도 하였다. 농가에서는 백중날 머슴들과 일꾼들에게 돈과 휴가를 주어 즐겁게 놀도록 하였다. 이날이 되면 머슴들과 일꾼들은 특별히 장만한 아침

상과 새 옷 및 돈을 받는데 이것을 '백중돈 탄다.'라고 하였다. 백
중돈을 탄 이들은 장터에 나가 물건을 사거나 놀이를 즐기기도 한
다. 이때 서는 장을 특별히 '백중장'이라 하여 풍장이 울리고 씨름
등을 비롯한 갖가지 흥미 있는 오락과 구경거리가 있어서, 농사에
시달렸던 머슴이나 일꾼들은 마냥 즐길 수 있는 날이다.
지역에 따라 이날 농신제(農神祭)와 더불어 집단놀이가 행해지는데
이를 '백중놀이'라고 한다. 일종의 마을잔치이다. 이날은 그해에 농
사가 가장 잘 된 집의 머슴을 뽑아 소에 태워 마을을 돌며 하루를
즐기는데, 이를 '호미씻이'라 한다. 마을 사람들은 장원한 집의 머슴
얼굴에 검정칠을 하고 도롱이를 입히고 머리에 삿갓을 씌워 우습게
꾸며 지게나 사다리에 태우거나 아니면 황소 등에 태워 집집마다
돌아다닌다. 이날을 머슴날이라고 하기도 한다. 마을 어른들은 머슴
이 노총각이나 홀아비면 마땅한 처녀나 과부를 골라 장가를 들어주
고 살림도 장만해 주는데, 옛말에 '백중날 머슴 장가간다.'라는 말이
여기에서 비롯되었다." (출처: http://www.sesistory.pe.kr/)

여름을 지나왔다. 지난 시절에는 이때쯤이면 마을마다 놀이가 다
채로웠을 것이다. 그러나 조용하다. 가을이 오면, 겨울도 머지않다.
봄에 이곳에 와 여름인가 했는데 겨울을 생각한다.

세월 빠르다. 여름에 지치고 계절이 변동하면 몸에 탈도 나기 쉽다.
심신 지키고 건강 유의하시라.

현대 생명과학과 메리 셸리

— GMO와 빅터 프랑켄슈타인 박사 —

메리 셸리(Mary Wollstonecraft Shelley, 1797~1851)가 누구인가? 그녀는 남편 퍼시 셸리(Percy Shelley)라는 세계적으로 유명한 낭만파 시인의 이름에 가려진 탓인지 아는 사람이 의외로 많지 않다. 퍼시 셸리는 시 <서풍의 노래>에서 "겨울이 오면 어찌 봄이 멀 것이랴."고 절망 속에서 희망을 노래한 19세기 유럽 낭만주의의 대표 시인이다. 메리 셸리도 남편 못지않게 널리 알려진 사람이다. 그녀가 쓴 소설은 출간 이후 2백 년에 가까운 세월이 흐른 지금까지 백여 편 이상 영화로 제작되기도 했다. 그녀가 쓴 소설 제목은 바로 ≪프랑켄슈타인(Frankenstein or The Modern Prometheus)≫이다. 1818년에 발표되었다.

소설 ≪프랑켄슈타인≫은 과학자 빅터 프랑켄슈타인이 생화학 실험을 통해 키 8피트의 거대 몸집에 엄청난 힘을 가진 괴물을 만들어내는 사건으로부터 시작된다. 그러나 이 괴물은 인간 생명체로 탄생했지만 흉측하고 추한 모습 때문에 인간들로부터 미움과 질시를 받으며 살아가야 하는 운명이다. 괴물은 이 같은 자신의 태생과 삶에 분노하여 복수심, 증오심으로 가득 차 연쇄살인을 저지르게 되고, 과학자 프랑켄슈타인은 자신이 창조한 이 괴물을 없애기 위해 뒤쫓아 방랑하는 내용이 줄거리를 이루고 있다. 이 소설은 19세기 초에 벌써 기괴한 인조인간을 만들어 내, 오늘날의 공상과학소설(SF)의 선구적 작품으로 평가받기도 한다.

그런데 이 소설과 관련하여 재미있는 것은, 최근 특정 식품을 '프랑켄푸드(Franken-food)'라고 부른다는 것이다. '프랑켄푸드'는 '프랑켄슈타인'과 식품을 뜻하는 '푸드(food)'를 결합한 신조어. 유럽에서는 이 용어를 시민·소비자들이 폭넓게 사용하고 있는데 특정식품은 바로 '유전자조작식품(GMO: genetically modified organisms)'을 가리킨다. 유전자조작이란 생물체의 유전자에 특정 유전자나 물질을 주입시켜 새로운 생물체를 만들어 내는 것을 뜻한다. 토마토 유전자에 넙치 유전자를 주입해 무르지 않는 토마토를 만드는 식이다. '프랑켄푸드'는 프랑켄슈타인 괴물이 실험실에서 인공기술로 태어난 것처럼, GMO가 정상적인 생식과정이 아니라 유전자 '조작'으로 태어난 사실을 표현하고 있다. 아울러 GMO 식품을 굳이 '프랑켄푸드'라고 부르고 있는 연유에는 소설의 비극적 줄거리와 단어의 조합이 상징하고 있듯이, 인간이 기술적으로 조작해 만들어 낸 생명체로부터 앞으로 어떠한 위험이 전개될 것인가에 대한 두렵고 알 수 없는 미지의 불안감이 감춰져 있음을 짐작할 수 있다.

GMO개발은 현재 미국이 선두에 서 있고 여러 나라가 뒤따르고 있으며 몬산토, 듀퐁, 다우 애그로사이언스를 비롯한 다국적기업과 관련된 이익집단들이 이끌고 있다. 현재 미국을 중심으로 곡물, 야채, 과일, 동식물, 곤충 등을 대상으로 수천 종이 실험대상이 되었다. 미국에서 판매 중인 품목들은 콩, 옥수수, 감자, 토마토, 사탕무, 카놀라,

면화 등으로 알려져 있으며 그 외의 품목으로 확대되어 가고 있다. 브라질 같은 나라는 열대우림지역의 밀림을 베어 내고 GMO재배 토지를 확대해 나가고 있다. 우리나라에서도 콩, 옥수수를 비롯한 GMO가 수입돼 이미 사용 중이며 쌀 등 곡류, 채소 등의 이용에 대한 연구와 개발, 시험재배가 진행 중이다. 이들은 GMO가 고수확품종 등의 개발을 통해 수급불균형과 인구 증가에 따른 식량부족을 해결하고, 제초제·병해충 내성을 지닌 유전자조작 품종을 통해 제초제·살충제 같은 농약사용량과 살포횟수를 줄여 수확 감소, 노동력을 줄이고, 아울러 영양성분을 조절해 식생활을 개선시키며, 환경보전에도 기여한다고 주장하고 있다.

그러나 이들이 주장하고 있는 하나하나의 내용에는 과학적 토대와 실증적 결과가 확실치 않을 뿐 아니라, 생명윤리·안전성 측면에서도 심각한 반대 그룹이 형성되어 있으며, GMO의 국가 간 이동을 둘러싸고 국제적 갈등과 충돌, 소비자단체와 농촌지역사회의 저항도 만만하지 않다. GMO가 안전하지 않다고 생각하기 때문이다. 유럽은 GMO 콩·옥수수 등과 축산물을 수입금지 하는가 하면 민감한 지방정부들은 GMO재배 금지지역('Free Zone')을 선포하며 오염의 위험을 차단하기 위해 노력하고 있다. GMO의 안전성 위험과 유해성, 환경교란, 생태파괴 등 미지의 징후들이 출현하고 있기 때문이다.

문제는 우리나라 상황이다. 아직까지 사람이 먹는 주곡으로까지 확대되고 있지 않지만 이미 기업축산 동물사료는 GMO 콩·옥수수 등이 이용되고 있으며 그 밖에 많은 가공식품들과 수입되는 식품의 원료로 사용되고 있다. 연구·시험도 진행 중이다. 이에 대해 GMO와 Non-GMO의 구분, GMO '표시제' 등으로 안전장치가 강구되고 있으나 여전히 GMO에 대한 불안은 계속될 것 같다. 미국, 브라질 등의 GMO 작물 재배를 전범으로 삼아 우리나라도 GMO 작물을 재배하려 할 경우 소비자들의 더 큰 반발과 저항도 예상된다. 소설 ≪프랑켄슈타인≫에서 과학자 빅터 프랑켄슈타인은 괴물을 악착같이 쫓지만 북해 빙원에서 놓치고 결국 죽고 만다. 소설이 쓰인 때는 2백여 년 전 19세기 초인데, 과학기술 문명을 바라보는 작자의 시선이 날카롭게 느껴진다.

비 오는 날 고양이를 생각하며

  오늘(8월 16일 월요일), 어제 일요일에 비가 아주 많이 왔다. 농장에
도 크진 않았지만 피해가 있었다. 모종이 물에 잠기고 고추가 쓰러지
고……. 다행히 일요일에 영석 씨가 농장에 나와 배수로 터 주고 모종
건지고 해서 큰 피해는 막았다. 오늘도 종일 비가 와 바깥일을 못했다.

18일 저녁 9시 반. 비가 공습하듯 뿌린다. 하늘은 번쩍번쩍 훤했다 밝았다 하며 번개의 불빛으로 능선 위 하늘의 어둠이 순간적으로 찼다 기울기를 거듭한다. 천둥소리는 멀리서 울린다. 사방이 비로 막혔는데 고양이가 슬프게 운다. "아아옹 아우웅" 하는 무겁고 느리고 조금 탁한 목소리가 여름날 비 잦은 궂은 날씨에 지친 기색이 역력하다. 나이 든 목소리다.

간간이 "야옹 이아옹" 하는 어린 맑은 목소리가 섞이는 것을 보아 새끼 딸린 어미 고양이가 비를 피해 마루 밑에 기어든 게 분명하다. 자주 오는 비에 새끼 거느린 고양이가 세상을 살아 내기가 만만치 않을 것이다. 목소리에 살아가기 힘든 고단함이 묻어 있다.

비가 오면 먹이 구하기도 어려워진다. 바람을 동반한 비가 물을 싸안고 뿌리듯 지나간다. 사람들은 비가 오더라도 집에 들어가면 그만이지만 동물들은 비 피하기가 쉽지 않다. 오늘밤 새끼 딸린 고양이 울음소리가 매우 처량하다. 비가 내리면 동물들은 풀나무섶, 바위암벽 아래 등 어딘가에서 비를 피할 것이다. 그중 비 피하기 좋은 곳은 갖가지 시설물을 짓고 사는 사람 사는 마을도 낄 것이다.

인간과 인간이 기르는 가축과 애완동물을 제외하면 거의 모든 동물들은 '자연'에 섞여 산다. 일부의 동물은, 쥐처럼, 인간이 사는 마을에 들어와 살기도 한다. 인간이 사는 생존방법을 곰곰이 살펴보면 일반 동물과 결정적으로 차이 나는 점을 발견할 수 있다. 대부분의 동물들이 자연 속에서 먹이를 얻어 산다. 인간은 그러기도 하지만 경작해 길러 먹는다. 인간이 동물과 다른 결정적 차이다. 경작한다는 것은 식물의 씨앗이니 줄기 등을 뿌리고 길러 그 열매, 뿌리, 잎 등을 채취하는 것인데 인간이 다른 동물과 구별되는 차이점이다.

혼자 일하다 생긴 일

　함께 일하는 분이 논 피사리하다 낫으로 오른손 둘째손가락 셋째 마디 인대를 다친 데다, 농장장은 모친 49재여서 며칠(8월 19~21일)을 혼자 일해야 했다. 그 전에도 몇 번 혼자 일하기도 했었지만 그때는 하루뿐이어서 마음 부담을 느끼지 않았다. 급한 일이 생기더라도 까짓것 하루야 미룰 수 있을 것이라는 생각이 들었기 때문이다. 그러나 이번엔 부담이 되었다. 3일이지만 주말 휴일을 합치면 사실상 다음 주 월요일(8월 23일)까지 책임이 따르기 때문이다.

　원래는 이번 주 월요일부터 1주일간 여름휴가가 예정되어 있었다. 8월 2, 3, 4주를 차례로 1주일씩 휴가를 가기로 해 놓고 있었다. 그런데 갑자기 한 사람이 다쳤다. 낫에 베인 손가락의 인대가 끊어져 수술 후 회복되려면 적어도 한 달 이상 걸릴 것 같다. 더 길어질지 모른다. 인대가 늘어나기만 해도 상당 기간 걸린다. 결국 농장을 누군가 한 사람은 살펴야 하는데 앞뒤좌우 상황이 내가 휴가를 쓸 상황이 아니다.

　나 혼자 일하는 기간 동안, 무엇보다 8월 초 파종해 한창 자라나오고 있는 쪽파, 갓, 상추, 배추 모를 잘 육묘해야 한다. 이들 채소는 도시에서 벌어지는 행사에 보내야 하기 때문에 신경이 쓰이지 않을 수 없다. 한여름이라서 어린싹을 잘 기르는 것이 쉬운 일이 아니고 병충해 예방도 해야 한다. 농장장이 그런 상황을 알고 모친 49재에 출발하기 전에 이 일 저 일을 마무리해 놓으려고 노력하는 게 느껴진다. 저 없는 동안에 일이라도 생기면 어쩌나 걱정스러울 게다. 사실 농장 일은 언제 무슨 일이 생길지 모른다. 비, 바람, 온도, 건조, 관개, 병충해 등 자연환경과 전기, 배관, 기기작동 등 시설에는 항상 문제들이 잠복해 있다.

　관리상 중요한 일과는 첫째, 하우스에서 육묘 중인 쪽파, 갓, 배추, 상추 모종을 잘 관리하는 일이다. 하우스 안이기 때문에 너무 건조하지 않도록 제때 물을 주는 등 물 관리와 온도 관리, 병충해 예찰과 방제 등이 필요하다. 현재 육묘는 쪽파 1만 5천, 배추 6천, 갓 3천, 상추 3천 포기 등을 트레이와 상자에 육묘 중이다. 이들은 대부분 8월 말~9월 초에

수도권에서 진행할 행사에 전부 인도될 납품 물량이고 배추는 우리 밭에 심을 양이 포함되어 있다. 납품은 약속된 날짜에 정해진 숫자를 차질 없이 전달하는 것이 중요하지만, 행사장을 방문한 사람들이 집에 가져가 잘 기를 수 있도록 건강하게 키우는 것이 더 중요하다.

현재 쪽파는 상태가 양호한데 배추에는 일부에서 배추벌레가 잎을 갉아 먹고 있어 미생물 농약 등을 혼합해 합성제제해 치고 있다. 더 큰 문제는 상추다. 자주 비가 오고 간간이 맑은 날이 반복돼 뙤약볕이 내리비추면 상추 어린놈이 감당해 내지 못하고 있다. 여름 상추가 힘들다더니 말 그대로다. 걱정되어 연구팀에 상의해 보지만 뾰쪽한 수가 없다는 대답이다. 나의 할 바를 하고 상추를 믿는 수밖에 없다.

둘째, 삼방리 농장 고추에 번성하고 있는 고추 담배나방 등 병충해 구제와 예방을 위한 약 살포하기다. 고추 하우스 7개 동 중 3개 동은 약을 뿌렸는데 나머지 동은 내가 마무리 지어야 한다. 압력모터를 돌리고 호스를 확인하고 밸브를 열고 분무기를 짊어지고 채소동부터 시작하여 고추동으로 작업해 나간다. 고추밭은 고추가 우거져 수풀 속을 헤쳐 가는 것과 마찬가지여서 작업이 쉽지 않다. 해가 중천으로 오르는 시간인 11시경이 되니 아예 작업이 어렵다. 하우스 내 온도가 상승해 흐르는 더위와 땀도 문제지만 잘못하면 사고 난다. 오늘 하루 일하고 말 것도 아니니 다음 날로 나눠 미루어 놓는다.

셋째는 논 관리. 혼자 일하기가 재미도 없거니와 그를 이유 삼아 여유도 부린다. 농땡이 친다는 뜻이 되겠다. 그동안 벼를 자세히 살피지 못했는데 차제에 수십 품종인 벼의 이름을 메모장에 쭉 적어 나가며 눈여겨본다. 벼는 한창 벼 이삭이 나오고 있는 중이다. 벼 품종이 다양해 벼 이삭이 각양각색이어 바라보니 이 풍경을 나누어 주지 못

하는 게 아깝다. 그런데 논바닥을 살펴보니 물이 말라가기 시작한다. 비가 그치고 날이 더워 증발량이 많은 탓이다. 논은 올해 조성해서 땅으로 스며 나가는 양도 많을 게다. 급수 모터를 돌리기로 했다. 논은 하천물이 아닌 관정에서 지하수를 모터로 끌어올려 물을 대고 있어서 모터를 돌려야 한다. 물 호스를 확인하고 모터에 물을 붓고 전기 전원스위치를 올렸다. 윙 하고 모터 도는 소리가 난다. 모터가 돌아가니 조금 있으면 호스에서 물이 콸콸 쏟아져 논으로 흘러들 것이다. 그런데 기다려도 나와야 할 물이 나오지 않는다. 모터와 호스 사이를 고개를 갸우뚱하며 이상하다며 몇 번 왔다 갔다 반복했다. 모터는 도는데, 웬일일까. 조바심이 인다. 그런데 아뿔싸, 기름 탄내가 나고 노릿한 전깃줄 탄내가 난다. 사고다! 올 것이 왔다.

모터가 탔다. 쇠가 뜨겁다. 검은 연기까지 난다. 지난번 내린 비로 모터가 물에 젖어 내부에서 합선이 된 듯하다. 어떻게 하지? SOS를 칠 수밖에……. 조용히 지나가려나 했는데 여기저기 전화할 일이 생기고 말았다. 일단 공장 생산팀에 구호 요청. 기계를 잘 아는 한 사람을 차로 가 데려왔다. 그의 말도 모터가 탔다는 결론. '내 판단이 맞군.' 나의 과실 여부가 불분명해서 범인은 어제 내린 비로 결론이 모아진다. 다행이다!

모터를 수리하거나 새 모터를 달거나 해야 할 텐데 이 또한 결정하기가 간단치 않다. 할 수 없다. 어지간한 일로는 전화 안 하려 했는데 어쩔 수 없는 상황이라 농장장에게 전화했다. 자초지

총 설명을 듣더니,

"다른 데서 가져가지 않았으면 아마 회사에 수중모터가 있을 겁니다. 그거 다세요."

"뭐요? 수중모터요?"

"예, 수중모터. 먼저 그거 어디 있는지 확인하세요. 전기모터 달려면 복잡하니 그거 갖다가 대세요."

안 해 보고 잘 모르는 일 하자니 혼란스럽지만 다행히 수중모터는 공장에 있었다. 그런데 이것은 어떻게 달지? 농장장 할 때 잘 봐 둘걸. 이럴 때 한 사람이라도 농장에 와 주었으면 좋겠는데 모두 일이 바빠 빠질 수 없단다. 할 수 없지, 내가 직접 해 보는 수밖에…… 사용 설명을 듣고 차에 실어 농장에 돌아와 설치에 들어갔다.

고장 모터 전기선을 싹둑 잘라 버리고, 새 전선을 벗겨 내 전기선을 수중모터에 새로 잇고, 물 호스를 고무줄로 수중모터에 칭칭 동여매 이었다. 그리고 나서 모터를 들고 냇가로 내려갔다. 삽으로 모터가 충분히 잠기도록 개울 바닥모래를 파낸 다음 컨테이너 상자에 모터를 담고 물에 설치했다. 상자에는 수박덩이만 한 돌을 함께 담았다. 물에 떠내려가지 말라고…… 이제 전기 스위치만 넣으면 된다. 몸과 옷은 땀으로 푹 젖었다. 오늘따라 무척 더운 날씨다. 드디어, 준비는 완료되었다. 전원 스위치 인!

정상 작동이다! 콸콸 호스를 타고 쏟아지는 물이 참으로 대견스럽다. 물이 논으로 빨릴 듯 흘러들어 간다. 물 흘러가는 것 구경하느라고 이날 오후에는 다른 일을 거의 손 놓다시피 해 버렸다. 논에 물이 차 가는 모습 구경, 볼만하다. 농사꾼 부모에게 가장 듣기 좋은 소리가 둘 있는데, 그것은 첫째가 마른 논에 콸콸 물 들어가는 소리이고,

그 둘째는 자식 목구멍으로 꿀떡꿀떡 밥 넘어가는 소리렸다.

넷째는, 곧 배추를 심을 밭 관리와 잡초 제거 작업. 골과 수로에 자라난 풀을 뽑는 일부터 바람 불어 날린 비닐과 부직포를 보수하는 일을 주로 했다. 그런데 혼자 일하기가 무척 힘들다. 일이 속도 있게 진행되지 않고 지루하여 앞골 뒷골 남은 골 얼마 남았나 재고 시간은 몇 시나 됐나 하는 생각들이 일을 방해한다. 농사일은 혼자 하기 힘들다. 적어도 두 명이라도 돼야 얘기도 나누고 협동하여 일이 지겹지 않게 앞으로 나간다. 언젠가 어머니가 말했다.

"밥은 혼자 먹어도 일은 혼자 못 한다더라."

딱 맞는 말이다. 밭일을 혼자서 하기는 참으로 힘들다. 지나온 골 뒤돌아보며 일 얼마나 했나 자꾸 뒤돌아봐지고, 앞에 남은 일이 얼마나 되나 눈길이 간다. 잡생각도 많아진다. 손발을 놀려 일을 재촉해 보지만 일이 더디게 느껴지고 밭골에 서 있는 심사가 답답해지기 일쑤다. 일이 안 된다. 더구나 혼자 하는 데 익숙해졌으면 조금 나으련만 세 명이서 일하는 데 길들어서 혼자 하려니 재미도 없고 일 속도도 안 나고, 결국에는 '같이 하면 되지'라는 마음이 커져 버린다.

몇 가지 일을 마무리하고 나니 돌아갈 시간이 되었다. 혼자 일하기 힘들다. 1톤 탑차에 올라 농로를 운전해 가는데 농로가 풀로 덮여 있어 되도록 풀 우거진 쪽으로 차를 몬다. 그러다 보니 차가 길가로 바짝바짝 다가선다. 길가에 피 등 키 큰 잡초들을 눌러 가느라 차를 되도록 길 끝자락으로 대 나가며 앞으로 나간다. 그런데 자꾸만 길가로 다가가다 보니 너무 욕심을 부렸나 부다. 미끄러졌다. 또 사고다!

차가 기우뚱하더니 끌려가듯 수로로 미끄러졌다. 순간 어이쿠 소리가 절로 난다. 골치 아프게 돼 버렸다. 혼자 일하는데 차가 야속하다.

농장 동료가 있으면 경운기로 어떻게 빼 보련만 혼자니 방법이 없다. 차를 도랑에서 빼내 보려고 몇 번 시도하지만 차바퀴는 더 깊이 빠져서 이미 경운기로는 안 될 지경이 됐다. 다시 구원을 요청했다.

"윤 형, 차가 빠졌네요. 차 좀 가지고 와 줘야겠네요."

그가 왔다. 그의 끌고 온 1톤 트럭에 줄을 매 앞에서 끌고 난 운전대에 앉아 방향을 조정하여 차를 빼내긴 했다. 흙이 질어 쉬운 일이 아니었다. 이럴 땐 견인해 준 사람과 차에 대한 칭찬을 아끼지 말아야 할 듯하다.

"그 차 엔진 아주 좋네요. 잘 빠져나왔죠? 운전 기막히게 잘했어요."

농사일을 하다 보면 이런저런 사고가 적지 않다. 농사일이 자연을 대상으로 하는 일이어서 작업 종류가 많고 다루는 기기도 많아서 본 농사일 뿐 아니라 기계, 설비, 차량, 전기, 건축, 토목 등 갖가지 기술과 풍부한 경험이 동원된다. 경운기 하나만 예를 들더라도 운전, 기계, 부속부대장치, 유지보수수리에 대해 알아야 하고 일어날 수 있는 사고에 대해서도 대처할 수 있어야 한다. 체력도 뒷받침되어야 한다. 농사, 혼자 짓기 아주 힘들다. 오늘 이야기는 겪은 사고 중 일부분이다. 사고 중에는 조금 재밌고 희극적인 경우도 있다. 종자 받으려고 키워 놓은 시금치를 보고 채소밭에 웬 필요 없는 잡초인가라는 생각으로 뽑아내 버린 것은 한 예화가 될 것이다.

논둑은 단순히 흙을 쌓는다고
만들어지지 않는다

긴 시간에 걸쳐 쌓아 온 것도 넘어 쓰러뜨리는 것은 금방이다. 오랜 노력으로 쌓은 제방도 포클레인 몇 삽이면 물길이 터져 둑이 무너지고, 수년 걸쳐 지은 건물도 폭약 몇 덩이면 폭삭 주저앉게 될 것이며, 수십 년 어렵게 축적한 신용도 한 번의 부도나 거짓으로 신용불량자가 되어 버릴 수 있다. 독재 권력에 저항하며 정치, 인권, 생존권 차원에서 어렵게 획득한 민주주의도 파시즘, 쿠데타 같은 반동으로 뒷걸음칠 수 있다.

그렇게 사라져 버린 것을 보고 거기에 담긴 애쓴 노력과 시간을 생각하면 안타깝고 허망한 생각이 든다. 그 마음은 없어져 버린 것에만 드는 것이 아니다. 생각을 더 해 보면, 무너지고 사라지는 것을 다시 올려 세울 것을 생각하면 더욱더 안타까운 마음이 드는 것이 인지상정일 것이다. 없애는 것보다 더 어려운 일은 다시 복원하는 일이 아닌가.

사람들은 농사를 포기하여 농사를 짓지 않아도 농경지가 필요하게 되면 다시 활용할 수 있을 것으로 생각하는 경향이 있다. 농지가 전용되더라도 농지가 부족하지는 않을 것이라고 생각한다. 필요하면 언제든 노는 땅을 동원하면 되고 포클레인 같은 장비를 동원해서 경작지를 만들 수 있다고 생각한다.

그것은 망상이다. 착각이다. 공장부지는 그럴 수 있을 것이다. 그러나 농지는 짓다가 버려지면 경작 가능 상태를 벗어나 버린다. 농지의 전용이 광범위하게 일어나고 있는 현실에서 토사를 쏟아부어 표고가 올라가 돋아진 땅, 불도저로 갈아엎은 땅들은 대부분 수로가 매몰되고 단절되어 물 관리를 할 수 없기 때문이다. 농사는 물의 예술이다. 물길, 물꼬가 거미줄처럼 연결되어 물 넣기와 물 빼기가 농부의 손에 이루어져야 한다. 묵은 땅 역시 관리를 안 하면 온갖 풀과 관목들이 우거지고 뿌리를 벋어 복원이 쉽지 않다.

단순하게 보일지 모르지만 물 담기에 절대적인 역할을 하는 논둑만 해도 그렇다. 논둑은 단순히 흙을 쌓는다고 만들어지지 않는다. 논둑은 논흙이 삽으로 보태져 다져지고 풀이 자라고 뿌리가 흙과 얽혀서 큰 비에도 허물어지지 않을 만큼 돈독해지려면 많은 세월과 농부의 보살핌이 담겨야 한다. 산골의 층층 계단식으로 만들어진 논밭의 둑이 장마철 폭우에도 밀려 터지지 않고 견디기까지 얼마나 노력이 들어갔겠는가. 비가 많이 오는 홍수 철에 논이 범람을 막아 주는 홍수조절을 하는 거대한 댐 역할을 하는 것도 이러한 둑이 있어 그러는 것일진대, 논이 가두어 주는 물의 양이 자그마치 춘천댐 저수량의 24배인 36억 톤에 달하고 다목적 댐 건설비용으로 치면 15조 원에 견준다니 농업의 가치를 눈에 보이는 경제 수치만으로 보지 말아야 한다는 사실을 이보다 잘 보여 주는 예가 있을까 보냐. 그래서 앞서 농업을 유지하기 위해 노력하고 있는 나라들은 지금 농지를 이용하고 있지 않아도 절대적으로 필요한 농지 면적과 상태를 유지하도록 법으로 강제해 놓고 있다.

논이 꽃밭일세

　어느덧 8월이 기울었다. 봄, 여름이 가고 가을이 설렌다. 바쁘고 힘
겹던 농사일도 고비를 넘어 조금 여유가 생겼다. 봄, 여름 사이에는
도랑치고 밭 갈고 거름 뿌리고 심느라 시간 가는 줄 몰랐고, 여름에
는 더위에 지치고 손마디가 굽고 풀물이 들었는데, 익어 가는 작물들
을 보니 올 농사일도 종반으로 들어갔음을 느낀다. 계절이 두어 번
깜짝 변하니 한철이 지나 버렸다.

하지만 한가해질 만큼 일이 줄어든 것은 아니다. 몇 가지 일이 눈앞에 닥쳐 있다. 고추 수확이 큰일이 되어 있고, 배추, 무 심는 일이 남아 있다. 특히 고추 따는 일이 만만치 않다. 하우스 7개 동, 밭 4백여 평에 기세 좋게 자란 고추들이 빨갛게 타 올라와 일손이 아쉽다. 고추를 보는 사람마다 올 농사 잘됐다고 말한다. 키가 어른 키를 훌쩍 넘겨 지금도 자라고 있다. 첫 번째 방아다리부터 마디를 세어 보니 스무 마디가 넘어섰다. 고추는 마디가 하나씩 늘어 가지가 갈라지는 곳에 꽃이 피고 수분이 되면 고추가 달린다. 수학공식으로는 2의 20승은 1,048,576이고 2의 10승은 1,024다. 물론 고추가 가지 사이마다 모두 열리는 것이 아니지만 가짓수가 많아질수록 많이 열리는 것은 당연한 일이다. 모두 오늘까지 여섯 차례 땄고 조만간 또 딴다. 한 번 딸 때마다 약 400~450킬로그램 딴다. 맑은 날은 하우스 안이 40도를 넘어가 일을 할 수 없는 지경이기 때문에 고추 따는 일은 주로 아침 6시부터 작업을 시작해 한낮을 피해 일한다.

배추는 지난 8월 10일에 포트에 씨를 뿌려 5천여 포기가 잘 자라고 있어 날씨가 좋으면 며칠 안에 밭에 정식할 예정이다. 준비 작업은 마무리되었다. 두둑에는 비닐을 덮었고 골은 그대로 두다 풀을 어찌할 수 없어 결국 부직포를 깔았다. 옮겨 심는 일만 남아 있기 때문에 어려운 일은 아니나 이 역시 인력이 필요하다.

고추 수확과 배추·무 농사를 해 나가면서 본격적으로 벼와 밭작물 수확에 들어가게 될 것이다. 콩, 팥, 조, 수수, 기장, 벼 등. 그런데 이곳의 수확 작업은 매우 까다롭다. 벼 1백여 종, 콩 40여 종을 비롯하여 각 작목마다 품종 수가 적지 않아서 각각을 엄격히 분리하여 섞이지 않도록 수확, 탈곡해서 종자로 보관해야 한다. 보통 농가들은 수확량이 높은 품종을 중심으로 농사짓기 때문에 많아야 몇 품종이지만 여긴 3백여 품종에 달하니 일도 그만큼 많아질 것인데 일하는 중에 서로 품종이 섞이지 않아야 하기 때문에 세심하고 조심스러운 작업이 필요하다.

검은색 벼에 하얀 벼꽃이 피고 있는 모습

8월은 작물들이 햇볕을 받으며 부지런히 알곡을 채워 가기 시작하는 때다. 벼가 가을에 황금색으로 익어 가는 것으로 보이지만 벼는 여름에 꽃이 피고 벼이삭이 패어 영양을 저장하기 시작한다. 따라서 뜨겁게 작열하는 땡볕의 8월 햇빛 덕택에 작물은 그 이삭을 영글어 낼 수 있다. 사람이 알곡식을 먹어야 사니 8월이 있음으로써, 비로소 사람이 살아갈 수 있다. 여름 덕에 사람이 산다.

8월, 여름이 익어 가니 여기저기에서 꽃대가 올라오고 이삭이 나오고 여물어 가는 정경이 전개되기 시작했다. 어느 다른 곡식보다 벼 논이 눈길을 잡아끈다. 이삭 나오기 전에는 품종 구분이 안 되더니 이삭이 나오자 각자 자기 개성을 마음껏 내보이려는 10대 청소년처럼 오색찬란하게 몸매를 치장하고 머리단장하고 자랑하기 시작했다.

토종과 재래종 벼 1백여 품종이 심어진 논은 저만큼 떨어져서 보니 논이라기보다 꽃밭이다. 하얀색, 흑갈색, 녹색, 살구색 등 색색모양의 벼 이삭이 올라오며 춤추고 노래하고 꽃 논을 이루니 이게 뭔가 지나가는 사람들 눈길을 붙든다. 견학학습 관찰하러 오는 사람들의 방문도 잦아진다. 동호모임 환경단체 주말자연학습 청소년 대학생이

오더니, 항상 내보낼 콘텐츠에 굶주린 방송언론 회사 기자의 방문 취재도 이어진다.

　이삭들이 하루하루 점점 더 튼실해져 간다. 벼, 조, 수수 들이 가을을 알곡으로 채워 간다. 자연의 순환은 사람들 일이야 어떻든 저 갈 길을 가고 있다. 빠지지 않고 그치지 않으며 건너뛰지 않고 새지도 않고 막지도 않으며 못 간 데 없이 제 갈 길을 간다. 지구의 태양계가 이렇거늘 이 또한 광대 무계한 우주자연이 한 치 이지러짐 없이 맞춤 돌아가서 그럴 것이니 자연 순환의 질서가 무섭다.

접동새 울음을 들으며

저녁, 토방에 앉았더니 '아직도' 소쩍새가 울고 있다. 여름 지나 선선해지면 남몰래 사라진 듯 안 들릴 거니 하기도 했었는데. 저이는 언제까지 울까. 봄부터 여름 지나 언제까지 우는지 지켜 들어 볼 일이다. 벌써 여름이 지나지 않았는가?

그런데 그동안 들어오던 목소리와 다르다. 탁하다. 쉤다. 아프고 가슴 답답하고 걱정 담긴 목울음이다. 접동접동 울다가 꽁 울고 소쩍소쩍 울다가 꾹 울고, 어떤 이 표현대로 피를 토하듯 운다.

오늘 월요일, 새로이 한 주일을 시작하는 날, 일 마치고 저녁 늦게 이웃마을 휘적휘적 걸어가서 소주 한 병 사 왔다. 토방에 앉았다. 술은 묘하다. 인간의 뇌도 묘하다. 술을 마시면 뇌가 활발해진다. 자유로워진다. 생각건대 알코올은 액체의 황제다. 먹은 것 중 다급하고 제일 좋은 건 뇌로 먼저 간다지, 술을 먹으면 뇌가 활발해져서 번쩍번쩍 좋은 생각이 난다. 그러다가도 일어서면 기억이 잘 안 난다. 이것 기억해 두어야지 마음속에 모아 놓아 보지만 도로 아미타불. "무슨 생각했지?" 일어서며 잊어버리고 잠깐 시간 지나면 기억에서 지워진다.

 접동새 울음 들으면서 이 생각, 저 생각, 단 생각, 쓴 생각, 앉은 생각, 선 생각, 죽은 생각, 산 생각, 진양조, 자진모리로 생각 오고 생각 간다.

3장

한때를 보내더니
다 어디로 갔나

아침저녁으로 선선한 바람이 불고

낮에도 살을 제끼고 들어오는 여름 햇볕의 찐득함 대신에

시원함을 느끼게 하는 바람결이 오고 간다.

봄, 여름 동안에는 한창 농사일이 분주해서 마음도 그에 따라 흐르는데

찬 바람이 일기 시작하는 이 9, 10월이 되니 맘이 한 박자 풀어진다.

쓰러진 벼를 일으켜 세우며

지난 3월 낯선 이곳 삼방리 농장에 들어오는 날, 찬 바람 속에 눈이 흩날렸다. 눈이 텅 빈 논밭을 쓸듯 덮어 가고 있었다. 기온도 떨어져 몸을 움츠리게 했지만 겨울 끝자락의 눈이라 여겼고 다가올 봄의 신호라고 받아들였다. 그런 데다 그날 밤에는 눈이 펑펑 내렸다. 온 땅과 나무, 집들에 내려 덮었다. 눈을 인 나뭇가지가 무게를 이기지 못해 부러졌다. 첫날 밤 숙소에서 자고 일어나니 흰 눈이 마치 마당이라는 그릇에 가득 담아진 듯 쌓여 있었다. 발이 푹푹 빠졌고 눈가래로 사람 다니는 길만 치웠다. 그렇게 이곳 농장일은 시작되었다.

그러나 눈과 추위는 4월이 되어서도 쉽사리 물러서지 않았다. 봄이 아니었다. 봄은 생각처럼 가뿐히 와 주지 않았다. 봄인 줄 알고 꽃을 피운 복숭아, 사과나무들이 큰 피해를 입었고 일찍 농사를 시작한 농가 역시 마찬가지였다. 날씨가 5월까지 변화가 심했다. 눈이 오고 비가 오고 맑은 날은 짧아서 사이 시간을 잘 잡지 못해 땅갈이조차 할 수 없었고, 모종 옮겨 심는 시기를 잡지 못해 걱정과 어려움을 겪어야 했다.

여름이 되어서도 날씨는 예측하기 힘들었다. 다행히 땡볕이 내리쬐는 날이 한동안 이어지기도 해서 감자, 옥수수 같은 여름작물들에게는 다행이었지만 주말마다 비가 내렸다.

가장 어려운 시기는 8~9월이었다. 지겹도록 비가 내렸다. 덕분에 밤중 빗소리, 바람소리를 실컷 들었다. 낮에도 내리고 밤에도 내리고 그쳤는가 하면 갑자기 어디서 숨어 있다 몰려온 것처럼 소나기성 비바람이 몰아닥쳤다. 햇빛을 보기 어려워 광합성이 턱없이 부족해 식물들도 제 앞가림 살길도 바쁜 탓인지 과수, 채소, 곡류 할 것 없이 모두 열매가 부실하고 떨어지고 병해에 시달렸다. 흉작이었다. 8월에만 스무 날이 넘게 비가 내리고 흐렸다. 고추는 여물지 않고 탄저, 역병은 밭을 태우듯 통째로 집어삼켰다. "이런 날씨는 농사짓고 처음이네유. 아무리 그려두 이렇지는 않았슈." 평생 농사지어 온 노인이 말

쓰러진 벼를 묶어 일으켜 세운 모습

했다. 지구가 겪고 있는 해일, 태풍, 사막화, 폭염, 폭설 등 기후변화가 한반도에도 일어나고 있는 걸까. 한쪽에서는 한반도가 이제 아열대 기후로 변해 가고 있다고 말한다. 그렇게 되면 농사환경도 변화가 올 수밖에 없을 것이다.

날씨는 거기서 그치지 않았다. 때마침 올라온 태풍 '곤파스'는 엎친 데 덮친 듯 비와 함께 거센 바람을 몰고 왔다. 이삭이 패어 막 영글어 가는 벼들이 바람과 비를 이기지 못해 쓰러졌다. 허리가 꺾이고 발목이 부러진 벼들이 이 논 저 논 여기저기 드러누웠다. 3일을 논에서 일했다. 태풍에 쓰러지고 누운 벼를 서로 묶어 일으켜 세웠다. 그러나 벼를 일으켜 세우는 작업을 하는 논은 거의 눈에 뜨이지 않았다. 농민이 게을러져서가 아닐 것이다. 해마다 떨어지는 쌀값에 의욕을 상실한 것일까. 쌀값이 한 가마당 12만 원까지 떨어졌다는 소식이 들린다.

작년엔 14만 원, 재작년엔 15만 원이었는데 이 정부 들어 쌀값이 매년 씨름선수가 상대 메다꽂듯 곤두박질친다. 반면에 다른 생활소비재와 유류, 비료, 비닐 등 농자재는 반대로 해마다 올라간다. 큰일이다. 수확기가 되면 쌀값이 더 떨어질까 봐 걱정이어서 농사지어 봐야 헛일이라는 시름이 갈수록 깊어진다. 누가 쌀농사를 지으려 하고 쓰러진 벼를 일으켜 세울까.

농민들은 항상 살기 힘들었다. 1960~1970년대 그래도 식량 자급자족을 외치며 농사지을 때가 더 살기 좋았다는 말을 하곤 한다. 그러나 소위 '녹색혁명'을 이루고 경제는 고도성장을 자랑하지만 농민의 처지는 오히려 더 곤핍해졌다. 아이러니다. 통계도 이러한 경향을 보여 준다. 현실은 통계수치보다 더할 것이다. 지난 2월 한국농촌경제연구원이 발표한 <농업전망 2010>은 농가의 '상위 하위 간 소득 격차'가 급격하게 커지고 있다는 사실과 더불어 '도시와의 소득격차'도 커져 왔음을 적고 있다. 농가 상하위 간 소득격차는 13년 새 2배로, 도농 간 소득격차는 1995년에는 농가소득이 도시근로자 가구소득의 95%였으나 2008년에는 65.3%에 불과해 농민처지가 지속적으로 추락해 왔음을 보여 준다.

농부가 모처럼 시장에 나가 장일을 본 다음 시장 식당에 들러 '소금, 고춧가루, 깨'를 섞어 술안주로 찍어 먹었다던 지난 시절의 한 토막 얘기가 생각난다. 사람들은 그 안주를 '복합비료'라 불렀다. 흰색 소금, 빨간색 고춧가루, 검은색 깨가 고루 섞였으니. 그들이 복합비료 안주를 먹고 있을 때, 옆자리 공무원과 거간 유통업자들은 어지간한 안주를 상에 올려놓았었다. 한때는 열심히 농사짓고 벌면 버는 대로 땅을 사 농지를 넓혀 보기도 했지만 자식 도시 보내 교육시키고 앞길 살펴주느라 논밭도 얼마 남지 않았다. 그나마 남은 땅도 나이 들어 갈수록 짓기 힘들어 간다.

식량 자급과 의존의 빛과 그림자

지난 1989년 가톨릭농민회는 '우리 밀 살리기 운동본부'를 발족했다. 1984년 정부가 밀 수매를 중단한 이래 밀 자급률이 거의 0%로 떨어져 버린 시점이었다. 농촌진흥청으로부터 입수한 우리 밀 종자 40킬로그램, 반 가마가 시작이었고 2009년 예상 생산량은 약 2만 8천 톤이라고 한다. 그렇게 되면 밀 자급률이 1%가 된다.

'우리 밀 살리기 운동'은 시작과 함께 뜻있는 시민들의 참여와 호응을 받아 탄력이 붙었다. 그리하여 상승과 하강, 팽창과 축소의 부침을 거치면서 사라질 위기에 처했던 밀 재배가 확대되어 사라진 밀밭이 살아났고 푸른 밀밭은 사람들이 찾는 생태관광지 역할까지 하게 되었다. 이 과정은 힘겹게 진행된 만큼이나 떨어져 버린 자급률을 끌어올린다는 것이 얼마나 어렵고 힘든 일인가를 보여 주고 있는 현재진행형 역사다.

그러나 이미 오래전 사라질 위기에 처한 밀을 1% 가까이 끌어올렸다는 사실이, 어떤 사람에게는 그까짓 1% 가지고 웬 호들갑을 떠느냐고 생각할 수도 있을 것이다. 국내 밀 소비량 330만여 톤에 비한다면 2만 8천 톤은 양적으로 큰 의미를 부여하기 어렵고, 누구 말대로 "질 좋고! 싼!" 수입산 밀을 언제든 어디서든 구할 수 있는 무역자유화의 세상에서 무슨 의미가 있을 것인가.

그러나 눈을 조금만 돌려 보면 이 1%의 의미는 새롭게 다가올 수밖에 없다. 우리 밀 생산이 늘어난 것은 지속적으로 전개된 시민의 자발적 운동의 추동력이 있었기에 가능했지만 세계 식량환경과 곡물시장 가격의 변화와도 관계가 깊다. 현재 우리 밀은 수입밀과 약 4.3배(2005년)였던 가격 차이가 2008년에는 약 1.5배로 좁혀져 가격으로 경쟁력을 가질 수 있게 되었다. 최근 수년 동안 세계 곡물시장의 곡물가격은 가파르게 상승하고 있다. 2000/2001년 대비 2006/2007년 사이에 쌀 74~77%, 밀 58%, 옥수수 70.7%, 대두 53.4%가 올랐고, 2006/2007년 대비 2007/2008년 사이에 쌀 60%, 밀 169.8%, 옥수수 36.9%, 대두 81.7%가 각각 올랐다고 한다. 우리나라는 세계 5~6위의 곡물수입국으로 연간 약 1,500만 톤을 수입하고 있어서 식량가격의 전반적인 상승과 폭등은 논밭농사, 축산 등 농가는 말할 것 없고 도시 서민들의 생활까지 옥죄게 될 것이다.

갈수록 악화되고 있는 세계 식량사정은 심각하다. 이미 2008년에 경험했듯이 세계 곡물시장에 이상이 발생하자 식량부족국에서는 시위와 폭력, 폭동, 판매중단, 배급, 기아 등이 발생했고 수출국들이 수출을 금지하자 곡물가격이 폭등하고 수입국 식량사정을 더욱 악화시켰다. 곡물 다국적기업의 곡물투기, 가뭄, 냉해, 사막화, 기후변화, 대체에너지 생산을 위한 광범한 농지의 전용, 중국·인도 등 소득이 늘어나 인구가 많은 나라들의 육식 증가와 식품소비 고급화 등으로 인해 식량사정은 더욱 악화되고 있어서 식량수요와 공급량 사이의 불

일치는 더욱 커져 가는 상황이다. 혹자는 이를 "조용한 쓰나미(silent tsunami)"라고 표현했고 "완전한 태풍, 즉 식량폭동"이라고 이름 붙이기도 했다. 이런 와중에 곡물 다국적기업은 초유의 이익을 챙겼음은 물론이다. 2008년 4월 30일자 ≪월스트리스저널≫은 곡물 메이저 카길이 2007년 12월에서 2008년 2월까지 단 3개월 만에 무려 10억 3,000만 달러의 순이익을 올렸다고 썼다.

그러나 식량증산은 쉽지 않을 전망이다. 인류가 화석연료, 즉 땅에 묻힌 죽은 생물자원인 석유, 석탄을 산업적으로 광범위하게 이용함으로써 달성한 이른바 '녹색혁명'이라는 신화는 막다른 골목에 봉착했다. 오히려 앞으로의 농업은 살충제, 제조체 등 농약, 화학제품, 비닐, 과다한 에너지 사용 등 석유의존, 에너지 고투입 같은 관행적 농업의 한계를 극복하지 않고서는 지속 가능하지 않다. 따라서 식량수입국, 식량부족국은 앞으로 발생할 가능성이 높은 이 같은 식량위기 상황을 국가안보 차원으로 접근하고 있는 것이 최근의 흐름이다. 인접국가의 정책변화를 통해서도 확인할 수 있다.

중국은 2008년 11월 세계적인 식량위기에 대비해 2020년까지 식량자급률을 95% 이상 안정적으로 유지하기 위한 <국가식량안전 중장기계획 개요(2008~2020)>를 발표했다. 여기에서 중국은 '인구증가와 경제성장에 따라 식량자급이 중대한 도전에 직면할 위험'을 지적하면서 식량안보계획을 세우고 식량생산, 유통, 비축, 가공 등 전문 프로젝트를 제정 중이다. 그만큼 위기의식을 느끼고 있으며 국가위기관리 차원으로 받아들이고 있다는 방증이다. 중국이 식량문제에 대해 장기계획을 세우는 것처럼 일본도 정책마련에 분주하다. 일본 농림수산부는 2008년 2월 <일본의 식량문제의 현상과 과제, 식량의 미래를 그리는

전략회의>를 발표했는데 "최근에는 세계 농산물 시장 환경도 근본적으로 변화한 것으로 판단해 식량자급률 확대 정책을 강화"하고, 세계 식량수급이 더욱 타이트해질 것으로 보고 "일본의 경제력이 저하할 경우 식량 확보에 부분적인 차질이 발생할 가능성까지 고려"하고 있다고 전해졌으며, 2008년 7월 2일 곡물의 열량 자급률 목표치를 50%로 상향하기도 했다. 밀·옥수수 등 국제 곡물가격 급등으로 식료의 안정적 공급을 위한 대책을 강화해야 한다는 판단 때문이었다.

밀 자급률 1% 달성이라는 숫자 뒤에는 국내 곡물자급률이 지속적으로 떨어져 왔다는 사실이 깔려 있다. 지난 20년 동안 곡물자급률은 약 40%에서 25%로 떨어졌다. 2000년 29.7%에 비해서도 5% 정도 떨어졌다. 그에 비례해 농가호수, 농지도 줄고 농산물 수입액은 연간 100억 달러를 훌쩍 넘었다.

밀 자급률 1%라는 숫자 옆에는 나란히 옥수수 자급률 0.7%, 콩 자급률 9.8%라는 현실이 못난이 3형제처럼 울상을 짓고 있다. 밀, 콩, 옥수수 가릴 것 없이 거의 모든 수입 곡물로 우리의 밥상과 위장을 채울 수 없다는 뼈아픈 현실 때문이다. 그나마 다행인 것은 쌀이 그 빈자리를 아직 홀로 오롯이 지켜 주고 있는 사실일 것이다. 쌀 자급률은 90%가 조금 넘는다.

우리나라의 경우, 자급률을 높이기 위해서는 밀, 옥수수, 콩의 재배 면적이 늘어나거나 밀, 옥수수, 콩을 대체할 수 있는 작물재배가 이루어져야 가능하다. 자급률을 꾸준히 높여 가는 것은 아주 불가능한 일이 아니다. "일본이 자국 요리에 적합한 밀 품종 개발에 심혈을 기울여 자급률을 지난 1995년 6.9%(44만 4천t)에서 10년 만인 2005년 14%(87만 5천t)로 끌어올리고, 국제 곡물가 폭등에 대처(한겨레신문,

2008.7.13.)"하고 있다는 소식도 참고할 사례다. 밀, 옥수수, 콩, 보리 등 우리 땅에 맞는 품종을 개발하고, 밀, 보리 등 조사료 생산을 지원하여 복합사료 의존을 줄이고, 자급률 제고에 필요한 적정농지를 확보하는 한편 농지침탈과 전용을 막는 등 농민이 농사를 지을 수 있도록 환경과 지원정책을 만들어 나가면 불가능한 일이 아니다. 현재 수입곡물은 그중 약 절반 가까운 양이 사료용으로 쓰이는데 식용 기준으로도 자급률은 2008년 기준 밀, 옥수수, 콩은 겨우 0.3, 3.2, 35.6%에 불과했다. 참담한 수치다. 이러한 현실에서 '우리 밀 살리기 운동'의 '1%'는 단순한 숫자가 아니라 가능성을 확인해 준 소중한 성과인 동시에, 반농업적 정책과 편견이 난무하는 우리 현실을 향한 날카로운 경고가 아닐 수 없다.

가을을 타나

9월 들어 중순부터 날씨가 변했다. 8월 말 처서(處暑) 때만 해도 더위가 식지 않았는데, 9월 8일 이슬이 내린다는 백로(白露)를 돌아드니 아침저녁으로 선선한 바람이 불고 낮에도 살을 저미고 들어오는 여름 햇볕의 찐득함 대신에 시원함을 느끼게 하는 바람결이 오고 간다. 베고 뽑아도 다시 자라 오르며 한여름을 힘들게 했던 풀들도 완연 풀이 죽었고 차라리 잠들지 않았으면 좋으리라고 생각할 만큼 한여름 잠을 힘들게 살을 핥고 물고 빨던 모기, 파리, 깔다귀들도 드물어졌다.

돌연키로는 무엇보다 소쩍 접동새가 언뜻 소리를 멈췄다. 저이는 언제까지 우나, 언제 그치나 마음 가는 게 컸는데 매일 저녁 들던 접동새가 잠수 타듯 조용하니 무대 위 주인공이 사고 난 듯 상실감이 찾아든다. 그 공백이 가을, 겨울 무엇인가로 채워질 거라고 생각하지만 봄, 여름과 다른 한철엔 쉽지 않을 것 같다.

밤이 낮보다 더 길어지기 시작하는 추분(秋分)이 9월 23일이었다. 이제 아침저녁으로 추위를 느낄 만해서 온방 보일러에 신경이 쓰이고 오랫동안 쓰지 않던 온수 기능은 잘 작동되는지 은근히 걱정이 들기도 했다. 추분이 되면 짐승, 벌레들도 땅속 제 구멍을 찾아들 때인데 사람 역시 마찬가지일 것이다.

우리에게 계절이 있는 것은 지구가 삐딱하게 기울어진 상태, 자전축이 23.5도 기울어 선 채로 태양이 돌기 때문이다. 기울어져서 태양으로부터 멀어지면 겨울, 가까워지면 여름을 반복하는데 추분은 춘분과 함께 그 중간을 통과하는 시점이다.

추분은 춘분과 함께 밤낮의 길이가 같다. 그러나 방향은 180도 다르다. 황도 상으로 춘분은 0도, 추분은 180도라는 것이 그렇다는 것을 말해 준다. 춘분이 되면 '입춘대길, 건양다경(立春大吉 建陽多慶)' 등 입춘첩이나 부적을 대문이나 문지방에 붙이기도 한다. 입춘을 고비로 새로운 생명의 순환, 농사가 바야흐로 시작되기 때문이다. 반면에 추분은 춘분에 비하면 조용한 것처럼 보인다. 오랜 농경사회에서는 세상만사가 알곡식 생산하는 농사일이 중심이 돼서 추분보다는 춘분이 풍속이 다양했던 것은 당연해 보인다.

겪어 보니 그렇다. 봄, 여름 동안에는 한창 농사일이 분주해서 마음도 그에 따라 흐르는데 찬 바람이 일기 시작하는 이 9, 10월이 되니 맘이 한 박자 풀어진다. 느낀다. 아직 농사일이 끝나 한가해진 것은 아닌데도, 일을 해도 봄, 여름 때 같지 않아서 왜일까 이상하다고 생각했는데 그냥 마음잡기가 힘들다. 가을이 이미 여름에 벌써 담겨 기다리고 있었는데 이제야 가을 타는 것인가?

삽미

막걸리는 쌀을 쪄서 누룩을 섞어 발효를 시켜 만들기 때문에 맥주나 소주에서는 맛볼 수 없는 다양한 맛과 향, 영양소를 지니고 있다. 각종 아미노산, 유기산, 비타민B, 효모 등을 함유하고 있으며 단백질도 포함되어 있어서 복합영양식품이다. 한 식당에 갔더니 벽에 "좋은 막걸리는 감(甘), 산(酸), 신(辛), 고(苦), 삽미(澁味)가 잘 어울리고 적당히 감칠맛과 청량감을 가지고 있다."는 구절이 눈길을 끈다. 설명문에 등장하는 감(甘), 산(酸), 신(辛), 고(苦), 삽미(澁味)는 무엇일까. 감(甘), 산(酸), 신(辛), 고(苦)는 단맛, 신맛, 매운맛, 쓴맛이다. 그런데 익숙하지 않은 표현이 하나 있는데 '삽미(澁味)'다. '삽미'가 무슨 맛이지?

한자 '澁'은 '떫을 삽' 자로서 삽미는 곧 '떫은맛'이다. 떫은맛은 덜 익은 감을 입 안에 베어 먹을 때 입 안과 혀를 떨떠름하면서도 뻑뻑하게 만드는 맛이다. 아마 떫은맛을 맛있다고 하는 사람을 없을 게다. 떫은 감을 맛있다며 먹어대는 사람이 있다면 그는 이상한 맛을 좋아하는 이상한 사람이라고 할 수밖에 없다. 이제 먼 추억 속의 일이 되어 버렸지만 어렸을 때까지만 해도 채전 밭 감나무에서 떨어진 떫은 감을 남 먼저 주워 물에 우려먹기 위해 다른 사람보다 아침 일찍 서둘러 일어나곤 했던 기억이 새롭다.

떫은맛이 단맛이나 신맛처럼 사람들에게 애호되는 맛이 아니지만, 그러나 삽미(떫은맛)는 빼놓을 수 없는 중요한 맛이다. 막걸리의 맛을 결정하는 것도 바로 이 떫은맛이다. 떫은맛은 다른 맛과 적당한 비율로 화합되면 개성 있는 맛을 창출한다. 근자의 막걸리 맛은 단맛에 익숙한 신세대의 길든 입맛을 무시할 수 없어서 ― 맛 중에서 단맛을 싫어하는 편인데 ― 떫은맛이 제거되고 단맛이 첨가되는 추세지만 원래 막걸리는 텁텁하고 약간 떨떠름한 맛을 지켜야 제 맛이다. 앞에서 말한 대로 감(甘)·산(酸)·신(辛)·고(苦), 삽미(澁味)가 잘 어울려야 제대로 맛을 내는 막걸리인 것이다.

삽미는 포도주에서도 살펴볼 수 있다. 포도주 맛은 무척 다양해서 사람들마다 입맛대로 골라 먹고 있다. 나는 단맛이 든 것보다 텁텁하면서도 약간 떨떠름한 포도주를 즐겨 하는 편인데 사람마다 개성의 차이만큼 식성 차이가 난다. 일반적으로 여성들은 부드러운 단맛 쪽을, 남자들은 텁텁한 맛을 찾는 것 같다. 이와 같이 삽미는 단맛을 좇아가는 사람들로부터 거북한 맛이 되어 가고 있기는 하지만 아직도 맛을 결정하는 역할에서 보면 그 지위를 지키고 있다고 볼 수 있다.

그런데 삽미가 맛의 하나로서 대우받는 것 이상으로 중요한 사실이 숨겨 있다. 감을 예로 들자면 한여름의 푸른 감은 떫은맛을 띠는데, 가을이 되면 붉게 익어 가면서 단맛으로 변해 간다. 곧 떫은맛은 단맛으로 변하기 전의 맛으로서 떫은맛을 거쳐 감의 고유한 맛으로 전화되어 간다. 이러한 사실은 다른 과일이나 채소, 열매에서도 마찬가지 현상을 보인다. 완전히 성숙되지 않은 열매, 과일, 채소는 정도의 차이가 있지만 떫은맛을 띤다. 이러한 사실이 시사하는 점은 떫은맛은 바로 맛이 시작되는, 다른 말로 하면 본맛으로 전화되기 전의 맛이라는 사실이다. 떫은맛을 거쳐서 단맛도 나오고 신맛이나 쓴맛이 나온다. 이처럼 떫은맛은 다른 맛과 기본적으로 원초적 속성을 지닌 맛이다.

흔히 다투다가 상대에게 "야, 떫어?" 하며 눈을 치뜨고 교만한 자세로 무시하듯 취하는 태도도 떫은맛의 속성의 일단을 보여 주고 있어서 재미있다. 또 기분이나 상태가 '떨떠름하다'고 표현하는 것도 유사한 경우라 하겠다. '떫다'라는 것은 미완성, 불만족, 부족함 등 뭔가 충분하지 못하거나 불만인 상태, 어정쩡한 심적 상태를 지칭한다.

음식 맛에서 떫은맛을 모르고서는 맛에 대해 이야기할 수 없다. 음식 맛을 제대로 보려면 맛의 속성을 알아야 한다. 맛에 대해서 매우 깊은 문화를 지니고 있는 우리 민족은 맛을 표현하는 언어에서도 남달리 다양한 표현을 보여 준다.

찰밥의 향수, 돼지찰벼

어렸을 때 찰밥을 무척 좋아했다. 지금도 좋아하기는 하지만 그때 느낀 맛을 따르지 못한다. 정월 보름 같은 명절에 곶감, 대추 등을 넣어 짓는 찰밥도 맛있었지만 하얀 멥쌀에 찹쌀을 섞어 지은 찰밥은 정말 좋았다. 입과 혀로 느끼는 적당한 찰기는 멥쌀로 짓는 밥에서는 느끼지 못하는 다른 맛이었다.

찰밥을 짓는 쌀을 찹쌀이라 하고 우리가 자주 먹는 밥쌀을 멥쌀이라 부른다. 멥쌀과 찹쌀은 눈으로 쉽게 구별할 수 있다. 멥쌀은 약간 투명하고 광택이 있는 반면 찹쌀은 탁한 우유처럼 뽀얀 색깔을 띤다. 벼는 찰벼, 메벼로 분류한다.

찹쌀, 멥쌀의 성질은 쌀의 녹말 성분 중 아밀로스 함량이 결정한다. 멥쌀은 아밀로스를 20% 내외 함유하고 있는 반면 찹쌀은 아밀로펙틴이 주성분이다. 나의 입맛으로 본다면 멥쌀에 찹쌀을 적당히 섞은 찰밥이 좋은데 그것은 멥쌀에 찹쌀을 알맞게 섞었을 때 찹쌀의 찰기를 조절해 줘서 더 입맛에 맞지 않은가 생각된다.

각시나(찰벼)

또 찹쌀에는 아주 종류가 다양하다. 예전에는 지역마다 고유의 찰벼를 재배했다는 점을 고려하면 상당히 많은 품종이 있었을 것이다. 지금에 이르러서는 재배면적이 줄어 고유 품종마저 찾기 힘들다.

올해 농장에서 심은 찰벼도 여러 종류다. '각씨나, 가위찰벼, 괴산찰벼, 자치나, 돈나, 대추찰벼(조도), 족제비찰벼, 옥천 수집 돼지찰벼, 진천 수집 돼지찰벼' 등. 찰벼 이름에는 '찰' 혹은 '나'라는 글자가 들어가는 경우가 많다. 이름으로 구분이 된다. 돼지찰벼는 한자어로는 '돈나'라고 부른다.

벼는 출수기에 제 모습을 드러낸다. 이삭 색깔이 다양하다. 어떤 것은 잘 읽은 대추빛깔을 띠는가 하면 어떤 것은 황금색이기도 하고 복숭아색, 붉은빛을 띠기도 한다. 출수기 이후 보여 주는 논의 경관은 아름다운 꽃밭을 방불케 했다. 까락은 길거나 짧은 것, 없는 것도 있

160

다. 쌀알도 조금 크거나 작거나, 둥글거나 조금 길쭉한 모양으로 차이가 있다. 맛은 올해 수확한 것을 먹어 보며 느껴 볼 셈이다.

올해 농사지은 찰벼 주품종은 '돼지찰벼'다. '괴산돼지찰벼, 돈나, 옥천수집 돼지찰벼, 진천수집 돼지찰벼' 등. 돼지찰벼는 찰밥용만 아니라 떡, 전통고급 한과와 과자 등에 쓰이는 고급 찰벼다. 역사적 기록을 구체적으로 확인할 수 없지만 ≪신약≫을 저술한 고 인산 김일훈은 "옛날에 나라님에 진상하는 여주의 대궐찰"을 언급하며 "나락으로선 뻘건 찰이 제일"이라고 말했다고 한다. 대궐찰이 아마 돼지찰벼가 아니었을까 생각된다.

돼지찰벼

족제비찰벼

돼지찰벼 농사짓기는 일반 벼보다 까다로운 편이다. 키가 커 바람에 쓰러지기 쉽다. 비료를 많이 사용하면 키가 많이 자라 안 된다. 돼지찰벼뿐 아니라 재래벼들은 일반적으로 키가 커서 도복을 주의해야한다. 예전에는 초가지붕, 새끼, 가마니, 광주리, 멍석, 소죽 등 생활재료 생산에 볏짚이 없으면 안 되는 필수자재였기 때문에 키 큰 벼가 유용했다. 또 벼는 품종에 따라 병충해 저항성이 다르고 단위당 수량도 품종에 따라 차이가 난다. 수량은 일반 벼보다 당연히 떨어진다.

그렇지만 종종 돼지찰벼의 명맥을 이어 오는 농민이 있다. 어떤 이유로 지난 세대의 농사 전통을 잇는 경우가 있고 밥맛이 좋다거나 떡맛이 좋고 잘 굳지 않는 이유로 계속 이어 재배해 오기도 한다. 아직 직접 확인해 보진 않았지만 소량이지만 인터넷에서도 팔고 있다고 하는데 생각보다 훨씬 비싼 가격으로 팔린다고 한다. 최근에는 쌀이 기능성 식품으로 등장하고 있는 현실도 참고 삼을 만하다. 탈비만, 체지방 감소, 혈압 강하에 도움되는 식품 혹은 원료생산에 쓰이고 있다. 우리는 지금도 사람이 허약해 기력이 없거나 위장이 좋지 않으면 찹쌀을 섞어 찹쌀죽 혹은 미음을 만들어 먹인다. 그뿐만 아니라 화장품 원료와 이유식에도 사용된다. 녹색, 홍색, 노랑, 검정 등 유색 쌀이 수요를 넓혀 가고 미네랄 성분을 포함한 기능성 쌀 재배에 대해서도 관심이 커 가고 있다.

가끔 멥쌀에 찹쌀을 섞어 맛있는 밥과 떡을 먹어 보길 권한다. 돼지찰벼는 여기에 어울리는 우리 재래 품종이다. 꼭 돼지찰벼가 아니더라도 집에 좋은 찹쌀을 준비해 두면 입맛이나 기력 없을 때 섞어 먹으면 좋다.

방 안을 채운 소리

이번 주에는 <삼방재일월기> 보내기를 포기했었다. 어제, 내심으로는 일주일에 한 번은 보내기로 해 왔었고 어제 저녁엔 쓸 참이었다. 그런데 컴퓨터 인터넷이 안 돼서 방법이 없었다. 이메일은 인터넷 의존이기 때문이다.

별 필요 없는 얘기이긴 하지만, 내가 쓰는 컴퓨터 환경은 열악하다. 데스크톱이 아닌 노트북인데, 1990년대 중반에 나온 낡은 제품이고 시스템은 '윈도98'로 돌아간다. 사용하다 자주 다운된다. 그때마다 요령껏 극복하면서 쓴다. 느린 걸 참고 보기를 절제하며 쓴다. 그래서 한국사회에서 많은 사람이 '네이버'나 '다음'을 쓰는데, 초기화면에서는 여러 뉴스 소식을 전하지만, 나는, 그 메인화면에 뜬 뉴스를 '클릭' 해서 보려 하면 다운되어 버릴 위험이 있기 때문에 여간해선 잘 안 본다. 제목만 본다.

그런데 오늘 혹시나 하고 켜 봤더니 인터넷이 된다. 어제저녁엔 별 짓거리를 해도 안 되더니, 묘한 일이다. 그 사이에 나에게 인터넷은 <삼방재일월기> 말고는 급한 일이 없어서 안 되면 말지 하고 생각하는 것이 그간의 사정이었다.

각설하고, 3년 전 쯤이었던 것 같다. 때는 10월경이 아니었을까. 친구와 강화도 마니산을 찾았다. 산 들머리를 들어서 중턱에 이르렀는데, 중간 산 능선이어서 시선이 가는 곳으로는 제법 작은 능선들이 내려다보이는 쉼 직한 곳이었다.

"이 산 계곡과 능선을 가득 채울 수 있는 것이 무엇이 있을까?"

강화 마니산 가을 하늘 아래 땅, 산, 나무가 비어 있는 것은 아니지만 우리 말고는 사람이 없었다. 그가 가을 산 호젓한 발걸음 멈추는 곳에서 지금 여기 산 계곡과 능선, 빈 것 같은 시간을 가득 채울 수 있는 것이 무어냐고 말할 때 난 그가 품고 있는 '답'을 알아차렸다. 무엇이겠는가? 그것은 '소리'이지 않겠는가. 소리는 능선 따라 어울린 골과 숲을 채울 수 있는 것인 것 같았다. 그는 단소 소리로 빈 산 계곡을 채웠다.

어제 좋은 선물을 받았다. 내가 기거하는 방은 저녁이면 다소 쓸쓸한데 자그마한 앰프를 택배로 받았다. 주요 기능으로는 튜너, 테이프, 시디가 된다. 그가 월요일 택배로 앰프를 보낼 테니 스피커를 가져오라 해서 화요일 새벽 이곳 올 때 마침 집에 오랫동안 묵혀 잠자고 있던 스피커 한 짝을 줄로 묶어 매어 들고 왔었다. 택배는 예정대로 화요일 낮에 도착했다.

일을 마친 저녁, 앰프 부속기기의 조립을 시작했다. 전원과 단자를 잘못 연결하면 앰프가 박살 난다며 잘 연결해야 한다는 보내준 사람의 주의를 상기하며 스피커 선을 잇고 전기단자를 꽂았다. 마지막으로 '파워'를 누르니 소리가 음이 노래가 방 안에 울려 찬다. 나 말고는, 내가 있어도 방이 허전히 늘 비어 있는 것으로 생각해 왔었는데.

빈틈없이 방 안을 채워 버린다.

누가 그랬던가. 예술 중 음악이 최상이라고……. 시, 철학, 미술, 춤, 조각 등 다양한 예술, 철학, 감성 행위들이 있지만, 모두 다 중요하지만, 음악이 맨 위라고…….

앰프를 책상 위에 올리고 스피커를 오른쪽 왼쪽 벽에 높이 맞춰 설치했다. 이곳은 아직은 소리 크다고 방해받을 이가 없으니 음량을 키워 부담 없이 종종 소리를 가까이해 보아야겠다.

한때를 보내더니 다 어디로 갔나

봄부터 시작해 봄, 여름 사이에 심은 작물을 하나하나 거두어들인다. 40여 종의 벼를 여문 차례대로 낫으로 베어 볏단으로 묶는다. 조생, 중생, 만생종이 고루 섞여 있어 이미 황금색 이삭이 여문 것도 있고 아직도 푸른 잎사귀인 채로 여물어 가고 있는 것도 있다. 황토조, 올벼 같은 벼는 대표적인 조생종이어서 벤 지가 여러 날 됐고 만생종인 녹미, 족제비찰벼 같은 벼는 아직도 녹색이다. 삼방리 논은 종자 수집을 목적으로 한 농사여서 수확, 건조, 탈곡을 서로 섞이지 않게 정성 들여 작업해야 한다. 옥천돼지찰벼를 심은 1천 평 제월리 논은 콤바인으로 수확한다. 벼농사는 지난 10월 9일 회원초청 토종 벼베기 행사를 마지막으로 올해 공식적인 일정이 끝나서 벼를 베고 탈곡하는 일만 남은 셈이다. 11월이면 탈곡도 끝나 벼농사일은 모두 마무리 될 것이다.

고구마도 거의 캤다. 전에 논으로 쓰던 땅이어서 토질이 질어 예상보다 시간이 많이 걸렸다. 참깨도 베어 건조시켜 털었다. 들깨는 아직 거두지 않았는데 조만간 베게 될 것이다.

고추밭도 정리 중이다. 맨땅 고추밭은 모두 정리했다. 비닐하우스 7개 동, 7백 평에 심은 고추는 아직 애기고추가 달리고 있어 따 내야 하고 이 작업이 마무리되면 그물망, 말뚝, 비닐, 고춧대를 철거하게 된다. 그러고 나면 하우스는 텅 비게 될 것이다. 고추밭은 우리에게 기대와 실망을 함께 가져다주었다. 모종을 키워 밭에 정식한 이후 고추는 참 자랐다. 8월 말, 9월 초까지만 해도 빨갛게 익은 고추를 제때 따기 바빠 일정 잡기와 사람 구하기가 어려웠다. 이대로라면 고추 대박이었다. 그러나 9월 초부터 상황은 변했다. 유례없이 자주 내린 비와 우중충한 여름날은 습도를 높이고 일조량을 줄여 작물 성장에 치명타를 날렸다. 9월에는 고추가 딸 게 없었다. 특히 노지 고추밭은 탄저, 역병의 병해에 모두 시들고 마르고 타 버렸다. 비가 온 날이 더 많았던 8~9월의 날씨는 우리만이 아닌 모든 농가에 최악이었다.

그런 고추밭을 정리하려니 마음이 착잡했다. 밭 정리도 쉬운 일이 아니었다. 맨땅 고추밭이 4백여 평 되는데 남자 4명이 하루 이상 걸렸다. 부직포 걷고 비닐 걷고 쇠말뚝 뽑고, 고춧대 걷고, 청소하고 간수하는데, 여기에서 거둔 홍고추는 불과 2백 수십 키로 남짓 이었을 것 같은데, 그동안 들인 노력과 시간, 자재비를 생각해 보니 한숨이 쉬어진다. 아무렴들 날씨가 그랬다고 하지만 고추 농사가 이렇게 될 수도 있다는 현실을 눈앞에서 맞닥뜨리니 농사짓는 사람들의 속마음과 현실이 찌르르 전해 온다. 마음이 쓰다.

조, 기장도 모두 거두어들였다. 손으로 이삭만 따서 그물망에 담았다. 수확 작업 중에서 가장 손쉬운 일이었다. 키만큼 자란 조, 기장 밭 골을 따라가며 손으로 이삭목을 꺾어 망에 담기만 하면 되니 초등학생도 쉽게 할 일이다. 이 역시 종자용이니 따로따로 섞이지 않게만

하면 된다.

이제 농장에 수확할 품목은 많지 않다. 제일 많은 것은 콩 수확이다. 잎이 누렇게 말라 가고 있는데 이 역시 날씨 탓인지 콩알 앉는 것이 시원치 않아 보인다. 때를 보아 베어 내 콩 수확을 하면 될 것이다. 그리고 아주까리(피마자)가 20여 그루가 농장 출입구에서 나는 언제 베어 줄 것이냐며 서 있고, 해바라기는 모두 검게 시들었는데 성장이 좋지 않아 씨 수확을 기대할 것은 아니다. 본래 농장 주위 경관용으로 심은 것이니 그도 여름, 가을 동안 할 일 다 했다.

또, 호박 넝쿨은 농장 도로 편 경사진 둔덕을 여름날 제 맘껏 팔 휘젓고 고개 돌리며 자라면서 여기저기 똥 누듯 덩이를 앉혀 놓았는데 덩이를 찾아 거두어들이고, 시험적으로 심은 야콘 한 두둑, 역시 시험 삼아 심은 율무 반 두둑 거두는 게 남은 일이다.

수확할 일 말고 요즘 가장 큰일은 당연 배추·무 농사다. 지난 8월, 밭 5백여 평에 배추와 무를 심었다. 배추는 절임배추용이고 무는 김장용이다. 둘 다 기세 좋게 자라고 있다. 농장에 온 사람은 누구나 배추농사가 아주 잘됐다며 한 마디씩 보탠다. 최근 배추 한 포기에 1만 원이 넘게 간 깜짝 놀랄 만한 일을 겪은 탓도 있어서 사람들이 배추 쳐다보는 눈길이 예전과 다르다. 뭐든지 비싸지고 귀해지면 대하는 게 달라진다. 농산물 값이 비싸져야 한다. 그래야 귀한 줄 알지.

배추는 3개월 정도 키우는데 11월 초 중순 무렵이면 뽑게 될 것이다. 웃거름액비도 주고 병충해 방제를 꾸준히 해 나가고 있다. 기대가 된다. 그러나 아무리 뭐니 해도 농사는 날씨가 도와줘야 한다. 혹시라도 수확 전에 눈이나 된 서리, 이상저온이라도 오게 되면 배추도 피해를 입게 될 것이다. 그런 일이 부디 없어야 할 텐데……

이 외에도 10월 초순에 참깨를 걷어 낸 하우스 100평에 가을, 겨울 채소 몇 가지를 씨 뿌려 키우고 있다. 쪽파와 시금치, 아욱, 갓, 월동 춘채를 파종했다. 갓은 아무래도 파종이 늦은 것 같아 저녁에는 보온을 위해 비닐을 덮어 주고 있는데 싹이 잘 터서 자라고 있다. 그리고 고구마를 캔 50여 평 밭에는 마늘과 양파를 심을 예정이다. 지금 심어 놓으면 겨울 지나 내년에 수확하게 된다.

가을이 깊어졌다. 산에는 단풍이 절정인 모양이다. 내가 맞는 이 가을은 가라앉고 조용하다. 왜일까. 가을 탓이겠지.

봄엔 차츰 낮이 길어지면서 심고 키우고 땀 흘리는 일이 많더니, 가을엔 모든 것이 떨어지고 잠들어 간다. 한창 잠자리가 가을하늘을 제 안방처럼 무리지어 휘젓더니 그 수가 드물어졌다. 가끔 놀라고 기겁하게 했던 뱀도 눈에 안 띈다. 사마귀, 여치, 방아깨비도 사라졌다. 논풀을 잡아 줬던 우렁이도 모두 죽었다. 요란하던 풀덤불 자연합창대 풀벌레 소리도 미약해졌다. 들판의 모든 것이 그렇다. 한때를 보내더니 다 어디로 갔나.

다가오는 겨울 시골길 안전운전

50평 남짓 되는 밭에 마늘과 양파를 심기 위해 두둑 만들기 작업을 마치고 점심을 먹고 있는데 전화가 왔다. 농장부지 일부에 '토종연구소' 2층 건물 공사가 건설회사에서 시작한 지 며칠 됐는데 공사 현장에서 일하고 있는 사람으로부터 걸려온 전화였다.

"좀 와 주세요. 차가 빠졌어요."

연구소 건물 신축 작업장에서 일하고 있는 두 사람이 오전 일을 마치고 점심을 먹기 위해 오는 길에 그만 차가 빠져 버렸다는 내용이었다.

"차 빠진 그곳이 어디죠?"

"삼방리 다리공사하는 데 있잖아요. 거기서 조금 올라오면 돼요."

차가 빠진 것이라면 대수롭지 않은 일이다. 작업장 길이 논밭길이어서 종종 빠진다. 그런데 최근에는 비도 안 오고 서늘한 가을 날씨가 계속돼 진 땅이 없어서 농장에서 식당으로 오는 길에 차 빠질 만한 곳이 없는데 의아하다. 하지만 차가 빠졌다니 남은 밥을 얼른 먹고 차를 끌 견인 밧줄을 챙겨 1톤 차를 몰고 갔다.

나도 진 땅으로 차를 몰고 가다 고생한 적이 여러 번이다. 사고는 겨우내 언 길이 녹고 봄비 오는 겨울과 봄 사이, 비가 자주 오는 여름에 일어난다. 논밭으로 들어가는 길이 비포장 흙길, 비탈 농로가 대부분이기 때문에 보다 편하고 힘을 안 들이기 위해 되도록 일터 가까이 차를 대려고 욕심을 내다 보면 앞바퀴나 뒷바퀴가 빠지기 마련이다. 진흙땅이나 웅덩이에 차 빠지는 거야 사람 다친 교통사고가 아니기 때문에 경운기나 다른 차량으로 끌어내면 되는 일이어서 큰일이라 할 수는 없지만, 그럴지라도 마음 상하고 시간 허비하고 예정한 작업 밀리고 또 적잖이 쪽팔리는 일임에랴. 그럴지라도 진 땅으로 차를 대어서 작업터 인근에 좀 더 가까이 접근하려는 유혹은 쉽사리 버릴 수 없을 것이다.

차가 빠진 현장에 도착했다. 그런데 어이쿠 이거 생각보다 큰 사고가 났다. 트럭이 길을 벗어나 냇물에 처박혔다. 차는 산돼지 진흙 목욕하듯 냇물에 옆으로 완전히 몸을 기울인 채 드러누웠다. 냇물을 베고 옆으로 누웠다. 사고에 놀란 두 사람은 사고 차량에서 빠져나와 혼비백산 멍 얼빠진 초췌한 표정으로 서 있다. 견인에 쓸 요량으로 내가 가지고 간 밧줄로는 어림없는 일이 됐다. 작은 레커차로도 안 되고 아무래도 대형 레커차가 와서 차를 들어 올려야 할 상황이다.

사고를 당한 두 사람은 중국에서 일하러 온 외국인 노동자다. 중국 흑룡강 성과 청도에서 왔다. 각각 4년, 5년 일했으니 한국 상황에 익숙하고 대화를 나누는 데 큰 어려움이 없을 만큼 한국말을 한다.

"다친 데 없어요?"

두 사람 몸을 살펴보며 물었다.

"네, 괜찮아요."

보기에는 외상이 없는 듯하다. 차가 저렇게 냇물에 꼴아박아 뒤집혔는데도 두 사람 모두 다친 데 없다니 천만다행이다. 차가 냇물에 기울어 박혔는데 다치지 않고 무사히 빠져나왔다. 하지만 사고 순간에 받은 정신 충격이 컸을 것이다.

　사고 난 길은 굴곡진 아스팔트 포장 편도 1차선 길인데 속도를 줄이지 못해 길을 벗어난 것 같다. 커브를 마저 돌지 못하고 도로를 벗어나 버린 것이다. 아스팔트 길 위에는 브레이크를 밟아 난 검은 타이어 바퀴 자국이 나 있고, 풀 덮인 길 어깨와 어른 키 높이 됨직한 길둑 제방을 차 밑바닥이 아래 냇물까지 쓸고 갔고 차는 냇물에 박혔다. 차가 지나간 바로 옆으로는 전신주가 서 있는데 요행히 부딪치지 않았고, 또 냇가에는 큰 바위돌이 튀어나와 있는데 이곳도 요행히 비켜 지나갔다. 전신주나 바윗돌에 부딪쳤으면 크게 다쳤을 것이다. 두 사람이 부상당하지 않고 빠져나온 것이 기적이다. 중국에서 한국으로 돈 벌러 왔는데 몸 다치면 더 이상 일도 못 하게 될 것이고 고국 고향의 가족은 얼마나 놀랄 것인가 등등의 사고 났을 경우 벌어질 상황을 생각하면 얼마나 다행한 일인가.

　커브길 운전은 늘 조심해야 한다. 커브길 안전운전 요령은 무엇보다 커브에 차가 들어가기 전에 미리 속도를 충분히 줄이는 것이 중요하다. 많은 사람들이 커브를 돌 때 브레이크를 밟는다. 나쁜 운전습관이다. 커브길은 진입하기 전에 속도를 충분히 떨어뜨리고, 커브길에 진입하면 천천히 가속 페달을 밟으며 도는 것이 요령이다. 커브를 돌 때는 브레이크를 밟지 않는 것이 좋다. 특히 눈 내리거나 길이 언 겨울에 커브길에서 브레이크를 밟으면 차가 미끄러져 사고 위험이 크다.

　그리고 초보운전자의 경우, 초보가 아니더라도 운전습관이 잘못 길든 운전자도 마찬가지인데, 커브를 돌 때는 핸들을 조금 더 돌려 커브길을 벗어나지 않도록 하는 것이 좋다. 커브는 굴곡을 따라 부드럽게 도는 것도 나쁜 것은 아니지만 핸들을 중앙선 쪽으로 조금 더 꺾어 커브를 돌고, 돌고 난 후 핸들로 차가 중앙에 오도록 조정해 주는 것이 길을 벗어나지 않는 데 도움이 된다. 커브는 굴곡을 따라 예쁘게 돌려고 하면 초보운전의 경우 핸들이 덜 꺾여 차가 길을 벗어날 위험이 있다.

세 번째는 평소 중앙선을 지키며 운전하는 습관을 가지는 것이 중요하다. 많은 사람들이 커브길에서, 특히 지방도로에서 중앙선을 들락날락하며 운전하는 것을 자주 본다. 곡선 구간을 조금이라도 짧은 거리로 가려면 중앙선을 들락거리게 되는데, 기름을 아끼려는 자린고비 습관인지 모르지만 대단히 위험하다. 또 커브길은 길 한쪽이 산절개지나 임목, 암벽에 시야가 가린 경우가 많다. 반대편에서 오는 차가 보이지 않는다. 잘못하면 정면충돌한다. 커브가 연속된 길에서 되도록이면 중앙선을 넘지 않는 운전 습관을 기르는 것이 좋다. 중앙선을 들락거리는 차에 동승한 경우가 몇 번 있는데 운전자는 운전 잘한다고 뽐내는 것이겠지만, 혹은 굴곡을 부드럽게 돌아 쏠림을 줄여 승차감을 좋게 해 주려는 것인지 모르겠지만, 차에 함께 탄 사람은 불안할 수밖에 없고 승차감이 문제가 아니라 차에서 내려 버리고 싶은 감정과 충동을 참으며 견디어야 한다.

사람들끼리 얘기를 나누다 보면 차와 운전에 대한 화제가 자주 오르내린다. 모두가 자신이 운전 잘한다고 생각한다. 착각이다. 요즘은 편하게 운전하도록 차 기능이 좋아져 운전이 어렵지 않다. 핸들도 힘이 안 들고 부드러우며 차 떨림도 없으며 브레이크 성능도 아주 좋아졌다. 차에 대해 잘 알지 못해도 운전하는 데 어려움이 없다. 그래선

지 타이어 하나 갈아 끼울 줄 몰라도, 엔진오일 점검할 줄 몰라도, 브레이크액이나 디스크 점검을 할 줄 몰라도, 운전을 한다. 게다가 잘한다고 생각한다. 핸들 돌리는 운전보다 더 중요한 것이 안전운전 습관을 습득하는 것이다.

내가 마지막으로 몰았던 '갤로퍼2007.' 1988년 차를 운전 시작한 이래 마지막 친구로 오랫동안 행로고락을 함께한 갤로퍼는 2008년 3월 14일 폐차장으로 실려 보냈다. 그 뒤 차 없이 지냈다. 만 20년간 차를 몰고 다녔다. 놈을 보내면서 되도록 두 발, 자전거, 버스 등을 이용하려는 맘을 먹었다.

개문 발차 겨울신호, 첫서리 인상기

　요즘 논밭에 농작물 거둘 게 있는 농민에게 가장 관심이 가는 것은 바로 날씨다. 관심 정도가 아니라 내일 아침 날씨가 어떠냐에 촉각이 서 있다. 사람에게 마치 달팽이의 더듬이나 뱀의 혀처럼 주위 환경을 민감하게 포착하는 기관이 있다면 꽤나 구경 재미가 있을 것이다. 농민이 날씨에 촉각이 서 있다면 도시인은 어디에 촉각이 가 있을까?

더듬이를 이리저리 흔들고 혀를 날름날름한다면 볼만하지 않을까. 다행히도, 사람은 자신의 마음을 감추고 숨길 수가 있어서 쉽게 그 처한 상황과 깊이를 알 수가 없다. 열 길 물속은 알아도 한 길 사람 속은 모른다는 속담이 이를 두고 한 말일 것 같다. 좀 들키고 살면 좋을 것도 같다. 구차히 말을 안 해도 서로 알아 좋을 테니……

10월 상강(霜降)이 지나고 조금 있으면 입동인 만치 날씨가 해 기울기 무섭게 기온이 떨어진다. 햇빛 비추는 낮에는 아직 춥지 않지만 늦은 오후 산그늘이 질 시간이 되면 으스스 한기가 몸에 스며든다. 첫서리가 여기엔 27일 새벽에 내렸다. 확실한 겨울 신호가 왔다. 첫서리를 마주 대한 지 오래고 관심 밖이어서 그동안 글자만 알았지 첫서리 무서운 것 모르고 느낌 또한 없었는데, 오늘 새벽 내린 첫서리는 묵은 추억을 되살려 줄 뿐만 아니라 스스로 펼쳐 준 자연 풍광만으로도 신선한 만남이었다.

유리창 바로 앞은 콩밭인데 누런 콩 잎과 줄기에 은은히 은빛 서리가 내려앉아 잔잔한 감동이 전해 오기에 부족함이 없었고, 눈길 가는 이웃마을과 산 능선에는 새벽안개 구름이 오르고 있었다. 마을 앞에는 음성천이 흐르고 1킬로미터 조금 더 되는 곳에 저수지가 있어서겠지만 수면 위로 안개가 피어오르며 퍼져 나가는 움직이는 정경이 볼만했다. 조금 과장하면 물 폭탄이 증발하여 확산되는 듯한데 구름층과 띠를 만들며 바야흐로 영하로 떨어진 첫서리 내린 날씨의 변화무쌍을 실감하는 터였다.

기온이 갑자기 떨어져 아무래도 무배추가 걱정되어 다른 날보다 밭에 조금 일찍 나갔다. 아니나 다를까 이들도 첫서리를 온몸에 맞았다. 푸른 잎사귀에 하얀 서리가 앉았다. 배추가 영하 4~5도 정도까지는 견디고 무는 배추보다 저온에 약하다는 사실을 조금 있다 알게 됐지만 첫 농사짓는 나로서는 이러다 무·배추 농사 망치는 것 아닌가 하는 걱정이 안 날 수 없었다. 다행히 겉잎은 서리로 얼기도 했지만 걱정할 만한 정도는 아니었다.

무·배추 밭을 돌아 비닐하우스에 들어서니 이건 또 뭔가. 전에는 전혀 맡아 보지 못한 냄새가 하우스 안에 가득 차서 콧속으로 진하게 풍겨 온다. 이 냄새가 대체 무슨 냄새란 말인가? 약간 매콤하고 풀 비린 냄새인데 농도가 진해 코와 허파를 뒤흔들어 놓는다.

고춧잎이 모두 아래로 힘없이 축축 늘어졌다. 고추는 영하의 날씨 한 방에 살이 얼어 탄력을 잃고 쭈글쭈글 말랑말랑 냉해를 입었다. 고추농사는 이미 끝물이어 늦은 청고추와 고춧잎을 간간이 딸 뿐이어서 큰 피해는 아니라고 할지라도 올해 농촌의 고추 수확이 형편없어서 그도 높은 대접을 받고 있는 상황이다.

하우스에서 나는 냄새는 바로 고춧잎과 고추가 뿜어내는 것이었다. 추위에 몸이 축 처졌다. 냄새는 바로 간밤에 추위를 견디기 무척 힘들었다는 고추의 숨 가쁜 호흡이었다. 고춧잎이 마르기 전 찾아든 추위는 아직 푸른 잎사귀를 유지하고 있던 고추에게는 감내하기에 힘들었음에 틀림없다. 노지 고추는 이미 가을에 들어 서서히 시들어 말랐지만 하우스 고추는 이제 시들기 시작하는 시점이었다. 하우스 안은 갑자기 떨어진 기온에 얼은 고추가 내뿜는, 차갑지만 뜨거운 열기로 차 있었다. 첫서리가 맨땅에 내렸지만 첫서리는 하우스 안이라고 가만 두지 않았다. 아직 일을 마치지 않았는데 그만 손 끌며 떠나자 하고, 미처 차문이 닫히지 않았는데 개문 발차하려는 것 같다.

10월 말에서 11월 초까지는 무·배추 수확이 걸려 있어 앞으로 날씨는 초미의 관심이다. 사람은 힘써 일할 뿐 농사는 하늘이 짓는다는 말을 알아먹게 된다. 지금 논은 벼 베기가 한창이다. 사과를 따서 담는 풍경도 바빠 보인다. 나뭇잎 물들어 울긋불긋 가을의 정취를 느낄 새가 없다. 한길에는 소형 트럭과 경운기, 콤바인, 트랙터 등 농기계의 왕래가 분주해졌다. 종종 시골에서 교통사고도 잦다. 특히 경운기를 추돌하는 경우가 많은 것 같다. 오후 6시도 못 돼 해가 떨어지니 늦게 일을 마친 농가는 해가 떨어져 어두운 길을 농기계 몰며 와야 한다. 그러나 어스름 길에도 차들이 씽씽 내달린다. 가을 농촌의 도로는 밤늦게도 농기계 왕래가 잦으니 조심해서 천천히 운전할 일이다.

첫서리 내린다는 상강은 10월 23일이었다. 이슬 내리는 한로는 8일이었다. 농촌은 10월이 추수의 계절이다. 벼와 잡곡이 서리를 맞으면 좋을 게 없다. 서리 맞은 씨는 종자로 쓰지 않는다고 한다. 간혹 어떤

경우는 일부러 서리를 맞히기도 한다. 부사 사과는 서리를 맞으면 껍질의 신맛이 단맛으로 변해 일부러 서리 맞을 때까지 기다려 수확하기도 하지만 대부분 곡식은 일기를 맞춰 수확한다. 본격적인 수확 철이다. 그러나 올해 대부분의 농가 얘기를 들어 보면 대략 30~50% 이상 수확이 준 것 같다. 앞으로 남은 수확은 논 1천 평에 심은 벼와 배추, 무, 콩을 수확하는 일이 남았다. 콩은

알맹이 앉는 것이 형편없어 보이고 벼는 바람에 많이는 쓰러지지 않아 다행이지만 다소 수량이 준 것은 피할 수 없어 보인다. 배추, 무가 아주 잘 자라 주고 있다. 앞으로의 날씨가 문제다!

벼를 수확하며

벼를 수확했다. 콤바인을 불러 벴다. 콤바인이 논을 돌아가며 벼를 베고 탈곡하면 톤 백에 옮겨 담기만 하면 되니 예전 벼 베기 생각하면 얼마나 일이 편해졌는가. 콤바인료는 30만 원 줬다. 평당 300원인 셈. 농사일에는 기계를 불러 많이 쓰는데, 트랙터, 이앙기, 콤바인, 포클레인 등 드는 비용이 만만치 않다. 일해 주는 입장에서는 비싼 기계 이자원금 갚아 나가고 기계 내구연수 다 되면 새로 살 기계 값이 나와야 할 테니 충분한 비용이라고 생각하지도 않을 것이지만…….

천 평 논에서 벼가 1,850킬로그램이 나왔다. 올여름 비가 많이 오는 등 기상조건이 좋지 않아 대부분 농가의 벼 수확이 많이 줄었는데 우려한 것보다는 많이 나왔다. 건조, 정미, 저온저장을 해 주는 알피시(RPC) 사장 말에 따르면 올해 대개 쌀농사가 30% 정도 줄었다 한다. 벼를 수확하고 나면 지금 쌀값에 견줘 돈으로 얼마나 되는지 계산이 나온다. 수매는 농협에 나락으로 매상을 내기 때문에 벼 40킬로그램 수매가로 하게 된다.

최근 쌀값이 13만 원 이하로까지 떨어지기도 해 십 수 년 전 쌀값

수준까지 돌아가 버렸다. 놀랄 추락이다. 어떻게 매년 물가가 오르는 데 1990년대 가격으로 돌아간단 말인가. 그래서 쌀농사와 관련돼 나오는 얘기에는 늘 "쌀농사 못 해유. 돈이 돼야 짓지유.", "전에는 농사져서 자식 교육시키고도 그랬는디, 인자 나 먹고 살기도 힘들어라."는 말이 자연스럽게 나오게 되어 있다.

계산해 보았다. 천 평 논에서 벼 2톤 정도 수확하면 쌀로 1천4, 5백 킬로그램 정도 되는데 이 양은 80킬로그램 쌀가마로 18가마니다. 가마당 14만 원 잡으면 약 250만 원. 만 평 농사면 2,500만 원. 벼농사는 일 년 농사니 쌀농사진다 할라 치면 적어도 일만 평은 지어야 될 것 같다. 그래야 이것저것 지사 떼고 성주 떼고 나면 다만 몇 푼이라도 남을 것이 아닌가.

요즈음은 예전보다 벼농사 일도 쉬워졌다. 경운, 모내기, 벼 베기 등 농사일이 기계일로 대체되어서다. 만 평 농사일도 생각에 따라서

는 어려운 일도 아니다. 불러서 작업하면 된다. 그러나 일이 쉬워졌어도 농사는 더 어려워졌다. 농산물 값은 제자리거나 뒤로 가는 뜀뛰긴데 기름 값, 비료 농약 비닐 등 농사자재비, 이런저런 농사 소모품비, 인건비, 종자대 등 농사경비가 수년 전에 견주어도 보통 배 이상 올랐다. 게다가 농사가 기계에 의존하면서 수백, 수천만 원 가는 이앙기, 콤바인, 트랙터를 구입하고 집 고치고 저온창고, 하우스 짓는 등 들어가는 자금량과 사용규모가 커져서 은행이자 내고 원금 분할상환하느라 숨이 차고 무릎이 아프고 허리가 휜다. 이를 농사지어서 감당할 수 있을까. 내 재주로는 답이 안 나온다. 농촌에서 빚 없이 살면 다행이라 말한다. 몇 번 농사 실패하여 잘못하면 빚쟁이가 되어 자식들과 이웃에게 말 못 할 폐를 끼칠 수 있다. 그럴진대도 농사를 짓는 이유가 무엇일까.

벼농사는 우리나라 주곡 농사다. 주곡은 특별한 지위를 가진 곡물이다. 매일 밥상에 오르고 하루 생존 에너지를 이로부터 얻고 있어서 다른 곡물로는 대체가 안 되는 곡식, 그것이 주곡이다. 식생활이 다양해져서 쌀 소비가 많이 줄었다고 하지만 차지하고 있는 그 국민적 역할과 지위를 다른 곡물이 대체하는 것은 불가능할 것이다. 현재 통계상으로 약 500만 톤 내외가 생산되는 쌀은 아직 국민 목구멍 수요를 충당하고 있는 것처럼 보인다. 그렇다는 것은 쌀 자급률이 90%를 넘고 있기 때문이다. 그러나 쌀을 포함한 전체 곡물자급률은 25% 정도에 불과하다. 이 수치도 쌀이 버텨 주고 있으니 나오는 숫자다. 밀, 콩, 옥수수 등 대부분 곡물의 자급률은 그 수치를 말하기조차 부끄러운 수준이어서 세계 곡물시장의 재고가 줄거나 수입이 어려워지는 경우에는 그 가격상승의 꼭짓점이 어디가 될지 예측할 수 없다.

쌀이 그나마 자급도가 높은 것은 쌀 수입 개방을 치열하고 완강히 저항해 온 1980년대 이래 최근까지 우리 쌀의 생산기반을 지키려는 농민과 노동시민 세력의 생존권 차원의 투쟁의 산물인데, 그랬어도 매년 의무 수입쌀의 비율이 점점 늘어나 2009년의 경우 그 '의무수입량'이 30만 톤에 달했다.

문제는 쌀 수입량이 증가해 오면서 국내 쌀농사에 다양한 압박이 농민에게 가해지고 있다는 사실이다. 압박의 대중적 실태는 여론조작인데 그중 대표적인 것을 말한다면 "쌀이 남아돈다."는 선전이다.

식량은 공산품과 달리 항상 충분한 재고가 유지돼야 한다. 사람은 100명인데 90명분밖에 식량이 없다면 어떤 일이 일어날 것인지 상상해 보라. 상상은 즐거운 것 아닌가. 언덕 너머를 볼 수 없을 때에는 얼마든지 큰 상상과 기대를 가질 수 있는 법 아닌가.

100명이 사는데 90명분밖에 없다는 사실이 알려진다면 100명으로 구성된 집단사회는 금방 혼란과 소용돌이에 빠지게 될 것이다. 식량을 구하지 못하는 '나머지 10명 속'에 포함되지 않으려고 식량구매에 서로서로 앞다퉈 나서게 되고 여의치 않을 경우 폭력과 불법이 발생할 것이며 식량가는 폭등할 것이다. 공산품은 없으면 안 쓰면 되지만 식량은 없으면 그것은 밥을 끓일 수 없기 때문에 식량은 1%만 부족해도 어떠한 사태가 일어날지 예측할 수 없다. 그런 상황에서는 돈을 들고도 구하지 못한다. 목구멍이 포도청이라는 말은 바로 그 뜻이다. 따라서 식량은 항상 적정재고를 유지할 수 있어야 한다.

우리나라는 매해 그 양은 변동되지만 약 100만 톤의 쌀을 재고로 유지하고 있는데 쌀이 남아돈다느니 창고가 부족하다느니 보관비용의 부담이 과중해지고 있다느니 등등 "쌀이 넘쳐난다."는 선전이 농민의 뒤꼭지를 잡아당기고 있다. 이유는 수입쌀 때문이다. 여보게, 쌀이 넘쳐난다니 생산을 줄여야 한다는 것 아니겠는가. 효과는 커서 논은 빠르게 줄고 있다. 쌀농사 지어 봐야 돈도 안 되는데 그럴 바에야 다른 농사짓거나 다른 용도로 땅을 전환하는 것이 좋을 것이라는 것은 뻔하고 명백한 진실이다. 시골을 지나가다 보면 논이 과수와 밭농사용으로 바뀌고 있는 풍경을 자주 만날 수 있다. 또 산골에 자리 잡은 농사짓기 힘든 전답은 놀리는 땅이 되고 있다. 그에 힘입어서 쌀생산은 줄어 간다.

쌀이 남아돌아서 농민이 생산을 줄이게 되면 다시 그 자리는 수입량이 채우게 될 것이다. 그래서 다시 쌀이 남아돈다. 여보게, 쌀이 남아돈다네. 어쩌겠는가. 쌀 생산을 줄이고 다른 용도로 논을 바꾸면 보조금까지 준다니 논농사를 줄인다. 포기했다 해서 보조금을 받는다. 다시 쌀 생산이 줄어든다. 고맙게도 다시 수입쌀이 들어와 채워 준다. 다시 쌀이 남아돈다. 이 순환고리는 끊기지 않는 한 계속될 것이다. 언제까지일까?

쌀은 남아돌지 않는다. 남아돌지 않기 때문에 수입개방 압력이 온다. 남아돌았다면 수출국이었을 것이다. 항상 쌀 부족국가였고 쌀 자급을 이룬 것은 이른바 '녹색혁명', '통일벼 혁명'으로 생산성을 높인 것이 역사상 최초의 일이었을 뿐이었다. 더구나 한반도는 분단된 나라여서 앞날을 생각하는 자라면 북한의 생산 한계 때문에 발생하는 식량부족문제도 함께 생각해야 할 것이다. 북한의 식량부족은 수십만 톤 규모인 것 같은데 이대로 가면 앞으로 남한이 그 양을 채울 수 있을지 의문이다.

식량을 자급자족해 오다가 지금은 식량수입국이 되어 기아가 일반화되고 외국의 식량지원이 없으면 못 사는 나라가 되어 버린 나라가 지구상에 여럿이다. IMF나 WTO, 미국 등 농산물 수출국의 회유와 압박에 따라 외국농산물 수입을 개방하여 개발을 추구한 결과, 값싼 농산물이 밀고 들어와 식량 자급자족 기반이 파괴되어 버렸기 때문이다. 반면에 미국을 위시한 유럽국가 등 소위 선진국이라 알려진 나라들의 식량자급도는 100%를 넘는 수준이며 농산물 수출국들이다. 농업강국이 선진제국인 셈이다. 못사는 나라들은 대부분 식량의존국이며 그런 상태로 내몰리거나 변화되고 있는 것이 국제적 현실이다.

한편 지구의 가까운 미래를 예측하는 목소리 속에는 식량문제가 핵문제, 전쟁위기보다도 더 심각한 지구문제로 등장했다는 발언이 자주 등장한다. 지구인구가 매년 수천만에서 1억 명이 늘고, 식량생산은 정체되어 있으며, 기아와 영양부족 상태에 놓여 있는 인구가 수억 명이며, 곡물생산 지구환경은 기후변화, 사막화, 벌채 등으로 악화되어 가고 있으며, 개발국가들의 곡량소비량 증대에 따른 곡물량이 늘어 식량 부족국가가 늘고 있으며, 그간 곡물 수출국들이 수출문을 걸거나 단속에 나서고, 식량가격 폭등이 일어나고, 어떤 나라에서는 배급, 폭동이 일어나고, 그런가 하면 식량재고는 식량메이저들에 장악되어 정작 필요할 때 정상 가격으로 살 수도 없고, 급기야는 선진 제국에서도 곡물 유통에 전전긍긍하는 사태가 발생하고 있을 정도로, 세계 식량문제는 지하에 흐르는 마그마처럼 점점 뜨거워지고 있다.

식량은 앞으로 무기가 될 것이다. 이미 되어 있다. 자유무역을 신봉하는 자들만이 그렇게 믿지 않을 것이다. 그러나 자유무역을 주장하는 프로파겐더들도 그러한 사실들을 이미 알고 있다. 너무 명백하기 때문에⋯⋯. 사실은 그들의 계급, 회사, 개별 이익 때문에 그러는 것일 것이다. 진실은 항상 불편하고 거추장스럽고 손해 보는 것이어서 감추어져 있는 것 아니겠는가.

그래서 핵심은 그렇다. 곡물 생산을 뒷받침할 농지를 보존하는 것이 핵심이다. 오늘 벼 베는 날이었는데 벼농사 지어 못 산다는 말이 한결같다. 주곡 농사지어 살 수 없는 나라다.

허물 벗는 동물 생각

수확 마무리는 긴 시간이 걸리지 않았다. 11월 1일 벼를 거둬들이자 남은 작목들 수확이 연이어 진행됐다.

2일. 무 수확. 다음날 아침 영하로 떨어진다는 기상예보가 있어 밤새 얼 것이 염려돼 아줌마 지원받아 전부 뽑아 담아 저온창고에 보관했다. 33상자 수확했다.

8일. 콩밭 정리. 낫으로 베어 쌓고 세워 건조시켰다. 콩은 8월 파종 후 8~9월 일기가 나빠 수확이 부진하다.

10일. 배추 수확. 속이 찬 약 3천 수백 포기 중 5백 포기는 김치회사에 팔았고, 1천5백여 포기는 절임배추용으로 보내고, 나머지도 모두 뽑아 팔았다. 배추농사 시원히 끝났다.

15일. 늦가을 채소로 심은 시금치, 돌산갓, 아욱도 모두 뽑아 '꾸러미' 상품으로 보냈다. '꾸러미'는 회원으로 가입한 소비자에게 매주 혹은 격주로 제철 채소, 과일 등을 보내 주는 상품 이름이다. 매주 받는 건 10만 원, 한 주일 건너 격주로 받는 건 월 5만 원의 회비를 내면 알뜰히 꾸러미 된 무농약 이상의 친환경 유기농산물을 택배로 보내

준다. 집에서 받는다. 평판이 좋다. 물품은 직영농장 및 회원농가에서 생산한 친환경 인증 농산물로, 엽채, 과채, 달걀, 두부, 잡곡, 과일 음료, 가공식품 등 철따라 변화된다.

바야흐로 벼, 무, 배추, 콩 등을 수확하니 논밭이 훤해졌다. 이제 2010년에 수확할 것은 아무것도 남지 않았다. 수확 농사일이 끝난 셈이다. 텅 빈 밭과 들을 바라보니 맘 반쪽은 시원섭섭한데 다른 반쪽 맘은 바람 타며 공중으로 늦가을 낙엽 날아다니는 처연함이 차오름을 어찌할 수 없다. 가을 끝자락 늦은 오후, 하루 저물어 서쪽 산으로 해 넘어가는 빈 들을 보며 지난 농사일을 생각하니 기억들이 파문처럼 흐른다.

농사일이 끝났지만 뒤끝 일들이 적지 않다. 1년 동안 농사 해먹은 밭을 정리하는 일이다. 비닐 걷고 부직포 걷어 내고 거름 뿌리고 로터리 치고 탈곡기 돌리고 등등. 맨 먼저 올해 하우스 일곱 동에 재배한 고추밭 정리에 들어갔다. 잎은 모두 시들어 갈색으로, 고추 줄기는

앙상히 하얀 갈색을 변했다. 여름 내내 그들 푸르게 자라며 짙푸르렀는데 그 기세와 푸르름은 간 곳이 없다.

하우스 한 동은 길이가 50미터가 조금 넘는다. 고추를 일곱 동에 여섯 이랑으로 심었으니 50 곱하기 7 곱하기 6 곱하기 하면 총길이가 2,100미터인 셈이다. 큰 농사라고 할 수 없지만 그렇다고 작은 농사도 아니다. 고추는 봄에 약 6천 주 심었다. 마른 고춧대 뽑아내려면 허리, 팔뚝 힘을 6천 번 이상 써야 하고, 고추 쓰러지지 말라고 박은 지주용 쇠파이프 말뚝도 죄 뽑아야 한다. 말뚝은 약 2미터 간격으로 박았으니 1천 개가 넘겠지. 이 역시 쇠파이프 말뚝 뽑아내려면 허리, 팔뚝 힘을 천수백 번 써야 한다. 그러고 나면 고춧대 덤불 밖으로 걷어 내고, 부직포와 비닐 걷고, 급수용 점적호스 거두어들이면 1차 작업이 끝나서 맨땅이 드러나고 앞문 뒷문 바람 거침없이 통하는 휑한 터널이 된다.

부직포를 걷고 비닐을 거두어 가는데 흙먼지와 낙엽더미 속에 이상한 물체가 눈길을 잡아챈다. 저게 뭔가? 가슴이 철렁한다. 바라본다. 뱀이다! 서리 내리고 찬 바람 불면서 뱀은 이미 땅속 제 집으로 들어가서 아직 밖에서 살고 있는 뱀일 수는 없었다. 뱀 허물이었다.

농사일을 하다 보면 뱀 이야기가 자주 화제에 오른다. 이놈들은 봄철이 되어 땅에 온기가 돌 때쯤이면 기동하기 시작해 여름 지나 가을 서리 내리는 상강 무렵까지 출몰하는데, 특히 풀 우거진 늦여름과 가을에는 뱀독이 올라서 여간 신경 쓰이는 게 아니다. 농산촌에서 종종 뱀에 물리는 사고도 일어나서 풀밭에 들어서기가 조심스러울 수밖에 없다. 여름 내내 슬리퍼를 신고 다녔는데 종종 신발을 신으라는 권고를 받았다. "그러다가 뱀 물리면 큰일나유."

사람들이랑 나누는 뱀 이야기는 끝이 없다. '도망갈 때는 오르막으로 가야 한다. 내리막길에서는 뱀이 사람보다 빠르다. 머리 들고 꼬리 세워 미끄러지듯 달려 내려온다. 산에 다닐 때는 꼭 모자를 써라. 나뭇가지에 뱀 있다. 뱀은 사람을 보면 피한다. 그러나 독사는 안 피한다. 뱀독만 독한 것이 아니라 사람 침도 독해서 뱀이 사람이 뱉은 침을 맞으면 힘을 못 쓴다. 밭에 들어온 독사는 꼭 죽여야 한다. 안 그러면 다시 들어온다.' 등등. 확실치 않은 믿거나 말거나 수준의 말도 있지만 들어 두어 손해 볼 말들은 아니다. 모두 뱀에 대한 경계와 무서움을 반영하고 있는 말들이다.

8월 한여름이었을 것이다. 돌보지 않아 멋대로 풀 우거진 밭에 들어갈 일이 생겼다. 주방 할머님으로부터 반찬으로 쓸 도라지를 캐 오라는 명령을 받았다. 도라지 밭은 손길이 가지 않아 거의 방치된 밭이어서 풀이 잔뜩 우거졌는데, 밭에 들어가기가 께름칙하지만 그렇다고 못 간다고 마다할 수는 없다. 제 맘대로 자라 우거진 풀밭에 막대기 손에 쥐어 잡고 쉬이쉬이 헤쳐 가며 혹시 뱀 만날라 조심조심 들어섰다.

우려가 현실로 나타났다. 걸음 떼는 몇 발자국 앞에 둥근 몸체 회색빛 무늬의 수놓아진 뱀이 스륵스륵 움직이는 게 동공에 들어찬다. 우거진 풀밭 사이를 유유히 여유롭게 살진 몸을 과시하듯 지그재그 곡선으로 느리게 움직여 나간다. 둥근 몸체가 통통히 크다. 가슴이 철렁하고 겁이 더럭 머리 꼭대기로 몰리며 심장이 뛴다. 가까이 올까 겁난다. 생각할 것 없다. 황망히 뒤돌아 겅중겅중 도망 나왔다.

풀 우거진 철에 종종 뱀을 마주쳤다. 그러나 오늘 고추밭 정리하며 마주친 뱀은 살아 있는 뱀은 아니었다. 뱀 허물이었다. 어느 여름날 고추밭에 들어온 뱀이, 이 자리에서, 허물을 벗어 놓고 나갔나 보다. 허물이 짧지 않은 걸로 보아 작은 뱀은 아니다. 뱀을 아는 사람이라면 허물을 보고도 무슨 뱀인지 알련만 난 그 이름을 알지 못한다.

허물을 벗는 동물은 파충류, 곤충류들인데 뱀, 도마뱀, 나비, 매미, 누에 등 수없이 많다. 이 중 뱀은 몸체가 가늘고 기다란 동물이어서 허물 벗는 것이 쉬운 일이 아닐 것이다. 기다란 몸을 둘러싼 껍질을 한 풀 한 풀 벗기어 내며 몸을 허물에서 빼내는 것이 쉽지 않을 것이다. 손과 발이 없이도 원피스 옷 벗어 놓듯 고스란히 남겨 놓은 허물 형상이 신기하다. 어느 여름날 아무도 없는 고추밭에서 허물 벗느라 몸을 빼내려 기 쓰며 몸부림쳤을 것이다. 방울뱀은 허물을 벗을 때마다 꼬리에 허물이 남아 가락지 모양의 방울이 되어 꼬리를 흔들면 부딪쳐 소리가 난다고 한다. 이 고추밭에서 허물을 벗은 뱀은 이제 막 새로 태어난 새 생명처럼 탄생해 밭을 나갔을 것이다. 목욕시킨 어린 아이처럼 뽀얗고 예쁘고 윤기 흐르고 반짝이는 몸을 다시 선물 받아서……

　오늘 고추밭에서 뱀이 벗어 놓고 간 허물을 보니 문득 자신을 뒤돌아보게 된다. 나도 내 허물을 벗을 수 있을까?

귀농에 대한 사회경제 단상

　최근 귀농에 대한 사회적, 개인적 관심이 고조되어 가는 것 같다. 간간이 언론에 등장하기도 하고, 귀농(희망)자를 대상으로 교육, 컨설팅을 하는 기관이 적지 않게 생겨나고 있고, 농촌지역 시군 지방자치단체들의 관심도 높아 가고 있다. 이에 정부도 '귀농귀촌종합대책'에 대한 관련 정책을 발표했다.

　우선 농림식품부가 귀농자에 대해 정책을 통해 지원하겠다고 방안을 마련한 것은, 현실적으로 어려운 조건과 환경에서 귀농이 일어나고 있으며, 따라서 이들 귀농인에게 여러 방면에서 지원하여 농촌에 정착할 수 있도록 하는 것은 당연한 의무라는 차원에서 적극적으로 평가되어야 할 일이다. 그러나 그럼에도 불구하고 정부의 귀농지원정책은 이번에 새로 출현한 것도 아니고, 실제 귀농하려는 사람들이 막상 정책을 살펴보면 아주 미흡하다고 느끼고 있으며, 정부의 농업정책 대강이 변함없이 탈농 수입개방기조에 서 있기 때문에 귀농인이 농촌·농업에 정착할 수 있는 효과를 얻기에는 근본적인 한계를 안고 있는 것도 사실이다.

현재 귀농인구에 대한 정확한 통계는 제시되어 있지 않은데 1998~1999년 IMF 시기에 일시적으로 귀농인구가 증대했던 시기를 제외하면 한 해에 1~2천 가구 정도가 농촌으로 유입되었다고 한다. 최근 경제공황으로 IMF시기와 유사하게 도시부문의 실업자가 늘고 취업난이 깊어지면서 귀농인구가 다소 늘어나는 현상이 포착되고 있다. 최근 귀농이 관심으로 떠오르는 것은 도시에서의 삶이 피폐되고 전망을 상실해가는 사회변화와 관계가 깊은 것으로 보인다. 인구 숫자가 모든 것을 설명해 주는 것은 아니지만 지난 IMF 때와 최근 경제공황 시기에 나타나고 있는 몇 가지 특징을 보면 최근의 양상을 이해하는 데 도움이 될 것 같다.

그것은, 첫째, 최근 귀농은 도시에서 삶과 일자리의 악화를 반영하고 있다는 점에서 바람직한 현상만으로는 볼 수 없다. 만약 도시의 삶이 어렵지 않다면 귀농자의 대부분은 힘든 농촌을 선택하지 않을 것이기 때문이다. 이 현상은 알찬 귀농교육이 필요한 이유도 함축하고 있다. 둘째, 농촌으로의 소수의 인구 유입에도 불구하고 전체 농민인구는 그보다 큰 규모로 지속적으로 감소하고 있으며 고령화가 갈수록 심화되면서 농사를 계속할 후계자를 못 찾는 상황이 여전히 지속될 것으로 보인다. 앞으로도 귀농자보다 압도적으로 많은 사람들이 농촌을 떠나는 현상이 지속된다는 것은 정책의 초점이 어디에 있어야 하는지를 설명해 주는 중요한 지표가 아닐 수 없다. 비유적으로 말하면 농업정책은 한편으로는 있는 집토끼를 몰아내면서 그 빈집에 새 토끼를 넣고 있는 일을 하고 있는 모양새라고 해도 할 말이 없는 것이다. 셋째, 귀농자의 대부분이 정착하지 못하고 다시 도시로 되돌아가는 지난날의 관례가 되풀이될 수 있다. 뿌리를 내리지 못하거나 도시의 경제상황이 나아져 상대적 결핍을 느끼면 귀농자는 도시로 회귀할 가능성이 높으며 이 경우 귀농자수는 다시 줄어들 것이다. 이러한 몇 가지 점에서도 귀농정책은 최근 도시에서 발생한 고용문제를 일시적으로 조금이라도 회피해 보고자 하는 정책이 되어 버릴 가능성도 높다.

농촌에 정착한다는 것은 쉬운 일이 아니다. 농촌의 삶을 아는 사람이라면 도시를 떠나 "농사나 지어 볼까."라고 안이한 생각을 가진 사람이야 없겠지만 지금 농촌에 정착해 살아간다는 것은 큰 모험에 속한다. 농사지어 가지고는 생활이 어렵기 때문이다. 농사경험이 없는 사람은 더욱 그렇다. 10년 20년 농사지으며 살아온 사람도 힘들어 이농을 하는 판이다. 의욕을 가지고 덤볐다가도 두어 해 정도 농사에 실패하면 내가 왜 여기에 왔는지 후회하기 십상이다. 농촌에서 살려고 농가주택과 약간의 토지를 마련하는 것은 시작일 뿐이다. 그것조차도 상당한 자금이 들어가지만, 농기계도 구입해야 하고 영농경험을 쌓아야 되고 농사일에 추가 영농자금도 필요하다. 여기까지 해 놓았다고 해도 농사는 시장가격이 불안정하여 앞날을 예측하기 어렵다. 가뭄이나 병충해 같은 자연재해, 가격추이, 판로 등이 함께 어울려 주어야 한다.

요즈음처럼 수입농산물이 범람하여 식탁이 점령당한 세상에서는 더 그렇다. 한미 FTA가 체결되면 농업·농촌에 몰려드는 파급영향은 더욱 거셀 것이다. 그런 환경에서 두세 해 정도 잽과 어퍼컷을 얻어맞고 나면 다시 도시로 되돌아간다. 그래도 사람이 몰려 사는 도시에 살아야 일자리를 찾기 쉽다고 생각을 바꾸기 때문일 것이다. 이렇게 되는 데에는 단지 경제적 요인만이 아니다. 도시와는 다른 농촌지역에 현지적응을 해야 하고 어떤 의미에서는 완고하고 도시 생활습성으로는 이해하기 힘든 마을문화와 관계를 잘 가져야 하며, 교육·의료·교통·문화생활 등 모든 면에서 뒤떨어진 생활을 받아들여야 하고, 부인·자녀 등 가족 간의 관계도 새롭게 변화시켜야 한다.

이런 점에서 도시인에게 귀농은 새로운 도전이다. 그나마 다행스러운 것은 농촌 정착을 안내하고 돕는 조직과 협력적 네트워크가 활발해지고 있는 것일 것이다. 사람들을 만나고 여러 예비사례들을 접해 보면서 생각을 가다듬어 가는 것이 필요하다. 서두르지 않고 발품을 부지런히 팔아 미리 잘 준비하는 것이 중요하다.

4장

사람 살 만한
나라가 되려면

해가 없으니 안개는 걷힐 줄 모르며 흐르고 움직인다.

온 빛을 감추어 버린다.

캄캄함이 해와 달이 없으면 그런 줄 알았는데

안개도 세상을 어둡게 감싸 버린다.

사라진 호수와 헐려 가는 산

　전라도 이곳저곳을 여유롭게 돌아다니던 때가 있었다. 답사 순로에 따라 초등학교 저학년을 보내던 시골에 들러 이젠 허름하게 쇠락해 버린 집도 가 보고, 방학 때면 찾았던 대숲에 둘러싸였던 외갓집도 가 보았다. 지나간 기억과 추억을 따라 다닌 여행이었다. 그중 가장 생각나는 한 군데를 말하라면 어디일까. 광주광역시 계림동에 있었던 '경양방죽'을 첫 번째로 꼽고 싶다. 이유는, 이제 그곳은 더 이상 추억할 거의 모든 자취와 흔적이 사라져 버렸기 때문이다. 초등학교 시절 나의 성장과 놀이는 그 방죽과 주변의 공간에서 이루어졌다. 그러나 지금 '경양방죽'은 사라지고 없다. 메워져서 평평한 땅으로 매립, 개발돼 분양되어 볼품없는 건물과 집들이 들어서 버렸다. 우리 사회에서 벌어진 도시개발의 한 전형을 적나라하게 보여 주고 있는 사례다.

　원래 '경양방죽'은 조선시대 세종 22년(1440) 때 공사기간 3년, 연인원 53만여 명이 동원되어 완공한 것으로 전해진다. 당시로서는 엄청난 큰 공사였고 면적 4만 6천여 평, 제방 길이 1km, 수심 10m에 달하는 커다란 인공호수였다. 이 호수가 건설된 주요 목적은 농업용수 공급이었다. 물길이 풍부하지 않은 이 지역의 가뭄과 한발을 이겨 내기 위해서는 수리시설이 필요했고 저수기능도 중요했다. 그뿐 아니라 호수와 제방, 모여드는 수로와 개천이 무등산 산록 등 주변의 자연 지세와 어울려 자아내는 풍광과 운치도 사람들에게 몸과 마음의 쉼터가 되었을 것이다. 필자가 어린 시절 뛰어놀았던 당시에도 방죽 제방과 주변에는 수십, 수백 년 된 것으로 보이는 팽나무·왕버드나무 등 고목들이 숲을 이뤄 오랜 세월의 자취가 연면히 남아 있었다. 지금의 삭막한 도시풍경을 생각해 볼 때 이 방죽이 지금까지 남아 있었다면 어땠을까. 수년 전 복원한 서울의 청계천에 비기겠는가. 경양호수와 연결된 멋들어진 수변공원이 어울린 시가 모습이 되었을지도 모른다. 그런데 '경양방죽'은 어떻게 해서 사라져 버렸을까.

사진출처: 광주광역시 인터넷 홈페이지

'경양방죽'에 닥친 위기는 두 번에 걸쳐 일어났다. 조선을 식민지로 침략, 침탈한 일제강점 시기와 1961년 권력을 장악한 박정희 정권의 개발과정 시기였다. 일제는 경양지 전체를 매립할 계획을 세웠다. 그러나 강한 매립 반대에 부딪혔다. 조선인이 중심이 되어 '경양지 매립반대 투쟁위원회'가 조직되어 저항이 일어났다. 이에 대해 일제는 어쩔 수 없었던지 타협적인 해결로 나왔다. 결국, 한 발 뒤로 물러서 전체 면적 4만 5천여 평 가운데 3분의 2에 해당하는 3만여 평을 매립하고 1만 5천여 평만 남겨 뒀다. 1936년에 일어난 일이었다. 이로써 '경양방죽'은 조선 세종대 당초 면적의 3분의 1로 줄어들고 말았다. 안타까운 역사다. 그러나 이 일은 민권을 빼앗긴 식민지 시대의 일이었으니 그렇다고 넘어가자. 그러다 겨우 매립을 모면해 3분의 1만 남은, 이 '경양방죽 매립문제'가 또다시 불거졌다. 1966년 일이었다. 박정희 정권 시절 광주시는 일제 때 남겨진 호수에 대한 매립공사를 다시 들고 나왔다. 일제식민지하에서 매립을 반대해 겨우 남겨진 '경양방죽'은 독립된 국가에서 다시 매립될 운명에 처하고 말았다. 역사의 아이러니가 아닐 수 없다. 결국 '경양방죽'은 1968년에 완전히 매립되어 평지로 변해 버렸다. 호수는 지도상에서 사라져 버리고 만다. 메워진 땅은 분할되어 매각됐고 시청사와 주거지구가 들어섰다.

그러나 '경양방죽' 매립에서 일어난 가슴 아픈 일은 그것만으로 그치지 않았다. 그 과정에서 인근의 멀쩡한 '산'까지 헐어 버린 것이다. '경양방죽' 매립토석 등으로 사용되어 사라져 버린 '산'은 높이 30m의 '태봉산'이다. 당시 시는 도로 확장 등 시가지 정리 계획에 필요한 예산을 '태봉산'을 헐어 만들어진 토석 판매수입과 경양지를 매립해 벌어들인 돈으로 충당했다고 전해진다. 그들 눈에는 '태봉산'이 건설

공사에 쓰일 흙과 돌 더미 자재로 보였던 것이다. '태봉산'은 당시 지금의 광주역 앞에 자리 잡고 있었는데 인공적으로 만들어진 둥근 무덤 형상이었다. 헐리기 전 이 '산'에는 '누군가의 태'가 묻혀 있다고 어린 시절 우리에게도 입으로 전해져 왔다. 이 소문은 산을 허는 과정에서 사실로 확인됐다. 뭉개고 깎는 '삽질' 도중에 태를 보관한 태실, 태병, 금박이 발굴된 것이다. 이것들은 조선조 인조 2년(1624년)에 이괄의 난으로 피신했던 인조가 왕자대군 아지씨를 낳자 그 태를 이곳에 묻었던 역사적 유물임이 확인된 것이다.

결국 '태봉산'은 흔적 없이 사라졌다. '경양방죽'도 사라졌다. 지금은 건물이 서고 변화돼 위치조차 찾기 어렵다. 개발실적주의와 이권이 빚어낸 대표적인 어리석음의 결과다. 일제가 메우려다 저항에 부딪쳐 그나마 남겨진 호수가 독립된 나라에서 사라져 버렸으니 더욱 안타까움이 더한다. '산'을 헐고 '방죽'을 메워 귀중한 역사 문화유산

사진출처: 광주광역시 인터넷 홈페이지

을 한 칼에 없애 버린 이 개발행정은 인간 군상들에 의한 정책 실패의 표본이다. 그러나 이러한 행위는 지금도 여전히 계속된다. 새만금, 4대강 등 각종 지역개발사업과 국책사업의 이름으로 개발이 미사여구로 포장돼 진행된다. 매년 줄어들고 전용되고 있는 논, 밭, 갯벌, 파헤쳐지는 강, 산림, 생물자원, 문화유산이 수난을 겪는다. 이러한 일들이 나에게는 '산'을 헐어 '호수'를 메우는 일로 보인다. 그런 사업일수록 미사여구로 포장되어 있기 마련이다.

첫눈 풍성한 날

안개가 잦다. 아침에는 안개 끼는 날이 많다. 안개는 해가 떠올라 한참 지나야 걷힌다. 강가, 저수지가 가까운 동네와 들은 안개가 짙다. 이곳은 앞에 내(川)가 흐르고 저수지가 있어 안개가 짙다. 특히 밤 안개가 끼는 날은 느낌이 다르다. 해가 없으니 안개는 걷힐 줄 모르며 흐르고 움직인다. 온 빛을 감추어 버린다. 캄캄함이 해와 달이 없으면 그런 줄 알았는데 안개도 세상을 어둡게 감싸 버린다. 안개로 깜깜한 날은 뭐랄까 그냥 캄캄한 것이 아니고 꽉 막힌 캄캄함, 그런 느낌이다. 요사이 안개가 잦다. 늦가을, 초겨울의 짙은 밤안개는 막아서서 캄캄하여 갈 길을 잃어버린 자신을 바라보게 한다.

안개가 끼던 날이 어제부터 눈이 내렸다. 9일 오후부터 내리기 시작한 눈이 엄청 쏟아진다. 하늘이 목화송이 뿌리듯 눈을 내리고 있다. 풍성한 눈을 보자니 마음이 평소 같지 않았다. 마침 윤 목수, 종대 씨가 자리를 같이해 이웃 농장에 가서 메추라기를 사 구워 먹기로 했다. 가는 길이 구분이 안 될 정도로 내렸다. 엉금엉금 기다시피 갔다. 메추라기 농장에서 만 원어치를 사와 번개탄에 구우며 둘러앉아 소주를 한 잔씩 했다.

오늘도 뜻있는 날이다.

지난 2010년 3월 이곳에 올 때 11월 말까지 일하는 계약을 했었다. 어느덧 시간이 가고 흘러 봄, 여름, 가을이 지나쳐 처음엔 멀리 느껴지더니 계약기간이 차서, 내년 농사일을 더 해야 하나 말아야 하나 고민이 없지 않았는데, 더 일할 건지 말 건지 결정할 때가 왔다. 마음은 1년 더 일하자는 쪽에 가 있었다. 다행히 잘릴 것 같지는 않아 재고용에 불안을 느끼진 않았다. 내년 10월까지 일하기로 한 내용을 담은 근로계약에 사인했다. 이제, 겨울을 넘기고 2011년 새 달력을 펼치면 머지않아 봄이 올 테니 내년 농사일을 새로이 할 출발선에 다시 선 셈이다.

돌이켜 보면 올봄, 서울을 벗어나 여기에 와 살면서 얻은 게 많다. 안 해 본 일이고 사람 낯설고 물 다른 곳에 오면서 한편으로는 대수롭지 않은 양 들어섰지만 당시를 생각해 보면 내심은 종종 풍파가 일어서 스스로 달래고 어르고 한 시간도 적지 않았다. 지나고 보면 모두 다 좋은 시간이었다. 세상일을 돌이켜 보면 대개 새로운 환경에 어느 정도 적응하는 데까지는 100일 정도가 걸리는 것 같다. 회사에 들어가도 그 정도 걸리는 것 같고 새로운 일에도 그런 것 같은데, 무엇보다도 아이가 엄마 자궁에서 세상으로 나와 100일이 되는 날을 기념하는 것이야말로 그 뜻을 새로이 전달해 주는 것이 아닐까 생각해 본다.

지난 3, 4월에 일하러 오가는 길엔 과수원 밭이 눈길을 끌었었다. 복숭아꽃이 피고 사과꽃이 피고 또 배꽃도 피고…… 분홍색, 흰색 꽃이 능선을 덮었어도 당시 꽃이 핀 나무가 무슨 나무인지 분간이 안 갔다. 그 봄철엔 복숭, 산수유, 배, 사과, 매실나무 등이 봄을 시샘하고 다투고 채웠다. 그러나 난 어느 날은 사과나무가 복숭나무인 것

같고 또 날이 바뀌면 매실나무가 복숭나무 같았다. 시간이 흐르니 알
게 되었다.

논밭 들길의 풀도 차츰 알게 되었다. 꽃다지가 봄에 어떻게 올라와
꽃을 피우는지……. 냉이는? 민들레는? 지칭게, 질경이, 독새풀, 쇠비
름, 망초 들도 알게 되었다. 앞산 뒷산 근방으로 옮겨 가며 저녁 무렵
이면 마치 음악학원 등록한 학생처럼 어김없이 소리를 시작하는 소쩍
새며, 밤에 몰아치는 천둥, 비바람 소리며, 밤 잠깨어 날 때나 밤중 오
줌 싸러 나올 때마다 바라본, 단 한 번도 똑같은 모습을 보여 준 적 없
는 달이며, 또 새벽이면 울음 우는 닭, 개, 소 울음소리도 알게 되었다.

일 끝난 저녁이면 모두 제 집으로 흩어져 가면 심심하고 단조로운
생활이었지만 올해 걸어온 길을 돌아보니 제법 얻은 것들이 많았다.
낮엔 일하고 저녁에 고적하고 호젓한 시간이니 그럴 수밖에 없기는 하
지만, 손꼽아 세어 보니 여기에 온 이래 마을을 벗어나 다른 곳에 나간
날이 며칠 되지 않는다. 농장과 숙소만을 왔다 갔다 왕래한 셈이다.

올해는 속말로 정신없이 시간을 뒤따라 다녔다. 봄·여름·가을이
짧았다. 봄철은 봄철대로 여름은 여름대로 가을은 가을대로 당시는
느리고 힘들게 가더니, 뒤돌아보니 빠르고 한때에 불과하여 금방이었

다. 8월 숨 막히는 여름 더위와 뽑고 베고 나면 금세 자라 올라오는 풀을 보며 이 여름 언제 지나가나 했는데 돌아보니 그 여름마저도 잠깐이었다. 지나와서 옛일을 생각하면 모든 게 금방이라고 느껴져서이기도 할 것이지만 모르는 일 따라 오다 보니 더 그런 것 같다.

철을 쫓아가느라 바빴는데 내년에는 올해보다 조금은 여유를 가지며 일할 수 있을 거라고 생각한다. 똑같이 전개되지는 않겠지만 이젠 사시사철 농사 흐름을 조금 맛보아서 어느 때 어느 것을 준비하고 시작해야 하는지, 또 언제 무엇을 살피고 거두어야 되는지를 조금은 알게 되었으니까…… 농장에도 내년에는 크고 작은 변화가 일어나게 돼 있어서 단조롭지는 않을 것 같다.

그러다 보면 내년에는 올해 못 익히거나 만나지 못한 것들―예컨대 밭작물, 채소 등 영농기술을 습득하고, 관리기, 트랙터 등 농기계를 익숙히 조작하고, 농촌 지역사회의 생활문화 접하는 일들―도 자연스럽게 친해지게 될 것이다. 그러다 보면 그다음 길도 보이겠지……

동짓날 팥죽을 먹었다

지난 12월 22일 동짓날 팥죽을 먹었다. 팥 든 진한 갈색 팥 국물과 함께 하얀 알을 건지듯 먹었다. 어릴 때 내가 사는 곳에서는 동지팥죽을 새알죽이라고 불렀다. 어원을 확인해 보지 않았지만 찹쌀을 찌고 빼 팥 국물에 쏜 죽 알이 마치 작은 새의 알을 닮아 그렇게 불렀던 것은 아닐까 생각한다.

팥과 관련해 어렸을 때 일을 떠올려 보면 단팥죽을 맛있게 먹었던 기억이 새롭다. 초등학교 시절 겨울이면 학교 왕래하는 길 어귀에 자리한 작은 솥을 건 포장마차에서 단팥죽을 팔았다. 그 맛이 얼마나 달콤한지 어린 시절의 입맛을 사로잡아서 작은 용돈이 생기거나 만들어지면 단팥죽을 먹는 재미가 컸다. 지금 생각해 보면 사카린이나 당원으로 단맛을 냈을 것으로 생각되는데 그 시절 어린이였던 나에게 길거리 단팥죽의 단맛은 강한 유혹이었고 감동이었던 것으로 추억한다.

또 신장을 우리말로는 콩팥이라 부르는 것을 보면 팥을 몸에 아주 이로운 역할을 해 주는 곡식으로 여겨 온 것으로 짐작해 볼 수 있다. 팥이 식품으로서 몸에 주는 효능이 적지 않은데 그중 '소변에 이롭고,

수종을 가라앉히고 염증을 없애 주며 주독을 풀어 주는 여러 가지 효능이 있다.'는 것을 보면 신장을 콩팥이라 부르는 연유도 아울러 짐작해 볼 수 있을 터다. 팥을 매개로 해 이런저런 생각을 해 보면 12월 22일을 반환점으로 하여 낮밤이 교차하는 날인 동지에 팥죽을 먹는 풍습에는 깊은 의미가 담겨 있을 것이다.

동짓날 오후 주방 할머니께서 오후 새참으로 새알죽 한 솥을 쑤어 차에 실려 보내왔다. 농장에는 지금 사과 밭이었던 자리에는 토종연구소 건물을 짓고 농장 가운데에는 정자를 세우느라 일하는 사람이 여럿인데 모두 더 먹고도 남을 만치 보내왔다. 바람 불고 추웠는데 공사가 한창이어서 작업장이 된 밭에서 작업 패널을 깔고 뜨거운 죽을 불어 가며 배불리 먹었다.

난 통상 세 끼를 비슷한 반찬으로 먹는다. 비료생산팀, 농장팀, 유통운송 등 지원부서, 방문 손님 등을 합하면 통상 적으면 십 수 명, 많으면 그 이상 인원이 함께 점심을 먹게 되는데, 내가 숙소에 혼자 남기 때문에 주방 할머님이 나 먹을 저녁밥, 다음 날 아침밥을 챙겨 두고 가기 때문이다. 그래서 23일 아침에는 팥죽을 먹었다. 어제 동짓날 모두 먹고도 남아 솥에 남겨 두었기 때문이다. 밥을 먹을 수도 있지만 자주 아침을 간단히 해결하는 편을 선택하곤 한다.

아침을 팥죽으로 때운 이날 오전에는 정자 짓는 일을 도왔다. 11월 말부터 농장에 정자를 짓고 있다. 날림이 아니고 옛 전통방식대로 짓는다. 작업이 근 한 달이 되어 가고 있다. 지금은 한창 지붕 작업 중인데 이날은 여기에 쓰일 낙엽송 통나무 껍질 벗기는 일이 주된 작업이었다. 길이는 12자, 두께는 약 20센티미터가 되는 통나무 껍질을 낫으로 깎고 밀어 벗겨 내는 일이었다.

　지난 11월 말부터 시작된 정자 짓는 일을 대목수가 혼자 와서 짓고 있어서 비교적 한가한 시절이라 농장 팀이 시간 날 때면 작업을 도와왔다. 그 덕에 통나무로 짓는 집을 이해하고 목공일이 무엇인지 조금 알게 되기도 했다. 통나무를 메고 나를 때면 힘도 든다. 바닥 기초공사부터 시작한 작업이 이젠 마지막 공정에 들어선 단계다. 그래서 요 며칠 동안 지붕에 일 통나무를 깎고 날라 주고 있는 중이었다.

　그런데 통나무 껍질 벗기는 일이 만만치 않다. 이번 작업에 올라갈 통나무는 모두 36개로 하나하나 일일이 껍질을 벗겨야 하는데 안 해본 일이어서 숙달이 덜 돼 있고 힘이 부치기도 했다. 날씨가 제법 차지만 나무껍질 벗기느라 들고 옮기고 낫에 힘을 모아 밀어대니 얼마 안 가 겉옷을 벗게 된다. 그런데 10시가 조금 넘으니 힘이 빠진다. 아침 팥죽을 같이 먹고 나온 대목수도 마찬가지로 힘이 없다며 푸념한다.

　"아침 죽 먹어서 그래요."

아닌 게 아니라 배가 앞뒤로 달라붙은 듯 힘이 나지 않아 낮에 힘이 들어가지 않는다. 점심때가 되어 여러 사람이 먹다가 우연히 그 얘기가 나왔다.

"죽 먹고 일 못하겠데요. 언제 열두시 밥때 되나 기다리느라 일도 안 돼유."

"소장님은 은근히 웃겨유."

사람들은 나를 소장님이라 부른다. 내 말이 별로 재미있는 말이 아닌 성싶은데 배고파 밥때 기다렸다는 말이 재밌게 들렸나 보다. 한 사람이 충고했다.

"아침 절대 죽 잡숫지 마세유. 죽 먹고는 일 못해유."

술잔 서로 채울 이 없어 허전한 마음을 달래노라

오다가 소주 한 병을 샀다. 농장일 마치고 돌아오다 길목 이웃마을 구멍가게에 들러 소주 한 병을 샀다. 오늘 저녁에 마셔야겠다고 생각하고…….

요사이 저녁시간 보내기가 적적하다. 지난해는 잘 보냈는데. <삼방재일월기>도 마음 고리에 잡히지 않는다. 이럴 때 찾아가거나 찾아주는 사람이 있으면 좋으련만…… 1주일에 한두 번 찾아오던 이웃마을 동료가 요즘 오지 못한다. 그와는 종종 소주 한 병에 맥주 두 병을 섞어 마시곤 했다. 그런데 그가 교통사고를 당해 청주 병원에 입원했다.

사단은 지난 12월 29일에 벌어졌다. 그날은 2010년 송년회에 쓸 돼지고기를 직접 잡기로 했는데 그 일이 동료에게 떨어졌다. 어린 시절에 시골에서 돼지 잡는 걸 본 적이 있지만 아주 오래전이라 산 돼지를 어떻게 잡나 호기심도 일었던 차라 나도 그날은 농장 일을 접고 돼지 잡는 일련의 시작과 과정, 보기 어려운 귀한 광경을 볼 작심이었다. 장자의 '포정해우(庖丁解牛)'라는 고사가 있는데 그 글에 묘사된 광경도 오버랩됐다.

돼지가 오전 11시경이 되어서야 1톤 트럭에 실려 왔다. 주둥이를 철사 줄로 묶어 짐칸에 붙들어 매여 실려 왔는데 몰골 형상이 말이 아니었다. 끌려온 돼지 눈망울을 차마 피하듯 마주쳤는데, 보거니, 이게 사람 할 일이 아니구나라는 생각이 절로 들었다. 돼지 모습이 그랬다.

오전 시간이 많이 흘러 점심을 먹고 난 후로 돼지 잡는 일이 미뤄졌다. 그날은 눈이 많이 내려 눈 치우느라 오전 이른 시간이 지나버렸고 돼지가 예정보다 늦게 도착했기 때문이었다. 오전에 돼지 잡는 걸 구경하고 오후에는 농장 일을 하리라 생각했는데 내친김에 돼지 잡는 일을 보자는 생각이 앞섰다.

그런데 점심을 먹고 작업장으로 가는 길에 큰 사고가 났다. 돼지 잡을 그가 2차선 도로 갓길로 걸어오다 차에 치였다. 갑자기 한길에서 트럭이 덤벼와 그의 얼굴과 가슴을 쳐 길에 쓰러졌다. 길에 쌓인 눈이 붉은 피로 적셨다. 얼굴이 피투성이가 되어 누운 채로 119응급차에 실려 가까운 음성읍 병원으로 갔다가 거기서 안 된다고 해서 다시 청주 큰 병원으로 옮겼다. 119를 부르고 경찰이 오고 그가 실려 간 이후까지 길이 웅성거렸다.

그리하여 그가 다쳐, 그날 돼지 잡는 일은 자연히 무산됐다. 돼지는 닭장 우리로 임시 옮겨졌다. 잡을 수 없으니 애물단지가 된 돼지 뒤처리 문제가 설왕설래 오갔다. 농장에서 돼지 키우라는 말까지 나왔다.

"그 돼지 팔아 버리세요."

내가 말했다.

"안 팔려요. 구제역까지 돌고 있어서……. 누가 사 가요?"

"싸게 팔면 왜 안 팔려요. 정 안 팔리면 어디 다른 데 줘 버리든지."

하필 돼지 잡는 날 사고 나서 애꿎게 돼지에 화풀이 겨냥이 된 꼴이 됐지만 돼지 보기가 싫었다. 사고 때문이었다. 하여간 어떻든지 그렇게 해서 돼지 잡는 일은 넘어가나 싶었다. 그러나 상황은 거기서 끝나지 않고 이어졌다. 다음 날 기어이 돼지를 잡게 되고 말았다. 돼지 잡을 다른 사람을 구했다. 돼지 잡으려 한 날 사고 나서 돼지 잡는 일이 좋지 않게 느껴졌는데 다시 돼지 잡는다니 심사가 좋을 수 없었다.

"팔아 버리라니까 왜 잡는데유."

"나도 몰라유."

"돼지를 왜 직접 잡냐고……. 짐승 죽이는 거 좋아할 사람 있어요? 정 그러면 사다 먹거나 다른 데서 시켜 잡아서 갖고 오지."

그렇게 해서 산 돼지를 잡았고 2010년 송년회 날, 돼지고기찌개가 되어 올라왔다. 그런데 송년회에 온 사람들이 돼지고기찌개를 맛있게 먹는데 우리 팀은 거의 숟가락, 젓가락이 다가가지 않는다. 돼지고기찌개를 먹지 않는다. 난 송년회를 밥 먹고 빠져나와 그가 입원한 병원을 찾아가 문병했다. 다행이다. 다행히 머리는 괜찮다. 이 몇 개 나가고 코뼈가 부러지고 갈비 몇 대가 나갔다. 정신은 바른 것 같다. 천만다행이다. 운 좋다. 더 많이 다쳤으면 어쩔 뻔했는가. 달려오는 차에 정면으로 부딪쳤는데……. 호랑이해 송년회는 그렇게 끝났고 2011년 토끼해 새해를 맞았다.

새해가 되어 농장 일을 시작했다. 새해 며칠 안 돼 점심시간이었다. 국으로 돼지김치찌개가 올라왔다. 그런데 몇 사람이 안 먹는다. 나와 같이 일하는 농장 동료도 먹지 않는다. 농장에서 일하다 잠시 쉬는 시간에 불현듯 그 생각이 되살아나 물었다.

"점심때 돼지고기를 입에도 안 대던데, 왜 그래?"

그 이유가 전번 돼지 잡는 날과 관련되었으리라 생각하며 뻔한 질문이라고 스스로 느끼며 물었다. 이를테면, '전번 돼지 잡는 걸 보고 나서 고기 먹을 생각이 나지 않아서……'라거나 하는 비슷한 대답이 나올 걸로 생각했다. 그러나 예상은 빗나갔다.

"고기 먹는 거 끊었어요. 고기 안 먹기로 했어요."

그는 불교신자다. 돼지 잡는 날도 사람이 없어 도우미가 있어야 한다며 잡는 것을 도와 달라 했지만 이리저리 숨바꼭질하듯 피해 다니다 마지못해 거들었다. 싫은 기색이 짙었다. 그 탓이었을까. 고기를 이제 안 먹겠다니……. 침묵이 흐르고 시간 틈을 들고 다시 물었다.

"그럼 금요일 날 나랑 가는 식당도 이젠 같이 못 가겠네. 그런가?"

그와는 종종 내가 일주일 일 마감하고 차를 타기 전 버스터미널 앞 골목집 식당에서 머리 고기 안주를 곁들여 막걸리를 즐겨 마시며 교분을 두터이 해 왔다. 난 '그런 경우는 어쩔 수 없지 않겠냐.'라는 투의 답을 기대했다. 그는 말했다.

"술도 끊었어요."

"……"

아, 이젠 함께 술잔 반길 이 없다. 병원에 입원 중인 그가 빨리 나아져서 퇴원할 날을 기다리는 수밖에 없다. 두서너 달은 걸릴 거다. 같이 술잔 건넬 사람이 없다. 지난 한 달 동안 지내던 목수도 떠나 버려서, 연말 연초에 술잔 나눌 세 사람이 없어졌다. 술 놓고 벗할 이 없으니 아쉽다. 나도 술 마실 마음을 버리라는 뜻인지…….

사람 살 만한 나라가 되려면

수지가 맞는 사업은 누가 나서서 억지로 해라 하지 않아도 스스로 확대되고 발전한다. 따라서 농사짓는 일이 높은 이윤이 아니더라도 사회적 평균이윤이 나오거나, 혹은 그보다 낮더라도 자신의 가족을 유지할 수 있는, 매일매일 자신의 노동력과 생활을 재생산할 수 있으면, 농사지어 그 어림 수준이 가능하다면 농가는 유지될 것이다. 그러나 현실은 농민이 농사지어 보통사람들이 누리는 생활을 유지하는 것은 불가능하다. 농민의 말을 그대로 옮긴다면 "지어 봤자 질수록 빚만 는다." 그래서 지금도 해마다 10여만 명 가까운 농민이 도시로 떠나간다.

이에 대해 혹자는 농민도 경영능력을 키우고 경쟁력을 강화하라고 목소리를 높인다. 예컨대 "농업도 경쟁력이다."라는 말을 반복하고 있는 위정자와 관료, 지식인들의 주장이 대표적이다. 최근에 다시 농민을 격양시키고 있는 그 주장은 사회불안을 높이고 그나마 시행해 오던 지원과 보조마저 거두어들이려는 것으로 들린다. 가격 경쟁력이 없지만 농업을 유지하고 농민이 살 수 있게 지원하고 있는 나라들이 그렇게 하고 있는 이유는, 농업이 망가지고 농민이 살 수 없게 되면 '사람이 살 수 없는 나라'가 되기 때문이고, 안심할 수 없는 불안한 사회가 되기 때문이며 궁극적으로는 자본주의 체제 불안이 높아지기 때문이다.

　그래서 정부의 경제정책에 따라 주무기관이 펴는 정책이 노리고 있는 효과는 사실 농업을 살리는 데에 가 있지 않다는 의심을 떨치기 어렵다. 오히려 그들은 마지못해, 농민의 분노와 저항을 달래기 위한 것처럼 비친다. 그렇게 시간이 가다 보면 농민인구와 농업은 자연히 축소되고 개방경제체제는 대세가 되어 갈 것이기 때문이다. 시간은 내 편인 것이다. 그래서 아예 "수익 안 나는 농사 이제 그만 지어라." 라고 핀잔하는 말은, 듣기에 당장은 서운할지 모르지만, "때리는 시어미보다 말리는 시누이가 더 밉다."는 속담처럼 경쟁력 운운하며 겁박해대는 것보다 더 나은 말일지 모른다.

　그런데도 사람들이 농업을 버리지 못하는 이유는 무엇일까. 또 도시를 떠나 농촌으로 귀농하는 사람들의 역류가 일어나는 것은 왜 일까. 정상적인 생활도 안 되고 사회적으로도 대우받지도 못하는 현실인데……. 여기에는 도시가 절대로 줄 수 없는 '그 무엇'이 있기 때문이라고 생각한다. 그것은 바로 자연의 순환주기에 따라 살아가며 사람에게 반드시 필요한 식량을 생산하고 있다는 자존심이 아닐까. 사람이 돈을 먹고 살 수 없고, 냉장고를 끼고 살 수 없고, 자동차를 베고 잘 수 없으며, 석유로 목욕할 수 없다는 자명한 사실처럼, 사람이라는 동물이라면 곡식을 먹지 않고서는 살 수 없다는, 그 생명의 원료를 생산하는 자존심 말이다. 비록 농민이 못살고 피폐하여 무시당하고 있을지언정 너희가 아무리 잘났어도, 내가 농사지어 주지 않으면 너희들이 살아갈 수 없는 식량창고를 지키고 있다는 알아주지 않는 자존심 말이다. 농민이 이를 내세우고 자랑하고 하는 것은 아니지만 의식하든 않든 마음속에 자리 잡고 있으며 이러한 사실을 인식하는 것은 중요하다. 농민의 개인적, 가족적 삶, 사회적 평가와 집합적 인식이 어떻게 되어 있든 농민이 먹지 않고는 살 수 없는 인간의 근본적 조건의 열쇠를 가지고 있다는 사실을 인식하는 것은 근본적 문제의 출발이다. 모든 주요하거나 파생되는 문제는 그다음이다. 따라서 문제의 핵심은 농민의 자존심을 인식하고 그 자존심이 생활 속에서 살아날 수 있는 조건을 만들어 나가는 것에 있다.

농업에 대한 이러한 이해는 농업이 지닌 가치에 대한 인식으로 확장된다. 농업의 가치는 바로 식량과 자원의 창고라는 사실이 그 토대가 되어 있지만 여기에 그치지 않는다. 식량과 자원을 생산하는 현장은 동시에 어떤 다른 수단을 통해 만들어 내는 것보다 완벽하게 인간에게 유용한 가치를 제공해 준다. 비교역적 가치, 공익적 기능으로 평가되는 흙과 물 관리, 생물종 다양성 유지, 자연경관 및 생태계 보존 등과 민족적 농촌문화, 함께 사는 마을 공동체 유지 등, 한 해에 농업이 생산하는 자본주의적 화폐가치로 추산되는 생산액보다 이러한 부가적 가치생산액은 그 몇 배에 이른다고 추산되는 것이 국제적 관례로 통한다.

따라서 농사는 이 같은 가시적, 비가시적 부가가치를 유지하고 만들어 내는 농업의 유용성에 대한 공유를 전제하고 있다. 결국, 농업과 사회발전의 수준은 이러한 가치와 이용, 혜택에 대해 사회적으로 공유되고 집단적으로 그 유지와 발전을 위해 합의하는 것에 달려 있다. 그 말은 바꾸어 말하면 지역사회로서의 농촌마을이 유지되고, 농민이 안정적인 생활을 이어 갈 수 있느냐의 여부는 사람이 살 만한 사회로의 발전에 필수적인 디딤돌이며, 마찬가지로 더 좋은 사회로의 진입 여부는 그 사회가 농업을 대우하고 있는 수준에 달려 있다. 우리 사회는 어느 수준에 있는가?

5장

철들어 가지요

이른 아침 밖을 나서니 비가 내린다.

가는 비가 천천히 내린다.

비 내리는 봄 거리에서 빈 들과 산을 보노라니,

얼마 있으면 피어날 산수유, 복숭, 개나리, 사과나무들의 화사한 꽃이

기다려진다.

다시 일 년 농사를 시작하며

봄이 움직이기 시작했다. 영하 20도를 오르내리며 언제 겨울이 갈까 싶던 겨울이 한풀 꺾이고 있음을 느낀다. 12, 1월 몰아친 한파로 예년에 없이 방, 마당, 부엌, 수세화장실 할 것 없이 수도관이 얼고 심지어 정화조까지 얼어 유난히 추운 겨울에 전전긍긍했어도 입춘이 지나니 어김없이 봄이 오고 있음을 느낄 수 있다.

실종된 삼한사온과 백여 년 기상 통계를 비웃는 강추위, 기상이변도 그렇지만 이번 겨울에는 추위보다 더 혹독한 일이 벌어졌다. 지난해 말 시작된 구제역병으로 소, 돼지 등 3백 수십만 마리가 죽임을 당했다. 지금도 그치지 않고 진행 중이다. 이젠 축산농가의 황망하고 추스르기 힘든 낙망을 넘어, 지금은 오히려 식수오염, 전염병 등 매몰 이후 벌어질 만약의 사태로 변해 서울수도권 사람들에게까지 걱정으로 등장했다. 거기다가 조류독감으로 오리, 닭 등 수백만 마리도 죽임을 당해 땅에 파묻혔다. 겨울 동안 1천여 마리의 가축이 무참히도 인간에 의해 '청소'당했다. 끔찍한 일이다. 사람이 무언지 사는 게 무언지 이렇게 해도 되는 것인지, 시간 지나 잊어버리고 살아도 되는 것인지 묻지 않을 수 없다. 사람도 동물인데…….

인간이 지구상 여러 생명과 똑같은 생명의 이력을 지닌 동물이라고 보면, 이번 구제역 재앙은 동물에 대해 가졌던 관념을 이제까지처럼 그냥 흘려보낼 수 없는 우리 자신의 문제라는 것을 보여 준 것이 아닐까 하는 생각이 든다.

그런 중에도, 대지가 천여 마리 생명의 피로 적시고 피해 입은 농가는 절망을 추스르지도 못하는데, 여전히, 해가 뜨고 지고 달과 별이 지고 떴다. 철이 흐르고 있다. 농사는 철 따라 가는 길이고 농민은 철 따라 사는 인생이다. 여기저기서 사람들이 움직거리기 시작하고 경운기, 트럭, 트랙터의 일 소리가 들리기 시작하고 농자재 가게에 사람들이 들락거리고 닥친 올봄 날씨가 어떨지 어두운 눈을 들어 하늘을 바라보기도 한다.

설날, 입춘이 지났으니 내일이 정월 보름이고 가까운 시간에 대동

구제역 확산을 방지하기 위해 마을 입구 도로를 막은 모습

강 물도 풀린다는 우수를 만난다. 조금 더 가면 개구리가 땅 위로 튀어나온다는 경칩이니 설사 다시 겨울 추위가 되돌아 추워진다 한들 철을 따라 가는 길이 바꾸진 않을 게다.

농사가 시작됐다. 맨 처음 시작되는 작목은 고추와 감자. 고추는 씨를 구해 촉을 틔우기 시작했다. 싹이 틔워지면 상토 온상에 씨를 뿌려 모를 기르게 되고, 4월경에 작물이 동해를 입지 않을 때까지 온도, 수분, 영양 관리를 하게 된다. 감자는 씨감자용 24박스를 지역 농협에서 구매해 방에 쌓아 싹을 틔우고 있다. 적당한 날에 칼로 싹눈을 살려 가른 씨감자를 이달 말경부터 심기 시작하게 된다.

밭과 하우스에 고추, 감자를 정식하려면 미리 밭을 만들어 놓아야 한다. 겨울 동안 거름 뿌리고 트랙터로 갈아 놓았으니 이제 무엇보다 물을 대어 땅 수분관리를 해야 하는데 물이 얼고 땅이 얼고 배관이 얼음으로 꽉꽉 막혀 물이 통하지 않았다. 어렵사리 뚫어 놓아도 또다시 얼었다. 땅속에 파묻혀 깔려 있는 배관도 마찬가지다. 땅을 파고 얼음을 깨고 새로운 배관을 깔고 증기로 얼어붙은 관을 뚫고서야 물길이 터졌다. 마침내 물 모터가 돌아 파이프를 타고 물이 쉭쉭 흐르고 스프링클러가 빙글빙글 물을 뿌리며 도니 반가운 맘을 휘감으며 생기를 뿌려 준다.

올 밭농사는 고추가 줄고 감자 면적이 많이 늘었다. 감자를 하우스 500평, 밭 900평 합쳐 1천4백 평에 심는다. 감자와 더불어 고추 5백여 평, 옥수수 천여 평이 주 작목이고, 밭에 심을 방울토마토, 오이, 가지, 당근, 봄무 등 채소류 모종을 기르고, 도시 소비자와 단체에 공급할 고추, 상추, 가지, 방울토마토 등 모종을 기르는 일이 봄날 일이 될 것 같다.

봄. 기다려진다. 시골 마을 어귀 정자 느티나무 돌아 동네 들어서

듯 봄이 올 것이다. 딱따구리 마른 참나무 패듯 딱따그르르 소리울림 처럼 봄이 올 것이다. 사계절 중 겨울을 싫어하는 내 성미 탓일 것인 데 겨울을 빠져나오는 것이 뒷골목 돌아 나오듯 좋다. 어서 오게나. 봄이여.

올해는 일이 어떻게 돌아가더라도 맘에 여유를 품고 갈 수 있다는 생각 나름도 맘 한편에 믿는 구석이다. 일은 지난해보다 더 많을 것이 충분히 예상되지만, 가 보고 와 본 길이니 걱정은 덜하다. 지난 사시사철을 겪으며 얻은 가장 큰 수확이라면 철을 느끼게 된 것이기 때문이다. 종종 만나는 사람이 익숙해진 농꾼 이력이 붙었다고 덕담을 보태 주는 것도 싫지 않은데 농사에 대해 경험과 앎도 올 지나면 훨씬 도톰해지겠지…….

감기몸살

오랜만에 감기몸살을 겪었다. 근자에 아픈 적이 없었는데 생각지도 않게 감기가 왔다. 며칠 전부터 목구멍이 칼칼해지고 목소리가 쉈다. 주말을 쉬고서도 나아지지 않더니 어제는 마침내 오슬오슬 한기가 들고 머리가 아프고 기운이 빠졌다. 좀 견디다 보면 낫겠지 생각했는데 더 심해졌다. 입맛도 떨어져 끼니를 건너뛰었다.

저녁 8시경 자고 일어나면 낫겠지 하고 이불을 뒤집어쓰고 누워버렸는데 잠에 빠졌다. 한밤중 눈이 떠져 시계를 보니 밤 1시였다. 동쪽으로 난 창문에 달이 훤했다. 달빛이 방에 쏟아져 들어와 방바닥에 부서지고 있었다. 종종 밤에 눈 뜨면 보는 달은 그때마다 다른 모습이다. 창문에 커튼을 치지 않아서, 동쪽에서 뜬 달빛은 항상 거침없이 유리 창문을 통과해 방 안으로 내려와 자기 방인 양 핥듯이 지나간다. 태양으로부터 출발한 빛이 달에 부딪쳐 여기까지 빛의 속도로 달려왔는데 이제 더는 갈 곳이 없어서일까.

달을 보며 다시 잠에 빠졌다. 아침에 일어나니 입고 잠옷이 밤새 흘린 땀으로 푹 젖었고 요, 이불까지 척척하다. 밤새 흘린 땀 때문이었을까. 한낮을 넘기니 차츰 기운이 돌아오고 한결 기분도 좋아졌다.

감기몸살을 앓은 것이 겨울을 넘기고 봄으로 들어서기 위해 그동안 움츠리고 긴장했던 몸을 새로이 조절하느라 일어난 일처럼 생각되었다. 몸속의 겨울을 '털어 낸 것'이다. 몸 상태가 좋지 않으면 우울하거나 몸 게을러지는 생각을 하게 된다. 몸살감기가 빨리 지나가 다행이다. 추운 겨울 지나 봄 오는 길목에서 겪은 감기몸살이 좋은 약처럼 생각되었다.

몸이 아프면 먹는 음식을 끊거나 줄이는 것도 좋은 방법인 것 같다.

봄 오는 소리

철 오는 게 하루하루 다르다. 아침이 훤해져 해가 밝아지니 마당과 마을회관 앞 나무에 그동안 못 보던 텃새들이 날개 퍼덕이고 짹짹대며 몰려다니는 소리가 요란스럽다 할 만하다. 겨울 동안 꽁꽁 숨어 있다 갑자기 출몰했으니 그렇게 느껴졌다. 때가 되면 어김없이 때맞춰 나오고 들어가는 자연의 순환과 천지일월의 움직임이 놀랍다. 아침에 방을 닦다 태어난 지 얼마 안 된 천천히 아주 천천히 걸어가고 있는 아주 조그만 새끼거미를 만났다. 앙증맞다는 표현이 어울릴까? 귀여웠다. 동시에 어린 것이 힘들게도 보였다. 마을 앞 냇가에도 흐르는 물이 불지 않아 수량은 많지 않으나 얼음잔설과 갯가 언 땅을 공략하는 물길이 힘차게 느껴진다. 찬 것은 물러서고 따스운 기운이 올라서는 기세를 어느 것이 막을까.

그러나 창문을 통해 본 앞 과수원 사과밭은 아직 봄을 느끼기 어렵다. 그러나 그들 역시 조만간 화사한 꽃을 피워 낼 것이니 땅속에서는 이미 기운이 돌고 있을 것이다. 봄을 싫어하는 사람은 없을 것 같다. 혹시 청년 중 사랑하는 애인과 지난 봄날에 헤어졌다면 쓰라린 봄이 될지도 모르겠다. 하지만 그 역시 새로운 사람을 찾아 봄날에 새로이 털고 설 것이다. 봄은 많은 사람에게 느낌을 준다. 느낌은 종종 예술작품으로 탄생하는데 봄을 주제로 한 작품은 셀 수가 없다.

음악도 그를 대표하는 한 종목이다. 오늘 아침, 봄이 올라오는 밭, 앞산, 동쪽 능선을 바라보며 음악을 들었다. 인터넷 국악카페에 있는 곡이었다. 곡명은 '대금산조', 산조대금 곡이다.

들으면서 겨울 끝자락 동장군 등허리에 걸터앉아 오는 봄과 잘 어울린다는 느낌이 왔다. 곡이 봄과 맺어진 인연이 없는 것으로 보이지만, 나에게는 '봄맞이하는 소리'로 느껴졌다. 음악의 감흥은 듣는 이에 따라 지금 여기 처한 환경에 따라 달리 들릴 수밖에 없는데 오늘 '짧은 산조' 대금곡이 그렇게 느껴졌다. 아주 잘 들었다. '음악이 이런 것이구나.' 했다.

대금을 조금 분다. 대금을 만난 지는 꽤 오래됐지만 실력은 보잘것 없었다. 사람 앞에서 제대로 불 수 있는 곡이 변변치 않은 세월이었다. 최근 시골에 오게 된 이후 저녁시간이 비교적 여유로워져서 대금을 다시 불고 있다. '산조'를 귀에 익도록 들어야겠다. 외딴 시골에서 자주 듣고 불다 보면 어느 땐가 흉내를 낼 수 있지 않을까. 희망이 하나 늘었다.

이른 봄비 내리는 날

<삼방재일월기>를 시작한 지 1년이 되었다. 지난해 3월, 서울을 떠나 고속버스, 군내버스를 갈아타며 이곳에 길 찾아든 것이 첫 소식이었다. 1년 전 이곳 소식을 전하기 시작할 때 이름을 <삼방재>라 지었었다. 가까운 지인들에게 이메일을 1년여 보냈더니 이제 '삼방재'가 또 하나의 내 이름이 되고 말았다. 종종 만나는 사람들이 "어이 삼방재." "삼방재, 농사 잘 돼 가?"라며 입을 내니 나의 호가 저절로 되었다. 싫지 않다. 그사이 봄·여름·가을·겨울이 지나 다시 새봄을 맞는다. 절기 따라 철 따라 흙 파고 작물 심고 거두며 겪은 시간이었다.

이른 아침 밖을 나서니 비가 내린다. 가는 비가 천천히 내린다. 촉촉이 땅을 적시고 있다. 비 내리는 봄 머리에서 빈 들과 산을 보노라니, 얼마 있으면 피어날 산수유, 복숭, 개나리, 사과나무들의 화사한 꽃이 기다려진다. 과수를 많이 재배하는 이곳의 봄날은 볼만하다. 난만한 하양, 분홍, 노랑 빛깔 꽃무리로 눈이 부시다. 그러나 아침을 넘어서니 눈으로 내린다. 작년에도 4월까지 날씨가 오락가락했다. 때인 줄 알고 나온 과수나무 꽃이 추위와 눈보라, 우박에 떨어졌다. 일찍

파종한 작물이 저온 피해를 입었고, 파종 날짜를 잡기 어려웠다. 특히 과수 피해가 컸다. 날씨 변화를 종잡기 힘들어져 몇 십 년 농사지어 온 농부도 "이런 날씨는 평생 처음이구먼유."라고 할 정도로 어려움을 겪는다. 작년에 그랬다. 올해는 어떨까. 농사꾼은 힘들여 일할 뿐, 날씨, 하늘이 도와주어야 하는데……. 농사지어 먹고살기 힘든 판에 기후변화로 작황마저 좋지 않으면 기댈 데가 없다.

남쪽에는 이미 봄이 온 모양이다. 우인이 이메일로 땅에 풀이 돋고 있다고 알려 왔다. 이곳은 다소 철이 늦지만 역시 설날 이후 포근한 날씨가 이어져 봄의 역사가 진행되고 있다는 것을 느낄 수 있다. 목련나무에 물이 오르고 실개천 물위에도 어느새 깨어났는지 하루살이가 물 위를 날고 있었다. 그동안 잠잠하던 산새의 울음을 들었다. 산비둘기이리라 생각하는데, 반가웠다. 딱따구리, 동네 텃새, 산비둘기,

씨감자. 눈 부분을 칼로 잘라 쪼개 심는다.

까마귀 순서로 만났다. 소쩍새 울음도 곧 들려올 것이다. 생명의 수레바퀴가 물 맞은 물레방아처럼 천천히 돌기 시작했다. 새싹이 돋고 물고기가 헤엄치고 새가 날고 땅속에서 벌레들이 깨어나면 상생의 먹이사슬이 이어져서 자연은 풍성해지고 살아 움직이는 생명을 가진 모든 생물의 움직임이 바빠질 것이다.

파종과 작업이 계속된다. 눈 틔운 고추, 가지를 육묘상자에 뿌려 보온 온상에 넣었다. 아직 밤이 되면 영하로 떨어지기 때문에 온상은 15도에 맞춰 온도를 관리하고 있다. 낮에는 보온덮개를 벗겨 준다. 감자는 땅에 굴리듯 펼쳐 놓았고 하우스에 심을 감자는 씨눈에 칼집을 내 쪼개 놓았다. 씨감자 상태는 좋다. 하우스 5백 평 감자밭에 3월 2일 심는다.

시금치·아욱 씨도 60여 평씩 뿌렸다. 해 기울면 보온덮개와 비닐

고추씨. 작년에 수확해 보관해 놓았다.

을 덮어 주고 낮에는 벗겨 준다. 지난해 수확한 토종고추 씨도 종자 소독하여 눈 틔우기 시작했다. 씨앗도 박테리아 곰팡이 등 미생물에 안팎이 둘러싸여 있을 수밖에 없는데, 종자소독을 온탕침종으로 했 다. 볍씨 온탕침종법과 유사한 방법이다. 물 온도 50도를 유지하며 25 분간 담그고, 30도 물에 8시간 담근 다음, 습도 온도 맞춰 씨에서 눈 이 터 자라 나오게 해서, 육묘상자에 뿌려 모를 기르기 시작한다. 씨 앗 이름은 '소태, 대화, 새마을, 수비, 붕어, 무명.' 씨앗 가게에서 사는 씨앗은 거의 외국 회사에서 수입해 판매하는 씨앗들인데 살균하고 코팅돼 있다. 종자는 다국적 농업기업에 장악되었고 씨앗 값은 만만 치 않다.

2월 27일, 3월 1일에 비가 내렸다. 반가운 비다. 하지만 감자, 옥수 수 등을 심을 밭에 거름 뿌리고 로터리 치는 등 밭을 정리해 놓아야 하는데 비로 땅이 질어 들어갈 수 없다. 3월은 고르지 않은 날이 이어 질 텐데 날이 개고 흙이 조금 마를라 치면, 때를 놓치지 말고 서둘러 작업해 놓아야 한다.

아내가 찾아왔다

3월 1일은 빨간 날이어서 쉬는 날이다. 서울에서 아내가 내려왔다. 여기서 일한 지 1년이 다 돼 가는데 사는 형편이 궁금했던 모양이다. 전철 타고 고속버스, 군내버스를 갈아타며 찾아왔다. 아침 7시경에 출발해 11시에 도착했다. 내가 사는 마을까지 잘 찾아와 시골버스에서 내리는 모습을 보니 반갑긴 하지만 뭐라고 말해야 할지 그런 느낌이었다. 아침에 비 오더니 눈발이 분분히 흩날렸다. 이웃마을 사는 종대 씨에게 점심을 함께 먹자고 시간 잡아 놓고 내가 사는 숙소와 마을을 보여 주었다.

종대 씨 부부와 목도로 나가 점심으로 민물고기 매운탕을 함께 먹었다. 아주머니 둘이 자리를 함께하니 분위기가 한결 살아난다. 점심을 먹고 고맙게도 종대 씨가 그가 몰고 온 1톤 트럭을 타고 농장과 인근을 한 바퀴 돌았다.

시간은 빨리 흘렀다. 이웃 아주머니 집에 들러 인사시키고 동네를 한 바퀴 도니 차 시간에 맞춰 떠날 시간이 되었다.

버스 타고 음성으로 나갔다. 아내는 서울, 나는 건배미 가는 표를 미리 끊었다. 6시 30분 차, 같은 시각이다. 출발시간까지는 아직 여유가 있었다. 터미널 앞 식당에 들러 머리 고기 안주에 소주 한 병을 시켰다.

떠날 시간이 왔다. 버스에 오를 때 손을 잡아 주며 보냈다. 아내는 서울행 고속버스, 나는 건배미 가는 버스를 각각 탔다. 버스 타고 혼자 서울 올라가는 모습을 보니 마음이 아렸다. 밖으로 나대는 서방 만나 고생 많이 시켰다. 농사는 올해까지만 하라 부탁하고 올라갔다.

봄은 생명에게 축복이자 소명이다

　다시 봄이다. 다시 어김없이 이 땅에 봄이 돌아왔다. 목숨을 가진 뭇 생명들이 꿈틀댄다. 산, 계곡, 강, 늪, 바다 어디라 할 것 없이 모든 곳에서 하늘 아래 살고 있는 동물, 식물, 미생물 들이 생명의 기지개를 편다. 더불어 사람도 꿈틀댄다. 봄은 생명에게 축복이자 소명이다. 생명이 자기보존, 생식을 위해서 필요한 에너지를 만들 수 있는 축복이고, 나눠 쓰라는 소명이다. 제일 먼저 흙, 물, 대기 속에서 수많은 미생물과 식물들이 활동한다. 그들의 생명활동 덕으로 우리가 산다.

명자나무

배꽃

농사도 시작이다. 흙과 물, 대기활동에 힘입어 농사가 봄, 여름, 가을로 이어진다. 그 가운데에 농민이 있고 이들이 만들어 낸 생산물에 기대어 나머지 사람들이 목숨을 잇는다. 남쪽에서부터 꽃소식이 올라오고 있다. 산하를 연녹색 잎과 꽃이 수놓고 있다. 하양, 노랑, 빨강, 파랑의 빛과 수목이 어우러지면 사람들에게도 봄기운이 퍼져 놀러다니고 지천에 솟아오른 자연산물로 에너지를 채울 것이다. 조금 있으면 논에도 물이 담겨져 물의 축제가 시작된다.

봄, 농민마다 올해의 농사를 꿈꾼다. 지난해 경험을 되돌아보고 올해 농사 전망을 그려 본다. 씨앗을 고르고 농자재 가격을 추산해 보고 어떻게 해야 돈이 될까 궁리한다. 해마다 만만치 않다는 것을 알면서도 희망해 본다. 지난해도 힘들었다. 본전 건지기도 어려웠다. 우리나라 농민은 곡물자급률이 4분의 1에도 못 미칠 만큼밖에 생산하지 않는데도 상대 소득격차는 더 크게 벌어져 가고 절대 생활수준도 떨어져 간다. 뭇 생명들이 기지개를 펴는 이 봄을 맞는 농민들에겐 봄이 봄 같지 않다.

얼마 전 큰 지진으로 고통받고 있는 아이티는 지난 1980년대 중반 이전까지만 해도 식량문제가 심각하지 않았다 한다. IMF 압박으로 자유무역으로 정책이 바뀌면서 농업보호정책이 허물어지고 수입관세가 대폭 낮아져 외국 곡물이 쳐들어오면서 농사가 붕괴됐다. 결국 식량수입국이 되고 말았다. 이제 수입농산물이 들어오지 않으면 국민 위장을 채울 수 없는 나라로 전락했다. '진흙쿠키' 잔혹사다. 지구상에 그런 나라가 여럿이다.

우리나라가 성공적인 경제개발 국가로 자랑이 대단하지만 속내를 들여다보면 농업·농민이 희생된 결과다. 비농업 제조업·서비스업이 성장한 반면 농업은 뒷걸음쳤다. 쌀을 제외하면 곡물자급이 한 자 릿수 퍼센트(%)에 불과하다. 밀, 옥수수, 콩은 각각 0.2, 0.7, 9.8%다. 물론 자급률이 높은 것도 있다. 김, 미역, 등 해조류나 고구마, 감자 등속이다.

고기 생산·소비 문제는 더욱 심각하다. 육류의 수입육 비중이 점 점 늘어 가고 소, 돼지 등 대표적 축산업은 수입 사료가 없으면 유지 할 수조차 없다. 소, 돼지의 수입 사료에 대한 생산비 의존율은 50% 안팎이다. 국산 고기도 수입곡물로 기르는 셈이다. 옥수수, 밀, 콩 등 사료 수입량은 전체 수입 곡물의 반을 차지한다. 그렇게 길러지는 소, 돼지, 닭 등 사육 마릿수가 자그마치 1억 수천만 마리에 달한다. 이 땅 곡물, 축산 농사꾼과 국민 앞에 펼쳐져 있는 현실이다.

갈수록 악화되고 있는 세계식량 사정은 심각하다. 이미 2008년에 경험했듯이 세계 곡물시장에 이상이 발생하자 식량부족국에서는 시 위와 폭력, 폭동, 판매중단, 배급, 기아 등이 발생했고 수출국들이 수 출을 금지하자 곡물가격이 폭등하고 수입국 식량사정을 더욱 악화시 켰다. 곡물 다국적 기업의 곡물투기, 가뭄, 냉해, 사막화, 기후변화, 대 체에너지 생산을 위한 광범한 농지의 전용, 중국·인도 등 소득이 늘 어난 인구가 많은 나라들의 육식 증가와 식품 소비 고급화 등으로 인 해 식량사정은 더욱 악화되고 있어서 식량수요와 공급량 사이의 불 일치는 더욱 커져 가는 상황이다. 혹자는 이를 "조용한 쓰나미(silent tsunami)"라고 표현했고 "완전한 태풍, 즉 식량폭동"이라고 이름 붙이 기도 했다.

그러나 식량증산은 쉽지 않을 전망이다. 인류가 화석연료, 즉 땅에 묻힌 죽은 생물자원인 석유, 석탄을 산업적으로 광범위하게 이용함으

로써 달성한 이른바 '녹색혁명'이라는 신화는 막다른 골목에 봉착했다. 따라서 식량수입국, 식량부족국은 앞으로 발생할 가능성이 높은 식량위기에 대응해 식량 자급률 목표를 국가적 정책과제로 접근하고 있는 것이 최근의 흐름이다.

자기 나라, 지역에서 생산한 농산물로 얼마나 많은 국민이 먹고살고 있는지를 보면 그 나라의 수준이 보인다. 농업을 어떻게 대하고 있는가를 보면 그 나라의 급수가 보인다. 안타깝게도 대한민국 '수준과 급수'는 후퇴하고 있는 중인 것 같다.

시골살이, 두 가지만 있으면 돼요

트랙터가 진밭에 빠져 버리고 말았다. 빠진 밭은 원래 논이었는데 지금은 밭으로 이용하고 있다. 지난해 새로 구입한 땅이다. 올해는 옥수수를 심을 계획이어서 배수로도 내야 하고 거름도 뿌려야 하고 로터리도 쳐야 하고 두둑도 만들어야 하는 일이 닥쳐와서 트랙터를 몰고 들어갔는데 흙이 질어 바퀴가 진흙에서 맴돌며 빠져들어 진퇴양난 형국이 되고 말았다. 나오려고 할수록 더 깊이 빠져 밭이 늪이 되고 말았다. 설마 트랙터가 빠질 것이라고는 생각 못 했다.

논이었던 자리고 입구가 물이 모여드는 곳이라 평소에도 질컥거리는 곳이었다. 요즈음 시골에서는 논을 앞다퉈 밭으로 바꿔 나간다. 논농사가 돈이 안 되기 때문이다. 논에서 전환된 밭은 진 경우가 많다.

트랙터는 올 초에 장만한 것이다. 지난해는 경운기와 관리기를 이용해 대부분 작업을 했었다. 우리는 트랙터가 새로 들어온 다음 날 트랙터 로더에 막걸리와 과일 몇 개, 포 등속을 간단히 차려 놓고 무사와 농사일이 잘 되게 해 달라고 간략한 고사를 지냈었다. 농기계 작업하다 잘못하면 큰 사고가 일어나는 일이 흔치 않아서 무엇보다 우리는 안전을 빌었다. 아무 사고 없기를 바라며 큰절을 바쳤다. 마침 당시 농촌체험봉사를 온 폴란드 출신 외국인이 있었는데 그도 큰절을 넙죽넙죽 했었다. 그는 고국에 돌아가 농사짓기를 할 계획이었는데 한국에 여자친구가 있어서 그녀를 만나러 온 참에 겸사 농촌체험을 왔었다. 그와는 며칠을 함께 숙식을 함께했었는데 폴란드 농촌 형편도 우리나라와 닮은 점이 많았다. 오늘 트랙터가 진 땅에 빠진 것이 사람 다치는 사고는 아니지만 막상 오도 가도 못하게 빠져 버리니 그날 고사가 생각났다. 이런 일이 큰 사고를 피해 나가는 액땜이 되어 줄 거라고 생각했다.

봄에는 아차 하면 차가 진흙이나 고랑에 빠져 허우적대기 일쑤다. 겨울에 단단히 얼었던 땅이 녹기 시작하고 봄비가 내리면 논밭 길은 미끄럽고 질어 운전하기가 조심스러워진다. 차가 빠진 것을 여러 번 경험했던 터라 위험하다 싶으면 안 들어가는 게 상책이라고 생각하고 있다. 그래도 올해는 차가 빠지는 것에 대해 큰 걱정을 하지 않았다. 차가 빠질 때마다 경운기나 다른 차가 끙끙대며 끌어 주었는데

트랙터가 농장에 새로 생겨 트랙터로 끌면 힘들지 않게 끄집어낼 수 있기 때문이었다. 그런데 그만 트랙터가 빠져 버리고 말았다. 밭이 질다는 것을 알고 있었지만 작업을 해야 하는 때가 가까워지고 있어서 이 정도에서 설마 빠지랴 하며 들어갔는데 설마가 사람 잡았다.

이 트랙터를 어떻게 꺼내나. 날은 늦은 오후로 접어들고 오늘따라 들판 바람이 찬데 마음이 심란하다. 몇 군데 연락을 해 보지만 우리 사정에 따라 움직여 줄 수 있는 사람이 기다리고 있지는 않을 것이 뻔한 일이었다. 그렇다고 내일로 미루기에는 더욱 심란한 일이다. 두 시간 후면 어두워질 텐데…….

다행히 트랙터 가진 이웃 동네분하고 연락이 됐다. 와 준단다. 걱정에 찬 마음이 활짝 펴진다. 반 시간여 기다리니 멀리서 트랙터 엔진 소리가 산 들판을 가로질러 들려온다. 소리가 반갑다. 야산 구비를 돌아 트랙터 몸체가 모습을 드러내니 더 반갑다. 트랙터가 빠져나올 수 있을지 모르지만 와 준 것이 고맙다. 농촌에서 오늘처럼 이런저런 일들이 발생하는데 이웃 도움이 없으면 힘들다. 시골에서 혼자 살기 힘들다.

"와 주셔서 고마워유. 바쁘실 텐데……."

"깊이 빠졌네. 될까 모르겠네. 해 봐야지유."

견인로프를 단단히 묶고 줄이 탱탱해지면 후진기어를 넣기로 하고 두 운전수가 각각의 트랙터에 시동을 걸었다. 우리가 쓰는 트랙터는 중형급 49마력이고 달려와 준 분의 트랙터는 92마력짜리. 시작했다. 큰 트랙터가 길에 타이어 자국을 내며 힘을 쓰기 시작한다. 작은 트랙터가 그 힘을 빌려 진흙 더미에서 빠져나오려 안간힘을 쓴다. 큰 트랙터가 힘이 세긴 세다. 작은 트랙터 뒤가 들리며 경사진 둑으로 끌리다시피 당겨 올라섰다. 됐다. 소리가 자연스럽게 입에서 새어 나온다.

"다행히 끌려 나왔네. 트랙터 진흙에 빠지면 나올라 하지 말고 그냥 세워야 돼유. 나올라 하면 더 빠져유. 세워 놓고 포클레인이나 트랙터 부르는 게 낫지유."

"정말 고맙습니다. 시간이 늦어 오늘 못 꺼내나 했어요. 고맙습니다. 고맙습니다."

"그래도 작은 트랙터라 끌려 나와 다행이네유."

"네. 담에 꼭 저녁식사 한 번 해요. 시간 내주셔유."

예의상 하는 말이 아니었다.

종종 사람 만나는 자리에서 농사일이 화제가 되곤 한다. 여러 사람 모이다 보면 얘기는 빙빙 주제가 이리 갔다 저리 왔다 하기 마련인데, 서울에서 농사짓는 사람 만나는 일이 흔한 일은 아니어서 내가 함께 자리하는 경우 농사일이 주제가 되는 것이다. 그중에는 도시 근교에 작은 텃밭 농사를 하고 있는 사람도 있어 궁금한 농사법을 물어 오기도 한다.

한 번은 귀농이 주제가 되었다. 도시인들의 농사에 대한 생각은 다양하다. 개중에는 어렸을 때 시골에서 살아 농사경험이 있는 사람도 있고 농촌 봉사활동을 한 경우도 있어서 농업-농촌에 대한 생각과 의견이 없는 경우는 별로 없는 것 같다. 듣건대 도시인들이 농사에 대한 경험이 있고 없고 간에 농사에 대한 생각들은 천차만별이다. 또 아는 것 같지만 잘못 알거나 한쪽으로 치우쳐 있다고 느끼기도 하는데, 그런 사람일수록 목소리가 높고 의견이 강한 것 같다. 오히려 아는 사람은 조용조용 끄덕끄덕 말하는 것을 경험한다. 그날 귀농 문제도 마찬가지였는데 마지막에 나에게 발언 기회가 주어졌다.

애호박

오이꽃

"어이, 삼방재. 자네 의견은 어때? 정리 좀 해 봐."

막걸리로 함께 건배하고 말을 시작했다.

"시골살이하려는 사람이 갖춰야 할 것을 들자면 이것저것 필요한 것이 많지요. 요즘은 서점에는 '귀농'하고자 하는 사람이 미리 점검하고 갖춰야 할 것을 안내해 주는 책도 많아요, 인터넷도 있고, 도움이 많이 되지요. 그렇지만 그 모든 것을 다 갖출 수는 없는 노릇인데 ……." 하고 운을 떼었다.

"귀농할 때, 귀촌할 때도 마찬가지라 생각되는데, 시골살이 잘하려면 딱 두 가지가 있으면 돼요. 두 가지. 두 가집니다. 이 두 가지만 있으면 돼요."

"그래?" 딱 두 가지라니 모두 귀가 쫑긋 선다.

"네, 딱 두 가지요."

조용하다.

"이런 얘기 아무 데서나 들을 수 없는 겁니다. 책이나 인터넷에 성공적인 귀농을 위한 여러 가지를 나열해 놓고 있는데, 틀린 얘기는 아니지만 딱 두 가지로 정리해 주는 사람은 아마 없을 게요."

반응이 괜찮다.

"첫째는 체력입니다. 시골 살려면 건강해야 돼요. 몸 나쁘면 시골 못 살아요. 전원생활에 그치는 게 아니라 작은 땅이라도 농사지으며 살라고 하는 사람은 몸이 좋아야 돼요. 농사짓는 게 사무실 책상 위에서 하는 것이 아니어서 찬 바람 더운 바람 맞아야 하고, 무거운 거 들어 올렸다 내렸다 해야 하고, 농기구·농기계 조작해야 하고, 종일 땡볕에서도 쪼그려 일할 수 있어야 하고 하는데 몸 나쁘면 못 해요. 몸이 안 좋으면 딴 생각 나고 게을러져요. 건강하면 농사일 해 나갈 수 있습니다. 이게 첫째여요."

'으음……. 그건 그래.' 하는 표정들이다. 물론 건강을 헤쳐 공기 좋고 물 좋은 시골에 내려가 건강을 회복하는 경우도 있지만 그와는 차원이 다른 얘기다.

"알겠는데, 그럼 두 번째는 뭐여?"

"두 번째는 시골사람과 어울릴 줄 알아야 합니다. 인간관계지요. 도시사람들이 시골사람에 비해서 일반적으로 시끄럽고 아는 게 많은 체하고 재고 하는 건 사실이잖아요. 물론 시골 사람도 그래요. 하지만 훨씬 덜해요. 왜 그러냐 하면 도시인들이 도시환경에서 살지만 시골 사람은 산 보고 하늘 보고 자연을 대상으로 일하기 때문이지요. 도시 일은 도시인이 잘 알고 시골일은 시골사람들이 잘 알지요. 시골사람과 어울릴 줄 아는 능력에서 제일 중요한 것은 겸손해야 한다는 것입니다. 잘 보여야 떡 한 조각이라도 주는 것 아니겠어요? 잘난 체하고 도시에서처럼 행동하고 하는 사람이라면 주고 싶은 떡 한 조각도 줄리가 없지요. 예뻐 보여야 도움도 받는 거 아니겠어요? 귀농한 사람이 맞는 새로운 환경은 각각 달라요. 잘하는 경우도 있고 그렇지 않는 경우도 있고. 또 마을마다 달라서 어떤 마을은 개방적이지만 어떤 마을은 텃세가 세서 배타적인 경우도 있고…… 이런 환경에 이렇게 해라 저렇게 해라 안내하는 지식은 많은데 내가 생각하는 그중 첫째는 시골사람과 더불어 어울릴 만한 정도로 품성이 있어야 하고 겸손해야 한다는 겁니다. 농사는 몰라도 아는 사람에게 물어 가며 배워 가며 지을 수 있어요. 지금 농촌에 사는 노인세대는 수십 년 농사 지어 온 농부들입니다. 농사 지식보다 농촌에서 마을과 잘 소통하며 지낼 수 있는 것이 중요하다는 얘기입니다. 시골에서는 혼자 똑똑이로 못 살아요. 도시에서는 살 수 있지요, 도시의 특성이 익명성이잖아요. 돈만 있으면 되고, 필요할 때 사람 부르면 되니까…… 시골은 지금은 많이 파괴됐지만 아직도 공동체의 유산을 가지고 있어요. 예컨대 마을 도로나 학교, 저수지를 생각해 보면 도시사람들이 시나 도에서 지어 준 것이라 생각할 수 있지만 이런 시설들은 오랫동안 마을 사람들이 스스로 가꾸어 온 공동 자산인 측면이 강하지요. 내가 있는 인근의 저수지만 해도 1970년대에 정부 도움 없이 온 주민이 나서서 몸으로 흙자갈 날라 만든 것이에요. 도시의 시설은 나 몰라라 해도 시나 도, 구청에서 해 주잖아요. 얘기가 옆으로 샜는데 다시 본 얘기로 돌아가면, 농촌은 도시와 다른 문화를 지니고 있어요. '저사람 참 똑똑하네.'라는 말의 속뜻이 겉과 다른 것처럼, 도시인이 경험하는 시골의 생활과 문화는 도시와는 차이가 있습니다. 그러나 시골사람을 이해하고 어울릴 수 있고 겸손하다면 농촌에 사는 것이 최소한 견딜 만하지는 않을까요?"

봄날과 씨앗

되돌아보니 우수(2월 19일), 경칩(3월 6일)을 지나면서부터 파종과 육묘가 시작됐다. 철이 어김없다. 몇 번의 날선 추위와 찬 바람이 한반도를 휩쓸더니 봄이 성큼 다가왔다. <농가월령가(農家月令歌)>를 지은 다산 정약용(丁若鏞)의 아들 정학유(丁學游, 1786~1855)는 요새 철을 이렇게 썼다.

> 이월은 중춘(仲春)이라 경칩 춘분 절기로다.
> 초륙일 좀생이는 풍흉을 안다 하며
> 스무 날 음청(陰晴)으로 대강은 짐작느니
> 반갑다 봄바람에 의구히 문을 여니
> 말랐던 풀뿌리는 속잎이 맹동(萌動)한다.

언 땅이 녹기 시작하면 땅속 풀나무 뿌리와 생물들이 본능적으로 꿈틀거리고 흙더미 속 씨앗들도 솟아오를 에너지를 모을 것이다. 봄은 언제부터 시작되는가. 낮이 바야흐로 길어지기 시작하는 동지로부터 그 기점을 잡기도 하고, 입춘을 시작으로 삼기도 하고 낮과 밤 길이가 같아지는 춘분을 삼기도 하는데, 태양의 운행으로 보면 동지가 그 시작이라는 데에 난 고개가 끄덕여진다.

봄에는 부지런히 씨 뿌려야 한다. 그러려면 종자를 많이 확보해 두어야 한다. 좁은 한 뼘 땅이라도 무언가 심어 놓으면 한 가족이 먹고 남을 만큼 되돌려 준다. 2~3월엔 파종, 옮겨심기가 계속 이어졌다. 봄이 어디서 오나 했더니 바로 싹 터 오는 씨앗에서 옴을 알겠다. 아래는 2~3월 사이 최근까지의 파종과 옮겨심기가 주요 작업내용이다.

2/8 씨감자 농협에서 인수

2/21 고추, 가지, 상추, 청경채, 쌈채 등을 육묘상자에 씨 뿌림

2/22 하우스에 심을 씨감자 작업

2/24 고추(꽈리, 청양, 풋고추)를 육묘상자에 씨 뿌림

2/28 시금치, 아욱 하우스 밭에 골 뿌림

3/2 하우스 밭에 감자 심음

3/4 토종고추 6종을 육묘상자에 씨 뿌림

3/7 오이, 애호박, 맷돌호박, 파를 육묘상자에 씨 뿌림

3/8 가지 포트 이식 작업 / 가지 2차분 육묘상자 씨 뿌림

3/10 오이, 애호박, 고추 포트 이식 작업

3/11 청경채, 고추(꽈리, 청양, 풋고추) 포트 이식 작업

3/14 방울토마토 육묘상자에 씨 뿌림 / 적상추 포트 이식 작업

3/15 청상추 포트 이식 작업

3/16 토종고추 포트 이식 작업 / 들깨(깻잎) 파종

3/17 밭에 심을 씨감자 작업

3/21 방울토마토 포트 이식 작업

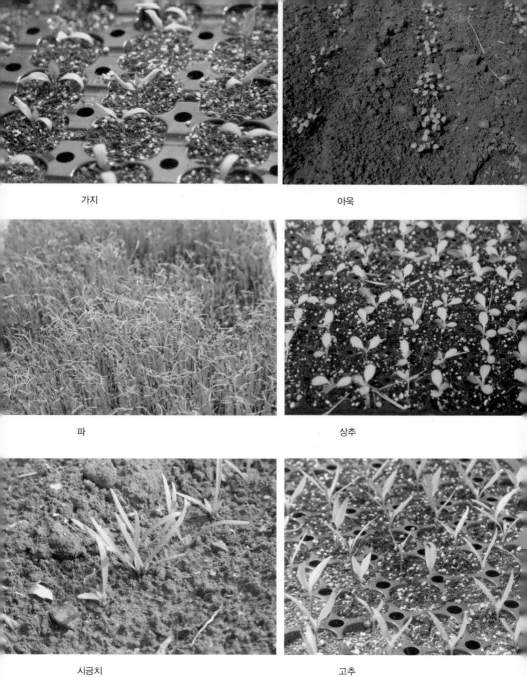

가지

아욱

파

상추

시금치

고추

고추, 가지, 상추, 토마토 등 새싹이 터 올라오는 모습이 작지만 힘차다. 흙을 머리로 이고 밀며 두 손을 모아 힘차게 내밀고 올라선 다음 두 팔을 활짝 펼친다. 마침내 되살아 태어났다는 기쁨의 함성, 활갯짓으로 보인다. 두 장의 떡잎이 하늘을 향해 펼치는 것이다. 태양을 향해 만세 부르는 것 같다. 광합성을 시작한다. 매일 눈에 띄게 자란다. 사람들이 "요놈들 매일매일 다르네."라고 감탄한다. 아침에 만나보면 밤에 쑥쑥 자랐다는 게 느껴진다. 며칠 사이에 빠른 놈들은 벌써 세 번째, 네 번째 잎을 내기 시작했다.

봄의 길목에서 비단 곡물, 채소만이 아니라 초목, 조류, 벌레 등이 깨어나는 것도 볼라 치면 이 모든 것이 눈으로 보기엔 작지만 실로 웅장한 변화다. 깊은 땅 밑에서 올라오는 제례악이다. 곱게 갈아 놓은 땅에도 이끼가 끼더니 풀씨들이 지표면을 뚫고 여린 싹 머리를 내밀고 있고, 얼핏 보면 잘 보이지 않지만 앞산에도 봄빛이 슬금슬금 스며들어 오고 있다.

생명이란 대단한 '괴물'이다. 어떤 씨앗은 바늘귀만 한데 커 나가는 성장을 보면 경이롭지 않을 수 없다. 사람도 마찬가지다. 난자와 정자는 얼마나 작은가.

우리는 아직 이 지구에 최초의 생명이 어떻게 시작되었는지 모른다. 35억 년쯤 전에 '시작되었다'고 추산할 뿐이다. 수십억 년 전에 어떤 계기로 생명이 창조되어 진화하고 합쳐지고 죽고 다시 태어나고 반복해서 오늘날 지구의 생물계를 이루었다고 추산할 뿐이다. 지질학적 연대와 발굴로 나타나는 실증적 증거와 과학적 분석과 상상력이 더해져 생명의 역사를 써 나가고 있는 중이다. 지구 생물종의 하나인 사람의 경우, 사람 조상으로 알려진 오스트랄로피테쿠스 아파렌시스

같은 원시인류도 수백만 년 전, 고고인류학자 도널드 요한슨에 의해 발굴된 두 발로 걷는 '루시'는 약 3백만 년 전으로 거슬러 올라간다. 반면에 육상 식물은 수억 년 전까지 올라간다.

　최초의 생명이 탄생해 오늘에 이르기까지 지구의 나이가 35억 년이라면 생명의 나이는 35억 년이라는 말이 된다. 그동안 지구에는 다양한 생명체들이 번성해 발견된 동식물만 백수십만 종에 달하고, 실제로 지구상에는 천수백만 종에서 수천만 종의 생명체가 살고 있다고 보고 있다.

　그 많은 생명체들이 자라 씨를 맺고 자손을 이어 간다. 사람도 그렇다. 봄날 씨 뿌리고 옮겨 심고 하는 날들이 이어진다. 조그만 씨앗에서 싹이 움터 나오는 모양을 보고 또 본다. 저 자라 오르는 싹들에 35억 년의 생명의 역사가 담겨 있다고 생각하니 범상히 보이지 않는다. '생명'이라는 게 무엇인가.

식육동물과 미생물, 사람 사이의 뒤틀린 관계

－구제역 사태를 보며－

인간이 가장 즐겨 길러 잡아먹는 동물은 단연 '소, 돼지, 닭'이다. 인간이 먹는 고기류가 소, 돼지, 닭 말고도 양, 개, 오리, 사슴, 고래, 곰 등 다양하지만, 이들을 사람들이 가장 널리 먹게 된 것은 그만큼 순화되어 사육하기가 쉽고, 또 이들이 먹는 먹이를 인간이 보다 쉽게 공급할 수 있었기 때문이었을 것이다. 만약 이들이 야수성을 버리지 못하고, 또 광활한 땅에 경작하고 있는 콩, 옥수수 등 곡물로 이들을 사육할 수 없었다면 소, 돼지, 닭을 기르는 기업형 축산은 발전하지 못했을 것이다.

소, 돼지, 닭이 먹는 먹이는 인간이 먹는 식량과 유사하다는 공통점을 지니고 있다는 한 가지 사실을 들춰 보는 것으로도 그 양상은 쉽게 드러난다. 이들에게 주요 사료로 공급되는 콩, 옥수수는 쌀과 함께 인간의 세계 3대 식량에 속한다.

이들이 얼마만큼 인간의 육류로 공급되고 있을까. 정확한 자료는 알 수 없지만 지구에서 기르는 가축 수가 지구 총인구의 3배에 이른다고 한다. 지구 인구를 60억 명으로 치면 적어도 150~200억 마리의 가축이 길러지고 있다는 얘기가 된다. 우리나라의 통계를 살펴보면 보다 실감이 날까? <2009년 2분기 가축동향조사 결과>는 2009년 6월 기준으로 이렇게 제시하고 있다.

> 돼지 사육마릿수 904만 4천 마리/ 육계 사육마릿수 9,998만 3천 마리/ 산란계 사육마릿수 6,114만 3천 마리/ 한·육우 사육마릿수 259만 9천 마리/ 젖소 사육마릿수 43만 9천 마리

이들을 모두 합하면 약 1억 7천만 마리니 한반도 남한 인구의 약 3배를 넘어선다. 앞에서 인용한 세계통계와 크게 어긋나지 않는다. 이러한 사실들이 보여 주고 있는 것은 인간이 소, 돼지, 닭의 육류에 절대적으로 의존하고 있다는 사실을 잘 보여 준다. 참고로 2001년 자료를 빌리면 서울시에서는 하루에 소가 약 1천1백 마리 이상, 돼지가 1만 마리 이상 소비되고 있다고 한다.

지난 20세기 말에서 21세기 초에 일어난 아주 특징적인 사건 중의 하나를 들자면 가축 전염병을 빼놓을 수 없다. 가축에서 발생하는 병은 보통 인간에게로 옮겨지지 않는데 치명적인 가축의 병이 인간에게 옮겨 전염되기 시작한 것이다. 그 전염병 목록은 바로 지금 불안감과 우려를 담은 눈으로 확산을 지켜보고 있는 돼지독감(신종 인플루엔자)을 비롯하여, 광우병, 조류독감, 구제역 등이다. 이 광우병, 돼지독감, 조류독감은 소, 돼지, 닭에서 발병하고 있어서 가장 중요한 가축과 정확히 대응한다. 인간의 육류 먹이로서 가장 크게 의존하고 있는 축산물에서 발생하는 병이 사람에게 옮긴다는 것은 심각한 문제가 아닐 수 없다. 이미 조류독감, 구제역 등에서 경험한 대로 전염병에 감염된 닭, 오리, 돼지 수만, 수십만, 수백만 마리를 집단적으로

학살해 땅에 묻는 지옥 같은 난리를 치르지 않았는가.

연이어 소·돼지·닭에 적색경보가 울리고 있다. 영국에서 시작된 광우병에 걸린 소가 인간에게 전염되는 것이 밝혀져 소에 빨간불이 켜진 데 이어, 조류독감으로 닭, 오리 등에 불이 옮겨 붙더니, 급기야 소위 신종플루(돼지독감), 구제역이라는 유행병으로 돼지에 이르렀다. 세계적으로 가장 중요한 축산물─소·돼지·닭고기─모두가 인간에게 병원체를 옮기게 된 상황이 되고 말았다. 이러한 상황에 대해 그동안 세계는 광우병, 조류독감, 구제역, 돼지독감 등에 대해 원인균에 대한 파악하여 감염경로, 검역, 방역, 치료 등에 허겁지겁 대처해야 했고, 오늘날 현재 진행형으로 전파되고 있는 돼지독감, 구제역에서 보고 있는 것처럼, 예방 노력과 백신 확보에 경쟁적으로 나서고 있고 앞으로의 추이가 어떻게 될 것인지 우려와 불안감이 커지고 있는 현실이다. 인류에게 심각한 위협이 되어 버린 이와 같은 가축전염병이 일으킨 문제에 대해서는 여러 가지 접근과 성찰이 필요할 것이다. 이와 관련하여 때로는 세부적인 접근보다는 전체적으로, 가까이 보다는 좀 떨어져서 살펴보는 것이 유용할 수 있다. 나무보다 숲을 볼 때 산의 모양이 드러나는 것처럼······.

광우병, 조류독감, 돼지독감, 구제역 등을 살펴보면 몇 가지 공통점이 드러난다. 그 공통점의 첫째는, 인류가 기업형·대규모·상업적으로 기르고 있는 식용 가축에서 발생하고 있다는 사실이다. 소·돼지·닭 등 식용가축은 인류가 오랫동안 에너지와 영양 섭취를 의존해 온 대표적 동물들이다. 이들 동물에서 번갈아 가며 반복적으로 위협이 발생하고 있다. 만약 앞으로도 계속 인간에게 위협적인 병원체를 옮기게 된다면 어떻게 될까. 그동안 인간이 대처해 온 방식은 기껏 이들 수많은 산 가축들을 땅속에 대량 매몰하는 일이었다.

공통점의 두 번째는 이들을 사육하고 있는 방법과 양상이다. 이미 병을 일으키는 원인의 하나로 '공장형 축산'이 지목되고 있는 것처럼 수십, 수백만 마리를 공급하고 있는 세계적 기업축산에서 동물은 고기를 만들어 내는 기계가 되어 온 지 오래다. 예컨대 현재 고기를 얻기 위해 사육되는 소는 처참한 생육환경에 처해 있다. 소는 이미 말과 단어로서의 소일 뿐, 생물로서의, 자신 고유의 이름을 지닌 '소'가 아니라 고기를 생산하는 축산공장의 '제조설비'가 되어 버렸다.

공통점의 세 번째는 세균미생물 변이 혹은 특정단백질(프리온) 생성 등 인류가 일찍이 경험하지 못했던 새로운 현상의 반복적인 출현이다. 소의 병이었던 광우병이 인간에게 옮겨진 것에 대해 인류는 경악했고 마찬가지로 조류나, 돼지의 병인 독감이 사람에게 옮겨진 것에 대해 또다시 경악했다. 미국은 멕시코에서 돼지독감이 발생한 불과 2주 만에 공중비상사태를 선포했다. 그동안 식육동물들은 고기의 질과 맛, 기업이윤을 극대화하기 위해 갖가지 항생제와 성장촉진, 육질개선을 위한 호르몬제의 피폭 대상이 되어 왔다. 이러한 동물들에서 신종 병원균이 자라나 증식하고 마침내 종을 건너뛰어 그를 투여한 인간에게 덮쳐 온다는 사실은 두렵고 경악스러운 일이 아닐 수 없다. 이렇게 지구에 드리운 암울한 상황이 의미하는 것은 무엇일까.

사람은 소위 질 좋은 고기를 더 많이 먹기 위해, 기업이익을 위해 동물을 집단적으로 가두어 각종 항생제, 촉진제를 투여하고, 동물에게서는 신종 병원균이 발생하여 인간으로 건너와 전염을 일으키고, 미생물은 인간이 만들어 낸 특이한 환경에 적응해 가면서 새롭게 진화해 가는, 이 역동적인 상호 작용이 의미하는 것은 무엇일까. 이 사람−사육가축−미생물로 연계된 체인이 인류에게 보내는 메시지는 무엇일까. 그것은 바로 이 불공정한, 사람−식육동물−균의 상호 관계를 새롭게 정립하고 바꾸어야 한다는 데에 대한 반복적인 경고가 아닐까. 지구 생태계의 최상의 먹이사슬 정점을 차지하며 번성하고 있는 동물인 호모사피엔스가 동물과 미생물과 가졌던 최소한의 균형의 관계, 너도 살고 나도 살자는 '공생'의 관계로 대접해 달라는 요청, 그것이 아닐까.

비닐을 걷으며

새봄 농사를 시작하게 되면 반드시 해야 될 큰일이 두 가지다. 하나는 씨앗 뿌려 어린모를 잘 기르는 일이고, 또 하나는 밭 준비다. 모종 농사법은 씨앗을 밭에 바로 파종하는 경우가 있고 또 모판에 육묘하여 이식하는 경우가 있는데 어느 경우나 어릴 때 잘 키우는 것이 중요하다는 것은 당연지사 두말하면 잔소리가 될 것이다. 모 잘 키우는 것이 1년 농사의 반이라고 한다. 잘못 키우거나 냉해를 입어 '싹수가 노랗다.'는 말처럼 되면 안 된다.

2, 3, 4월의 봄 날씨는 어느 날은 따뜻했다가 겨울이 다시 오는가 걱정이 들 정도로 기후 변화가 심하고, 봄비가 오는가 하면 눈이 내리고 일교차도 크다. 우뻑지뻑한 날씨에 육묘장의 온도관리를 잘못하면 동해를 입거나 농사를 망칠 수 있다. 지금 농촌에서는 봄 작물을 밭에 심거나 비닐하우스 안 육묘장에서 밭에 내다 심을 모종을 정성껏 기르고 있다. 밭에 심은 작물은 비닐로 덮고 육묘장에는 보온덮개와 비닐을 밤낮으로 덮고 벗겨 준다.

밭 준비는 지난해 농사지어 먹은 밭을 올해 농사지을 수 있도록 작업을 해 놓는 일이다. 거름 뿌리고 로터리 치고 두둑을 만드는 일이 주된 일. 이 일을 마치면 밭 준비는 된 셈이다. 지금 심는 작물은 감자가 많은데 준비된 밭에 씨감자를 넣고 비닐로 두둑을 덮는 일이 한창이다. 봄날 마주치는 아름다운 정경이다.

올해 농사지을 밭이 천 평이 늘었다. 지난해 지은 밭은 이미 일찍 밭 정리를 마쳤지만 이 밭은 밭 정리가 되어 있지 않아서 서둘러 작업해야 했다. 지난해 옥수수와 배추를 심은 밭인데 아직까지 비닐을 거두어들이지 않아 맨 먼저 해야 할 일은 비닐을 걷어 내는 일이었다. 그러고 나면 거름 뿌리고 땅 고르고 두둑 만들어 남은 씨감자를 넣을 셈이다.

밭의 비닐 걷는 일도 간단한 일은 아니다. 흙에 파묻힌 비닐은 잘 걷히지 않고 또 햇볕에 삭아 탄력을 잃어 갈기갈기 찢어지는가 하면, 특히 옥수수를 심은 밭은 옥수수 뿌리 밑동이 비닐을 붙잡고 있어서

감자 심는 풍경. 남자 2명 여자 7명이 역할을 분담하여 작업하고 있다. 가끔 아주머니들 웃는 소리가 들린다.

너덜너덜 찢겨 나가 비닐이 남게 된다. 신경 써서 거둔다 해도 밭에
는 보기 싫은 비닐 잔해가 남게 되기 마련이다.

그래서 거두고 미처 수거하지 않은 비닐이나 조각은 세찬 봄바람
이라도 불게 되면 주변 산하로 흩어져 날린다. 길게 늘어진 비닐은
나뭇가지에 걸려 만장처럼 휘날리고, 전봇대 전깃줄에도 걸려 누군가
가 거두어 주기를 기다리고, 냇가로 날아간 비닐은 물이 불어 흐르면
천변 나뭇가지와 바위 여기저기에 걸려 바람에 부대낀다. 시골풍경을
을씨년스럽게 만들고 만다.

밭에 비닐을 덮게 되면 몇 가지 효과가 있다. 첫째는 보습효과. 땅
으로부터 수분 증발을 막아 주기 때문에 작물 생육에 절대적인 습기
를 유지해 준다. 두 번째로는 보온효과. 봄철, 특히 일교차가 심해서
비닐을 덮어 주게 되면 추위와 눈의 피해를 줄일 수 있다. 처음 비닐
을 사용하게 된 이유는 보온, 보습효과 때문이 아니었을까 생각한다.

세 번째는 일찍 심어 생육 시기를 앞당길 수 있기 때문에 일찍 수확해 판매할 수 있다. 네 번째는 풀 관리 때문이다.

농사에 비닐을 사용하게 된 것은 처음에는 보온, 보습, 생육시기 조절이 주요 목적이었을 것 같은데 지금은 그에 못지않게 네 번째의 풀 관리가 빠지지 않는 목적이 되었다. 비닐을 덮게 되면 풀이 올라오지 못해 풀 매는 노동을 크게 경감해 주기 때문이다.

풀은 여름 농사의 가장 힘든 상대다. 아무리 열심히 풀을 매도 자라 오르는 풀을 이길 수는 없고 기권패를 안 당하는 게 최선이다. 판정승은 없다. 풀 죽이는 풀약(=제초제)을 사용하면 제초 노동을 줄일 수 있지만 풀약을 치지 않는 농가는 풀과 벌이는 씨름이 난제일 수밖에 없다. 그래서 친환경 농사를 짓는 농가의 경우에도 비닐을 덮지 않고서는 감당해 낼 수 없기 때문에 대부분 두둑은 비닐로, 골은 부직포로 덮는다.

이런 몇 가지 이유로 지금 농촌에서는 거의 모든 농가가 비닐을 사용하는 것이 일반적 관행으로 되어 있는데, 전국적으로 사용하는 양을 계산해 보면 실로 상상을 초월하는 수준이 될 것이다. 다행히, 거둔 폐비닐은 마을마다 적치장이 있어서 수거하여 재활용을 하고 있다.

현실적으로 볼 때 농사에 비닐은 불가피해 보인다. 과다한 비닐을 사용하고 싶지 않지만 어쩔 수 없다는 뜻이다. 비닐 값도 비싸다. 농사에 투입되는 주요 농자재와 에너지는 철과 석유류이고 현재 자본주의가 석유(의존) 문명인데 농업이라고 비켜 나갈 수 없다. 유기농업을 지향하는 농가의 경우 비닐 아닌 짚이나 낙엽 등을 이용해 땅을 덮어 주기도 하지만 재배면적이 늘어 가면 노동력을 감당해 내기가 어렵다.

지난해에는 밭두둑과 골에 한 곳은 낙엽과 짚, 또 다른 곳은 아무것도 덮지 않은 맨땅 그대로, 나머지 밭은 비닐과 부직포를 이용해 보았는데, 비닐과 부직포를 덮지 않고서는 여름철 풀 관리가 불가능했다. 제초제를 쓰지 않는 데 위안을 삼을 수밖에 없었다. 올해도 지난해처럼 유사한 경험을 하게 되겠지만 사정이 크게 달라질 것 같지 않다.

철들어 가지요

농사짓는 일이 쉽지 않은데 무슨 힘으로 해마다 농사일을 반복할까. 농사져 살기 힘들다, 농산물 팔아 사람 노릇 못 하고 산다 하는 것도 또 그 얘기고, 상품·비즈니스 경쟁이 지배하는 사회에서 농업의 가치 운운하면 어떻다 저떻다 하는 것도 "이젠 됐고요."라고 돌림을 당할 것 같다. 농부도 다른 도시 직업과 마찬가지로 경쟁력을 갖춰야 한다는 생각이 응당한 생각이 되어 가고……. 이리저리 생각해 볼진대 도시에서 살아가는 것도 농사짓고 사는 것 이상으로 어려운 세상이 된 탓일 것이다.

도시살림도 갈수록 어려워진다. 취업도 어렵고 퇴직도 겁난다. 장사, 사업도 쉽지 않다. 일자리 잡기가 힘들어진다. 새로운 인생 걸음을 시작해야 할 젊은 청년들이 전전긍긍 취업문제로 시달린다. 갈수록 도시는 경쟁이 치열해진다. 이기는 법을 배우고 가르친다. 탈락하지 않고 살아남아야 한다. 가족주의가 생활을 지키는 마지막 보루가 되어 간다. 시골을 버리고 대도시로 떠나온 이농대열이 우리 현대사인데 이젠 도시도 이미 콩나물시루가 되었다. 도시, 농촌 할 것 없이 모두 힘들어졌다.

농촌의 인구가 줄곧 줄어 왔다. 사람들이 도시지역으로 떠난 탓이다. 지금도 줄고 있다. 살 만하면 떠나지 않았을 것이다. 농촌에 살더라도 농사짓지 않은 사람이 늘어 간다. "힘들고 돈이 안 된다."는 게 이유다. 특히 아이 기르고 학교 보내고 돈을 벌어야 하는 젊은 세대들이 농촌에서 살기가 힘들어서 젊은 세대 보기가 어렵다.

그런데 농민은 무슨 힘으로 농사일을 버티고 사는가? 다른 일을 찾아 떠나지 못하고 오라는 데 없어서 눌어붙어 농사짓는다고 하는 말도 일견 진실이다. 지금도 농사져 자식 대학교 보내 졸업해서 시골로 와 농사짓겠다고 하면 "내가 너 농사지으라고 이 고생하며 가르쳤냐?"고 집안 소리가 나는 세상이다. 그러나 농사를 천직으로 알고 시골집과 터를 지켜 온 사람도 적지 않다.

사시사철이 있어 그러는 것 같다. 농사가 봄, 여름, 가을, 겨울 철 따라 가는 거여서 그런 것 같다. 농사일이 갇힌 콘크리트 사무실 같은 곳에서 이루어지거나 컨베이어 돌아가는 제조업 공장과 같은 노동이라면 계속되기 어려울 것이라는 생각이 든다. 흙냄새 맡고 물맛 보며 꽃 피고 지고 바람 부는 공간에서 이루어지는 노동이라서 그런 것 같다. 만약 농사가 닫힌 공간에서 하는 일이라면 지금의 농민 수입에서는 이루어지기 어려울 것이다. 철 따라 가기 때문에 농사가 간다. 매일 매월 철드니 간다. 봄 다르고 여름, 가을 다르니 철 맞춰 간다.

어제(4월 5일, 식목일·청명)는 종일 천 평 밭에 감자와 옥수수를 심었다. 두 사람이 작업 지원을 와 주어 한결 일 속도가 붙었다. 사람이 많아지면 일에 가속도가 붙는다. 일에 손발이 맞춰져 능률이 오르고 협동이 돼 신바람도 더해지기 때문이다. 일을 하려면 협동해야 한다.

오늘(4월 6일, 한식)은 8백 평 밭에 종일 거름 뿌리고 두둑 작업을 했다. 원래 물이 많고 전에 논으로 쓰던 땅이라서 질어 비 오면 다시 들어갈 수 없을 게 분명하기 때문에 비 오기 전에 로터리 치고 비닐 씌워 다음 작업을 할 수 있도록 해 놓아야 했다. 일기예보에 의하면 내일 비가 종일 전국적으로 내린다고 한다. 반나절은 거름 뿌리고 반나절은 두둑 만들어 비닐을 씌웠다. 생각보다 작업 시간이 많이 걸려 어두워져서도 마무리 짓지 못했다.

내일 비가 온다는 기상예보 때문에 요사이 며칠 농가들의 발걸음이 더욱 분주해졌다. 눈에 띄게 밭에 일하는 사람들과 오가는 농기계와 차량 이동이 늘었다. 비 오기 전에 일을 마무리해 두기 위해서다.

내일 내리는 비는 반가운 봄비다. 그런데 일본 후쿠시마 원자력발전소 폭발로 발생한 방사능 물질이 바람 타고 날려 와 비에 섞여 내린다고 하여 전국이 심란하다. 대지를 촉촉이 적시며 봄꽃, 새잎, 산나물 쑥쑥 자라 오르게 해 줄 고마운 봄빈데 내리기도 전에 걱정의 비가 되고 말았다.

흙의 상태가 농사 잘 짓느냐 못 짓느냐를 결정한다

4월은 청명(4월 5일), 곡우(4월 20일)가 들어 있는 절기답게 밭농사로 분주한 봄날이다. 벌써 4월 말이니 5월 6일 입하가 코앞으로 다가왔다. 여름이 머지않다. 마당, 앞뒷산, 냇가, 논밭둑, 들길에도 초목, 애벌레, 곤충, 새들의 움직임이 점점 활발해지고 있다. 산수유, 개나리, 매실, 벚나무들이 꽃을 피웠고, 들깨 모종에는 벌써 유충이 꼬여 잎이 꼬부라지기 시작했다. 냇가에도 피라미, 참모조가 놀기 시작하고, 풀벌레가 소리 연습하듯 운다. 아직 침이 단단해지지 않아 물지 못하지만 모기도 출현했다. 아직 소쩍새는 조용하다. 낌새가 없다. 언제 오나 기다리고 있다. 소쩍새 울면 봄이 마무리될 것이다.

봄날 3~4월간에 씨 뿌리고 심은 품목이 꽤 된다. 감자, 옥수수, 아욱, 시금치, 상추, 청경채, 얼갈이무, 호박, 파, 오이, 메론, 고추, 가지, 방울토마토, 들깨 등. 올해는 작년에 비해 육묘를 많이 했다. 조만간 60여 종의 볍씨를 소독해 눈 틔어서 모판에 파종하면 4월의 농사일정이 마무리될 것이다.

아욱과 시금치는 수확했다. 각 80, 100킬로그램 정도. 지난 2월 28일 파종했으니 50여일 만이다. 네 명의 아주머니들이 작업을 와주어 밭에서 거두어 포장까지 마무리했다. 수확 다음 날 곧바로 '꾸러미' 회원들에게로 보내진다. '꾸러미'란 매주 혹은 격주 간격으로 친환경 농산물을 회원들에게 택배로 보내는 농산물 직거래 방식이자 상호 유기적 관계로 맺어지는 소통공간이다. '꾸러미'는 흙살림 회원농가와 이곳 농장에서 생산된 채소, 과일, 발효식품, 달걀, 간식거리, 음료, 두부, 각종 가공식품 등으로 짜인다. 철 따라서 품목이 변화하고 회원들과 함께 꾸러미해 가는 경제, 문화 활동이 알차기 때문에 평판이 좋다.

농사는 자연을 대상으로 전개된다. 생산활동 중 가장 중요한 자연의 요소는 바로 '흙'이다. 태양, 공기, 물도 없어서는 안 되고 자본, 노동도 없어서는 안 되지만, 흙은 무엇보다 식물이 뿌리를 내리고 유기물, 무기물 등 영양요소와 생리화학물질, 효소 등을 흡수한다는 점에서 그 위치는 절대적이다.

흙은 미생물 덩어리다. 세균, 방선균, 곰팡이가 우글우글 산다. 그 개체 숫자가 얼마인지는 상상을 초월한다. 막 양치질을 끝낸 입 안에 박테리아가 적어도 수백만 개체가 살 정도로 미생물은 많은데 각종 유기물이 섞인 흙 속에는 얼마나 많겠는가. 건강한 흙 1그램 속에는 유익한 미생물이 약 2억 마리 정도가 살고 있다고 한다. 그리하여 좋은 흙을 판별하는 데에는 세균의 풍부함 정도가 유력한 지표가 되는데, 농약, 제초제, 화학비료를 과다하게 쓸수록 그 숫자가 줄어들어 '죽은 흙'이 되어 갈 수밖에 없다.

흙이 좋은지 어떤지는 만져 보거나 눈으로 보아도 어느 정도 알 수 있는데 나쁜 흙일수록 악취가 나고 단단하고 해로운 미생물이 산다. 좋은 흙일수록 냄새가 좋고 부드럽고 이로운 미생물이 산다. 흙이 좋으면 식물은 수많은 미생물이 분비한 토양 내 각종 효소, 비타민, 생리화학물질, 아미노산, 핵산 등이 비료를 안 줘도 흡수하게 되고, 자기방어능력이 향상되어 내병성이 커지고, 토양 내 병원균 증식을 억제하여 식물 병을 예방할 수 있기도 하다. 식물과 미생물은 흙을 매개로 서로 같이 살고 있다. 미생물은 토양 중 무기양분을 흡수하여 식물에 주고 그들은 유기물을 식물로부터 제공받는다. 또 한편 생각해 보면 흙은 사람의 고향이다. 죽으면 흙 성분이 된다. 우리 몸을 이루는 물질 대부분이 흙에서 오고 흙으로 돌아간다고 생각하면 흙을 대하는 태도가 달라지지 않을까. 흙을 매개로 물질과 에너지가 순환되는 것이다. 따라서 농사꾼은 자신이 경작하는 흙을 알아야 하고 상태를 느낄 수 있어야 한다.

화학비료가 일반화되기 전에는 흙에 주는 영양제(=퇴비)를 만들어 썼다. 손님, 친구, 이웃이 모이는 사랑방 가까운 곳에 치간과 오줌통을 두었다. 지금에야 옛이야기지만 오줌, 똥은 자기 집에 돌아와 누었고, 사랑방 사람들에게 술, 밥을 내놓고 배불리 먹고 놀다 싸고 가라고 덜 볶은 콩을 대접하기도 했다. 비료가 그만큼 소중했기 때문이다. 남이나 이웃에게 수확한 곡식은 줘도, 거름은 주지 않았다.

땅에 농사지어 땅을 뺏어 먹었으면 최소한 그만큼은 보충해 주어야 한다. 뺏어 먹기만 하면 땅은 황폐화된다. 문제는 친환경 유기비료를 사서 쓰기에는 돈이 많이 든다는 점이다. 그래서 많은 농민들은 직접 만들어 쓴다. 대표적인 게 퇴비와 액비다. 농사지으려면 재배법, 작물관리요령도 중요하지만 그에 못지않게 흙 관리가 중요하다. 작물마다 요구하는 토양 성질도 다르다. 흙을 살리고 좋게 만드는 것은 오래 걸릴 수 있다. 쉬운 일은 아니다. 바로 되지 않는다. 흙의 상태야말로 농사를 잘 짓느냐 못 짓느냐를 결정한다. 농사지으려는 사람에게 흙에 대한 이해는 절대적이다.

소쩍새 돌아온 날

일을 마치고 저녁밥 먹기 전, 툇마루에 앉으니 마당 둘레에 핀 벚나무, 개나리, 명자나무 꽃이 절정이다. 벚꽃 잎이 떨어져 눈 내리듯 마당을 덮고 있고, 명자나무 꽃은 빨갛게 타는 듯한데 그 색깔을 글로 나타낼 재주가 없는 것이 애석하다. 개나리꽃 역시 온 힘을 쓰고 있는 것이 역력하여 구슬땀에 배인 잎이 돋아 나오며 노랑 꽃잎을 가려 가고 있다. 봄이 가고 있는 것이다.

산은 요즈음 가장 예쁜 모습이다. 벚나무, 진달래 등 꽃나무와 소나무, 낙엽송 무리가 철 만나 점점이 제 색깔을 내고 매실, 배, 복숭, 사과나무가 꽃을 피우기 시작하며 산허리를 덮어 가니 봄빛 물들어 가는 산은 날마다 새 모습을 보여 준다.

그러나 아무리 좋은 것도, 오래 보고 있다 보면 질리고 심드렁해진다. 종종 하루 일을 끝내면 그럴 때도 있지만 오늘 툇마루에 걸터앉은 내 마음은 일 저지르고 꾸중 맞은 아이처럼 다소 처져 있어서 더 그런 것 같다. 그럴 즈음, 내 귀청과 청각신경을 자극하는 소리가 들렸다. 새 울음소리다. 소쩍소쩍 소쩍새가 왔다! 지난해 늦가을까지 저녁 밤중 아침 간을 거르지 않고 울던 소쩍새가, 드디어 오늘 저녁 왔다. 반갑다. 언제 오나 기다렸는데, 때 되니 찾아왔다.

요즈음 한창 밭일이 바쁘다. 봄을 뒤쫓아 다닌다. 쫓아가도 봄은 자꾸 일을 만들어 놓고 저만치 앞서 간다. 심고 덮고 옮기고 갈고 북주고 풀 맨다. 오늘도 하루가 지나갔는지 모르게 지나갔다. 일하다 허리 펴서 하늘 보면 지나간 일 떠올라 머리 흔들고 다시 앉으면 놓쳐버린 세월과 눈앞의 이해가 다가섰다.

오늘 지게를 졌다. 40킬로그램 정도 되는 거름 포대를 밭에 옮겨야 하는데 차도 못 들어가고 수레 이용도 불가능했다. 이웃 농가에서 지게를 빌려 왔다. 함께 일하는 동료는 어릴 때부터 농사일로 잔뼈가 굵었는데 오늘 내가 지게를 져 보겠다고 나섰다.

"지게 내가 집니다. 괜찮지유."

지게에 거름 포대를 들어 올려준다. 그러나 무릎 펴고 일어서기가 마음처럼 쉽지 않다. 거름 올린 지게가 중심을 못 잡고 비틀거린다. 몇 번 하니 일이라는 게 해 볼수록 느는 것이어서 몇 번 왕래하며 일 요령이 붙어 간다.

"이 정도는 두 짐 정도는 져야지요. 해 볼 테유?"

"첨부터 너무 잘하면 안 되잖아유."

그런대로 일이 줄어 간다. 작업도구가 기계화돼 간다지만 지게 쓸모를 새삼 느낀다. 농사일이 기계화되었다지만 아직도 지게 쓰임새가 많다. 반이 넘어 네댓 개가 남았다. 그런데 일이 생기고 말았다. 거름 포대를 지게에 덜컥 올려놓다가 그만 지게가 옆으로 쓰러지고 말았다. 할 만하다고 생각 들 때 더욱 마음 쓰며 잘해야 하는데…… 넘어진 지게를 세워 일으켰는데 가로지른 막대가 부러져 있다. 부러진 곳 때문에 이리저리 돌려 세워 보지만 힘을 못 쓴다. 부러진 곳 때문에 더 이상 지게를 지지 못하게 되고 말았다. 빌려 온 지겐데 사고를 냈다.

"세장이 부러졌네."

지게를 본 동료가 말했다. 난 그가 한 말을 알아듣지 못했다.

"방금 뭐라고 했어요?"

"세장이 부러졌네유."

또 알아듣지 못해 거푸 물었다. 몇 번 물어 알아들어서, 내가 부러뜨린 지게 부분 이름이, 바로 '세장'이라 부른다는 것을 알았다. 나중에 알게 됐지만 '세장'이란 '지게의 두 다리 사이에 가로 박아 맞추어 놓은 나무'를 일컫는다. '세장'은 일반적으로 4~5개를 지게다리 사이에 박고 각각 '윗세장(까막세장), 밀삐세장, 허리세장, 밑세장(아랫세장)'이라 부른다. 부러뜨린 세장은 바로 세장 중 맨 아래인 '밑세장'인 셈이다. 밑세장에는 등태와 밀삐(멜빵)를 거는 곳이니 이곳이 부러져서는 지게 역할을 제대로 할 수 없음은 당연하다. '등태'는 짚으로 두툼하게 짜서 등이 아프지 않도록 한 등받이이고 '밀삐'는 짚으로 엮은 어깨에 메는 끈이다.

참고로 지게 부위는 이 외에도 '세고자리, 지게가지, 탕개줄, 목발' 등이 있고, 지게에는 '쟁기지게, 거름지게, 물지게, 쪽지게, 옥지게, 거지게, 제가지지게, 바지게, 두구멍지게, 컨지게, 쇠지게, 모지게' 들이 있다. 지난 시절 지게는 농사일과 서민생활을 지탱해 주었다. 사용용도와 지역, 제작방법에 따라 지게 구조와 모양, 크기가 아주 다양했다. 이제 지게가 퇴장한 시대이지만 오늘을 계기로 생각해 보니 지게만 사라진 게 아니라 함께, 말도 사라졌다. 난 지게라는 한 단어만 알았지 지게에 이렇게 많은 말이 있는지 몰랐다. 비단 '지게'뿐만 이겠는가. 그 말이 사라진 빈자리를 무엇이 채우는가.

지게가 고장 나서 어쩔 수 없이 거름을 등어깨에 지고 올려 일을 마무리했다. 일 마치고 나니 망가뜨린 지게를 되돌려 주는 일이 남았다. 슬쩍 모른 채 놓고 갈 수는 없고 당연히 부서졌다고 얘기를 하고 가야 할 것이다. 전화로 사정 얘기를 하렸더니 마침 일 마치고 돌아오는 중이었다. 섣불리 생각해 보면, 그 까짓것 낡은 지게 짧은 막대기 하나 부러진 것이어서 만들어 바꿔 끼면 되리라 생각할 법도 하다. 그러나 농사기구는 흔한 호미나 낫, 곡괭이도 목수가 다루는 끌, 대패, 톱과 진배없는 것이어서 함부로 생각할 게 아니다. 더욱이 공장에서 나오는 제조품이야 부속을 사서 한다 하지만 직접 만들어 쓰는 농사도구는 값으로 대신 안 되는 무언가가 있음을 나는 알고 있다.

"일하다 지게를 망가뜨렸네요. 어쩌지요. 죄송합니다."

지게 아래세장이 부러진 것을 보고 말했다.

"어쩔 수 없지. 일부러 그런 것도 아니고 일하다 그런 것…… 내일 당장 써야 하긴 하는데……."

화제가 다른 데로 돌아갔다. 요즘 철 바쁜 농사에 대한 얘기가 오고가고 다른 마을 얘기도, 궁금한 안부도 오고 갔다. 그래도 지게가 마음에 걸렸다.

"내일 쓰시려면 오늘 지게 고쳐야겠지요?"

"그래야겠지. 적당한 나무가 있을지 모르겠네. 깎아 넣으면 되니까. 생나무가 아니고 마른 나무가 있어야 돼. 안 그러면 만들어도 지게가 덜그럭거려유."

"……."

"아무튼 내일 밭일 져 나르려면 고쳐 놓아야지. 하나하나 들고 나를 수는 없는 노릇이니. 괜찮아유. 오늘 일 힘들었지유. 피곤할 텐데 얼른 돌아가 쉬셔유."

돌아와 쉬는 날 밤에 올해 들어 가장 큰 비가 왔다. 새벽까지 밤새 천둥이 울고 번개가 번쩍였다. 비 때문인지 다음 날 아침 소쩍새 소리를 듣지 못했다.

5월의 단상

5월 어느 날. 일이 밀려 뒤늦게 논에 거름을 뿌렸다. 곧 있을 모심기 전 미리 해 놓아야 할 작업이다. 천 평 논에 20킬로그램들이 퇴비 75부대를 뿌렸다. 손으로 져 날라 뿌렸다. 논을 갈아엎고 물을 댄 논에서 첨벙첨벙 왔다 갔다 일하다 보니 옷은 진흙투성이가 됐다. 일 마치고 늦은 오후에 괴산의 상갓집을 다녀와야 해서 미리 준비해 간 옷으로 논둑에서 갈아입고 문상을 갔다.

문상 마치고 나왔는데 한 동료의 신발이 없어졌다. 몇 번 기다리고 찾아봐도 없는지라 그의 표정이 곱지 않게 됐다. 나도 모임에 갔다가 신발을 잃어버린 적이 있는데 그런 일을 당하면 참 곤란하고 맘 언짢기 그지없다. 저녁 늦게 어디 가서 신발을 살 수도 없는 노릇이고……

"다른 거 하나 신고 오면 돼잖아유."

상갓집 슬리퍼를 끌고 있는 그에게 내가 말했다. 그는 또다시 혹시나 하고 신발 찾으러 들어갔다. 얼마 후 다시 나왔다. 그는 여전히 슬리퍼를 신은 채였다. 그는 그대로 문상을 마치고 집으로 돌아갔다.

다음 날이었다. 오전 일 마치고 점심 먹으러 가는 길에 다른 얘기

중 우연히 그 일이 입에 올랐다.

"어제 보니 양심적이데유. 나 같으면 다른 신발 신고 나왔을 텐데유."

입방아를 냈다. 1톤 작업 트럭으로 논길을 달리고 있었다. 말이 이어졌다. 다시 또 한 사람이 말했다.

"왜 넘 슬리퍼 신고 나왔어유? 맨발로 나와야지."

"……."

"맞아! 그 슬리퍼 장례식장 거잖아유. 자기 것도 아님서 장례식장 거를 왜 신고와유."

"그 사람 참 몹쓸 사람이네. 말도 없이 넘에 슬리퍼를 신고 오고."

"……."

함께 웃었다.

5월은 생명력이 왕성한 달이다. 초목, 곡식, 철새, 곤충, 벌레 말할 것 없이 뭇 생명이 있는 힘을 다해 몸을 키운다. 이른 봄에 피던 꽃도 싸목싸목 시들어 가고 그 자리를 산야의 들꽃이 이어 피면서 자연풍광이 어지러울 만큼 화려하게 펼쳐진다. 4월 하순 곡우가 지나 5월 초가 입하였으니 철은 진즉 여름으로 들어섰다. 칙칙한 무거운 옷을 버리고 반팔 반바지 옷이 등장하고 여인들의 옷차림이 철을 앞지른다.

농사도 바쁘다. 땅내를 맡은 작물들이 쑥쑥 자라 오르는 것을 잡초가 싸워 이겨 가니 김매고 북주기를 부지런히 해 가야 하고 잘 자라도록 마음 써야 한다. 논 모내기도 때맞춰 차근차근 준비해 놓아야 한다. 논 갈아 놓고 규산질 비료와 퇴비 뿌리고 모 물 관리를 매일 해 준다. 병해, 충해 발생도 시작돼 예방관리를 시작해야 한다. 5월은 어느 때보다 땅 위로 올라선 생명들의 자라 오르는 힘이 무지막지 센 철이다. 5월의 자연은 누군가 마치 센 입김으로 풍선을 불어 팽창시키듯 풍만해지는 것처럼 느껴진다.

5월이 되면 비도 잦다. 초순에는 오후 늦게부터 내리기 시작한 비가 3일을 줄곧 쏟아졌다. 3~4월의 비는 봄비라 하여 사람들의 심지와 정서를 적시고, 시와 노래의 주제가 된다. 라디오에서도 때 맞춰 봄비를 주제로 감미로운 대중가요 가락이 흘러나온다. 무엇보다 봄비는 땅을 스며들어 적시며 겨우내 언 땅을 녹인다. 그러나 5월에 내리는 비는 대접을 못 받는 것 같다. 사람들에겐 이미 봄맛이 안 나고 농민들에겐 자주 오거나 많이 오면 농사 일정이 꼬이고 늘어지기 때문인 것 같다.

비 오는 날에는 비닐하우스 안에서 일한다. 볏짚 깔고 풀 메고 물 주고 고추말뚝 박고, 비가 잠시 약해지면 삽자루 들쳐 메고 물꼴 살피러 나가기도 하고…… 하우스가 1천 평인데 고추, 감자, 채소류를 심었다. 비 오는 날 비닐하우스 내 작업은 특별한 감성을 불러일으킨다. 하우스 내 작업을 별로 좋아하지 않지만 비 오는 소리 들으며 비 내리는 오는 들녘을 내다보면 맑은 날과 다른 즐거움이 없진 않다. 비는 하우스 비닐을 두드리듯 쏟아진다. 그 소리가 유난히 크게 들린다. 비닐에 부딪치기 때문이다. 약하게 내린 비도 하우스에서는 큰 비 오는 것처럼 들린다. 비는 얇은 비닐을 두드려 진동을 일으킨다. 바람과 함께 몰아치는 풍우는 파동을 치듯 하우스 지붕을 두드리며 달려간다. 그 소리가 마치 실내 음악당에서 감동적인 공연을 듣고 관객이 치는 박수갈채 소리 같다. 계속 이어지는 박수소리. 우렁찼다가 약해졌다가 다시 되살아나는 빗소리가 경기장의 박수소리처럼도 들린다. 그런 소리를 들으며 일하다 보면 이 생각 저 생각 이어진다. 빗소리가 머리를 두드리는 것 같다.

마음을 아프게 하는 일이 또 벌어진다. 농민들이 배추밭 모판 갈아엎는다는 기사, 사진, 영상이 뉴스가 됐다. 시장 가격이 떨어져 농사 원가도 안 되기 때문이다. 농산물 가격이 폭락하면 운임비는 고사하고 포장박스 값도 안 나온다. 돌이켜 보면 수확기 일어나는 농산물 폭락은 농촌이 치르는 연례행사. 가격 지지가 안 되기 때문이다. 그래서 지난 시절 쇠고기 수입개방으로 소를 거리로 몰고 나오고, 양파, 배추를 갈아엎고, 아스팔트 광장에 쌀을 뿌렸다. 시위였다. 스스로 지은 곡물, 애써 기르는 동물을 뿌리고 내몰고 나오는 것이 좋은 일은 아니다. 오죽하면 저러랴 하는 마음이었을 것이다. 그 일이 모습은 바뀌지만 지금도 벌어진다. 그러나 사람에 따라서는 자본주의 사회에서 상품이 시장에서 가격이 움직이는 대로 결정되는 것이 당연한 것이라고 생각한다.

이 나라에서 농사지어 먹고살기 힘들다고 만나는 사람마다 같은 말이다. 특히 벼농사 지어서는 더 그렇다. 논 만 평 지어도 조수익 2천 수백만 원 선이다. 중·소농은 더욱이 뾰족한 묘방이 나오지 않는다. 농업은 상시적인 공황상태다. 그래서 갈수록 농사 포기가 늘어 가 농촌에 사람이 줄어 간다.

근래 논은 밭으로 바뀌어 간다. 논이 수익이 안 되니 밭으로 전환해 과수나 밭작물을 짓는다. 현재 쌀 생산만은 남한 국민이 먹을 만큼의 자급자족 수준인데 수입쌀이 밀려 들어와서 생산을 줄여야 하는 상황이 이어진 결과다. 논농사 대신 밭작물 수익이 좀 더 나으니 전환하지만 그 역시 소득 맞추기가 쉽지 않다. 경쟁도 심하다. 생산이 많으면 가격이 떨어지고 적으면 또 가격을 떨어뜨리기 위해 수입한다. 논을 줄이고 밭으로 가면 그 역시 바람직한 현상이 아닐 것이다.

세 끼 배 속을 채우는 주곡이 쌀농사인데 벼농사 지어 살기 힘들다는 게 어찌 제대로 된 모습인가.

때는 논농사 모내기철로 접어들었다. 언제부터인가 모내기는 농촌만의 일이 되었다. 쌀의 갈 길이 어디인가. 우린 '소로리 볍씨'로부터 본다면 1만 5천 년을 이어 온 벼의 역사를 갖고 있다.

모내기 마치고 '상자논'을 심고

모내기를 마쳤다. 하우스에서 육묘한 모를 논에 모두 심었다. 이제 벼가 잘 자라도록 물 관리를 잘 해 가면 된다. 벼농사와 물은 뗄 수 없는 관계다. 이삭이 여물어 수확할 때까지 물 관리는 쌀농사의 핵심 기술이다. 재배기원에 의하면 벼는 본래 습지에서 자라던 식물이기 때문에 이삭이 여물 때까지 전 기간을 물이 담긴 상태에서 자란다. 물을 많이 필요로 하지 않는 밭벼도 있지만 재배면적은 아주 적다.

모내기하고 모가 적지 않게 남았다. 남은 모를 품종별로 추려 가져와 스티로폼 상자에 6월 9일 심었다. 두 개 상자에 각 3줄 15포기씩 30포기, 30품종을 심었다. 5월 말, 6월 초는 모내기철이어서 모내기를 마무리하고 남은 모를 추려 심었다. 천 평 논에는 찰벼를 5월 26일에 이앙기로 심었고 삼방리 포장에는 6월 초순에 70여 종의 벼를 손모내기로 심었다. 모는 지난 4월 30일 볍씨를 파종해 육묘해 온 것이다. 지금 시절에 논은 심은 모들이 흙내를 맡아 땅심을 먹으며 한창 가지치기(분얼)를 시작하고 있다.

스티로폼 상자 논을 가꾸는 것은 좋아서다. 가까운 곳에 놔두고 아침저녁으로 자라는 모습 보면서 느끼는 재미가 쏠쏠하다. 벼는 물 관리를 해 주면 잘 자란다. 재배가 까다로운 식물이 아니다. 6월에 모를 심어 기르면 늦가을까지 볼 수 있으니 원예용으로도 좋다. 벼를 심어 보시라. 늘 먹는 것이 쌀밥인데 이 또한 심어 볼 만한 까닭이 되지 않겠는가. 이 상자 논은 비록 몇 분의 일 평에 불과하지만, 또 나가면 들에 논이 펼쳐 있지만, 자신이 직접 심어 자라는 모양을 가까이에서 대하며 하루 이틀 커 가는 모습을 보는 것이 내게는 하루의 활력소가 돼 준다.

아주 오랜 옛날, 아주 많이 시간을 거슬러 올라간 시대에 한 민족이 있었는데 그들을 지켜 오던 신이 죽었다. 그리고 그 죽은 신의 신체부위에서 곡식 씨앗이 나왔다. 눈, 코, 입, 배꼽, 음부에서 조, 보리, 수수 등이……. 그들은 그 씨앗을 귀히 여겨 내다 심었다.

천상에서 태양신의 여인이 내려왔는데 죽은 그녀의 몸에서 곡식 알톨이 나왔다. 사람들이 이를 귀히 여겨 심기 시작했다.

해마다 곡식을 수확하면 일찍 거둔 햇곡식을 정성스레 신에게 바쳤다. 토지의 신 '사(社)'와 곡식의 신 '직(稷)'에게 사직단을 세워 제사 지냈다.

여러 민족의 고사에는 그들이 심고 거두고 일용하는 곡식에 관한 전설이 전해 내려온다. 오랜 역사시기에 걸쳐 유지해 온 농경사회는

농업에 절대적으로 필요한 태양, 대지, 물을 신으로 숭배하고, 스스로 씨앗이 싹터 알곡을 맺는 것도 신비한 영적 대상이었다. 생각해 보면 씨앗이 자라 무성해져 지구를 푸

르게 덮고 인간이 그것을 먹고 비로소 살 수 있다는 것은 우주에서도 신비로운 일이고 귀신 곡할 일이 아닐 수 없다. 그래서 예컨대 쌀의 경우도 도령(稻靈), 즉 쌀은 그저 먹을거리가 아닌 신령한 살아 있는 영물로 여겼다.

쌀을 주식으로 먹게 된 건 긴 인류의 역사에 비하면 결코 길지 않다. 우리의 경우도 오랜 역사시대에 걸쳐 잡곡이 주식이었고 쌀을 다수 사람이 먹게 된 것은 토지 생산력과 벼 재배기술이 발전된 이후다. 쌀을 주식으로 하고 있는 동남아시아 나라의 경우도 국민 다수가 먹게 된 것은 오래지 않은 것 같다. 일본의 경우도 근세에 이르기까지 특수신분이 먹는 귀한 곡식이었다.

벼 재배 시기는 현재 1만 수천 년을 거슬러 올라간다. 우리나라는 경기도 고양군 일산읍 유적의 이탄층에서 4천5백~5천 년 전(1991년)의 볍씨가 발굴된 적이 있고 이 외에도 2~4천 년 전의 볍씨가 경기도 김포군, 경기도 여주군, 평양시, 충남 부여군, 경남 김해시 등지에서 출토됐고, 가장 최근에는 1997년부터 2001년 사이에 충북 청원군 옥산면 소로리에서 1만 5천 년 전후의 볍씨 59톨이 출토된 바 있다.

벼는 지구상에서 가장 중요한 인간의 식량자원이다. 사람이 벼 덕분에 산다고 해도 지나친 말이 아니다. 쌀, 밀, 옥수수가 3대 식량지원인데 지구 인구의 절반 가까이가 쌀을 주식

으로 한다. 쌀은 어느 작물보다 토지 단위당 수확량이 높다. 제한된 토지면적으로도 많은 사람을 먹여 살릴 수 있다는 뜻이다. 쌀이 모든 영양물질을 제공해 주는 것은 아니지만 쌀이 품은 탄수화물, 단백질, 지방, 비타민 등 조성 물질은 아주 우수해서 다른 작물과 비할 바 못 된다.

우리에게는 정서적으로도 밀접한 작물이다. 먼 길 떠나는 자식에게 따스운 쌀밥 먹여 보냈고, 지치고 아픈 몸을 일으켜 세워 준 것은 쌀로 만든 미음이었으며, 생쌀을 씹는 것만으로도 고픈 밤길에 힘을 보태 준 시절이 있었음을 우린 알고 있다. 쌀은 우리에게 현실이기도 했지만 마음이고 정신이고 모체였었다.

화분과 스티로폼 상자에 세 해째 심어 보는데 벼 심기에는 스티로폼 상자가 편리한 것 같다. 화분도 괜찮다. 물빠짐 구멍을 잘 막아야 하는 불편이 따른다. 물이 빠지지 않은 것이 재배가 편하다. 벼 화분도 늦봄과 여름 사이에 도시 꽃가게에서도 팔아 보는 것도 괜찮지 않을까. 알려지면 제법 팔릴 것이라 생각한다. 쌀만큼 사연이 많은 식물이 또 없다.

벼는 품종도 많다. 조선시대 편찬된 농업관련 기록에는 적어도 수십 종의 벼가 등장한다. 필리핀 소재 국제미작연구소(國際米作研究所/IRRI)에는 수만 품종을 수집하여 보관하고 있다고 한다. 그만큼 종의 다양성이 풍부하다는 뜻이다. 지금 농촌에서 심는 벼는 추청벼가 대부분이어서 여름, 가을 논의 색깔이 단조롭지만 다양한 품종이 심어진다면 논은 꽃밭처럼 될 것이다. 품종에 따라 벼 이삭의 색이 개성적이어서 녹미, 홍미, 조도, 흑미 등 각종 색깔의 벼가 물결칠 것이기 때문이다.

지난 시절에는 모내기가 국가적 연례행사였다. 모내기는 못줄 잡아 옮기며 손으로 심었다. 대통령도 6월 초 모내기철이면 비록 관행적이었더라도 논에 나가 농민과 들판에 앉아 막걸리 마시며 농업을 대우했다. 국민들은 그 장면을 신문과 텔레비전을 통해 보았다. 당시는 석탄 캐는 탄광 갱도와 광부를 찾아가는 것도 주요한 일정이었는데 쌀과 연탄은 생활을 받치는 가장 중요한 에너지였기 때문이었다. 그러나 이제 지나간 일이 되어서 농업은 갈수록 관심으로부터 멀어져 가는 것 같다. 모내기 풍경도 달라졌다. 이젠 이앙기로 심으며 천평 논 모내기도 1시간 남짓이면 끝난다.

비현실적이거나 너무 한쪽으로 치우친 생각이 좋은 것은 아니지만 가끔 생각해 볼 필요도 있을 때가 있다. 본모습을 보기 위해서다. 예컨대 '인간에게 마지막 필요한 것이 무엇인가?' 같은 질문이다. 영화? 안 봐도 된다. 드라마? 안 봐도 된다. 술? 안 마셔도 된다. 여행? 안 해도 된다. 안 해도…… 안 해도…… 안 해도? 된다…… 된다……. 하나하나 그렇게 비현실적이지만 한쪽으로 생각해 보면, 중요한 필수품이 남게 될 터인데, 결국 남는 것은 코와 입으로 들어간 것만 남게 된다. 코와 입으로 들어갈 것이 무엇인가.

미래 시대에 식량은 인류의 삶에 큰 위협이 될 것 같다. 사람들은 이를 '식량위기'라고 부른다. '위기'라고 부르는 것은 해결하기가 어렵다는 말일 것이다.

반갑다 투구새우

사람은 지구상 생태계에서 단연 최대 포식자의 자리를 차지하고 있어서 그 덕으로 어느 동물도 누리지 못하는 지위를 점하고 있다. 지구에서 지금까지 발견된 동식물은 백수십만 종에 달한다. 그러나 백수십만 종의 동식물은 인간이 발견하여 '등록한 숫자'일 뿐이다. 깊은 바다, 토양, 삼림 등 인간의 손과 발, 눈이 미치지 못한 곳에는 이보다 훨씬 더 많은 미등록 동식물이 존재하고 있어서 실제로 지구상의 생명체는 천수백만 종이 될 것이라고 추산하고 있다. 어떤 사람은 수천만 종일 거라고 주장하기도 한다. 천수백만 종에 이를 만큼 많은 생물이 이 지구에는 살고 있는데 이러한 사실은 지구의 생물종의 다양성(Bio-diversity)을 알려 줌과 동시에 사람이라는 동물 역시 이 지구에 살아가

긴꼬리투구새우
사진출처 : 흙살림(http://www.heuk.or.kr/)

는 하나의 생물체라는 사실, 지구의 일원에 불과하다는 사실을 깨닫게 해 주는 것이 아닐 수 없다.

그런데 호모사피엔스니 만물의 영장으로 불리는 사람으로 말미암아 사라지고 없어지는 생물종이 아주 많다. 사람이 만든 사회구조와 기구들에 의해 수십, 수억 년을 이어온 수없이 많은 생물이 아예 생명의 종말을 고하고 있다. 유엔(UN)이 발표한 통계를 인용한 자료에 따르면 해마다 1만 8천~5만 5천 종에 달하는 생물종이 멸종되고 있다고 한다. 일로 환산하면 매일 수십~수백 생물종이 사라지는 셈이다. 더구나 이 멸종의 양과 속도는 갈수록 커지고 빨라지고 있다. 현대 자본주의가 만들어 낸 지구적인 경제시스템, 대량생산-대량소비, 이윤 창출을 위해 일상화되고 세계화된 자원 약탈과 파괴로 말미암아, 생물의 멸종은 이제 억지로 보지 않으려고 하는 청맹과니 같은 자 말고는 누구도 부정할 수없는 지구의 '위기'로 받아들여지고 있다. 지난 2000년 국제자연보호연합(IUCN)이 발표한 레드리스트(Red list)에는 1만 1,046종의 멸종위기 종이 실렸었다고 한다. 그러나 이 리스트는 단지 인간이 찾아 등록시킨 것일 뿐이어서 눈에 보이지 않은 멸종위기에 처한 생물종은 그보다 열 배, 백배에 이를 것이라고 보는 것이 합리적인 생각일 것이다.

이렇게 생물종이 멸종해 가는 원인은 무엇보다도 서식지가 파괴되기 때문이다. 산업폐수와 각종 화학유해물질로 물과 토양이 오염되고 경제개발을 이유로 자연생태계를 파괴하고 있기 때문이다. 이런 점에서 살펴보면 근래 논란이 되고 있는 이른바 '4대강 살리기'도 마찬가지다. 간단히 말하면 천문학적인 재원을 강바닥, 강둑, 물막이 댐에 쏟을 일이 아니다. 얼마나 많은 미등록 생물종이 그 와중의 벌어지는 공사에 고통을 받고 사라질 것인지 생각하면 답은 명백하다. 강을 막고 바닥을 뒤집는 토목토건 개발사업이 아니라 수생동식물이 살고 하천생태계의 순환을 도와 이로부터 사람과 마을이 이로움을 얻는 방향이 되어야 한다고 생각된다. 다양한 생물종은 함께 확보해야 할 오늘과 미래의 국민 공통재산이다.

우리나라에 현재까지 등록된 생물종 숫자는 3만여 종에 이른다. 이 중 멸종위기로 등록된 생물종은 170여 종이다. 그러나 이 3만여 종 역시 발견해 등록한 숫자일 뿐이어서 미확인 생물종을 포함하면 생물종 숫자는 훨씬 늘어날 것이다. 마찬가지로, 170여 종의 멸종위기 동식물 역시 멸종위기에 처한 동식물의 극히 일부분만을 나열하고 있다고 보아야 할 것이다.

이러한 사실은 인간이 알고 있는 부분이나 깊이가 한없이 좁고 얕다는 사실도 보여 준다. 어느 과학자는, 누구인지 지금은 기억이 안 나지만, 과학자라는 자는 자신이 모른다는 것을 안다는 사실을 아는 자라고 말했던 적이 있는데, 우리가 믿는 과학이라는 것은 그야말로 모르는 사실이 너무나 많기 때문에 좁은 영역에서라도 안다고 믿으려 세워 놓은 장치라는 생각이 든다.

여하튼 현대 자본주의 시스템은 생물종의 다양성을 파괴하고 해마다 수만 종의 생물을 멸종시키고 있다. 그러나 다른 편에서 보면 생물종을 멸종시키는 일만 하는 것은 아니다. 지구상의 생물종의 새로운 출현, 변이를 촉발하기도 한다. 얼마 전에는 미국 펜실베이니아 주립대 연구진이 북극 그린란드 수km 아래 얼음 밑에서 찾아낸 12만 년 동안 잠자던 박테리아를 실험실에서 되살려 냈다는 뉴스도 그러한 하나의 예가 될 것이다. 또한 현대과학의 발달과 함께 등장한 각종 항생제, 농약 등의 화학약품의 남용으로 말미암아 진화해서 극도의 저항성을 지닌 '슈퍼박테리아(Superbacteria)'도 예가 될 것이다. '슈퍼박테리아'는 표현에서 나타나는 것처럼 인간이나 동물의 몸에 병균으로 침입해도 기존의 살균·항생제로는 죽지 않는 강한 저항성을 갖는 변이를 일으킨 슈퍼 병원체, 약으로 처치할 수 없는 생명체라고 할 수 있다. 이처럼 저항성을 갖는 균은 바이러스, 박테리아, 균류 등에서도 나타날 수 있다. 근래에는 유전자 조작기술을 통해 새로운 생명체(LMO)도 출현했다. 이 외에도 병원체는 아니지만 광우병을 일으키는 '프리온'을 포함하여 또 다른 예도 들 수 있을 것이다. 그리고 이들도 역시 알려진 일부일 것이기 때문에 우리가 모르는 미확인된 숫자는 몇 배 더 많을 것이다.

그러나 슈퍼박테리아처럼 인간의 반생태적인 행동으로 나타나는 생물종의 변이나 출현도 있지만 다행스럽게도 긍정적인 조짐도 일어나고 있다. 지난주에 충북 괴산의 농산촌 지역을 탐방할 일이 있었다. 일정 중에 한 농가를 방문해 농사를 짓고 있는 농사꾼을 만나 대화를 나누다가 우연히 논에 새로 나타났다는 생물종 얘기를 들었다. 짓는 논에 수년 전부터 전에 없었던 생물종이 나타나기 시작했다는 것이다. 그게 뭐냐는 호기심 찬 질문에 그는 "투구새우"라고 알려 주었다. 그는 그동안 이 땅의 농사법으로 유행했던 관행농법, 제초제, 살충·살균 농약을 수없이 치고 화학비료를 뿌리는 '녹색혁명형' 화학농법을 버리고 유기농으로 전환한 농사꾼이어서 우리는 바로 그의 안내를 받아 논으로 나가 그 실체를 확인했다. 떨어져서 보면 마치 올챙이처럼 보였지만 '투구새우'라는 이름에 걸맞게 머리와 몸체를 덮는 큰 투구를 쓰고 아랫배에는 새우처럼 많은 다리를 움직이며 물속을 위로 아래로 헤엄치고 있었다. 생긴 모습이 희한했지만 죽었다가 다시 환생한 듯 나타났다니 반갑지 않을 수 없다.

돌아와 '투구새우'를 검색어로 인터넷을 찾아보니 그의 말대로 전국 몇 곳에서 투구새우가 출현했다는 소식이 올라와 있었고 정확한 이름은 '긴꼬리 투구새우(Triops longicaudatus)'였다. 이 투구새우는 오염된, 즉 농약을 사용한 논에서는 살 수 없는 생물종이어서 자취를 감췄던 것인데, 그러한 농법을 버리고 유기 논농사를 짓자 다시 출현한 것이다. 그리고 '긴꼬리 투구새우'는 우리나라 환경부에서 2005년에 멸종위기종으로 정식으로 지정한 무척추동물(갑각류)에 속하며, 3억 5천만 년 전 고생대 지층에서 발견된 화석과 현재의 모습이 비슷하고 7천만 년 전부터 모습이 변하지 않아 살아 있는 화석으로 불린다고 한다. 아마 머지않아 '긴꼬리 투구새우'는 멸종위기동물 지정으로부터 해제될지도 모르겠다.

이렇듯 해마다 수만 종의 생물이 멸종해 간다는 것은 우리 삶을 둘러싼 구조와 모순을 가장 적나라하게 나타내 주는 지표다. 우리나라도 지난 1992년 리우에서 열린 국제 '생물다양성협약'에 서명하여 1993년 12월 발효되었지만, 경제개발과 소득 증대를 절대가치로 삼는 일이 앞으로도 쉽게 고쳐지지 않을 것이어서 종의 멸종도 그러는 한에서는 지속되어 갈 수밖에 없을 것이다. 그러나 해마다 수만 종의 생물이 멸종하는 생태계는 어떤 방식으로든 인간에게 되갚음으로 영향을 미치지 않을 수 없다. 인간 역시 생태계의 일원이어서 속해 있는 먹이사슬로부터 벗어날 수 없기 때문이다. 우리가 누리며 살고 있는 문명에 대해 근본적인 물음을 해야 할 때라고 생각된다.

6장

농가의 겨울은 다시
봄을 기다린다

사람의 손길이 닿았던 문짝과 벽력은 어느 것 하나

온전한 것이 없이

찢어지고 비틀어져 너덜거렸다.

시골에는 이런 집이 종종 눈에 띈다.

도시로 떠나가 사람 살지 않아 허물어져 간다.

초여름 풍경

6월이 지났다. 1년이라는 시간의 절반이 지나갔다. 연중 낮이 가장 긴 날인 하지가 속한 달이 6월이니 동지로부터 세어 보면 절기로도 절반이어서 길 떠나온 나그네가 왔던 길을 되돌아보듯 지나온 일을 되돌아볼 때이기도 할 것이다. 이제부터는 긴 낮도 차츰 짧아져 가고 밤은 길어져 간다.

여름은 성장의 철이다. 여름이라는 말이 '열음'이니 자라고 살쪄 가서 열매 연다는 철에 어울리는 잘 지어진 이름이다. 6월에 들어서면 봄이 지고 뜨거운 태양과 복사열, 비바람과 습한 더위가 몰려온다. 그 한가운데에서 뭇 생명들을 만난다.

물찬 논과 개울엔 개구리들 개굴개굴 합창으로 한밤중까지 요란하더니 여기저기 뱀이 윤택한 피부를 드러내며 등장해 깜짝깜짝 놀라고, 냇가 지천에 물고기들도 떼를 지어 노닌다. 지난 초겨울 심은 마늘과 양파를 거둬 말리고 근대, 아욱, 상추 등 심은 채소를 거둔다. 시골집 담장에 붉은 장미가 피고, 버찌, 오돌개도 까맣게 색이 올라 익어 새콤달콤한 맛이 입맛을 살려 주고, 앵두 맛이 상큼하다. 오이, 애호박, 박 넝쿨이 영글며 기어오르고, 하우스 오이와 애호박은 아침마다 따는데 애호박이 잘 달리도록 수꽃을 꺾어 암꽃술에 문질러 수꽃가루를 묻혀 준다. 인공수정해 준다. 수분이 안 돼도 호박은 커지긴 하는데 그런 애호박은 대부분 형태, 성장이 좋지 않고 호박 끝이 곯아 버린다. 암꽃에 수꽃 꽃가루를 묻혀 주어야 호박이 잘 달리는 것을 보면, 이 또한 음양합일·자웅조화의 본보기가 아닌가! 과수 열매도 어린 모습을 갖춰 간다. 복숭, 사과, 배가 귀여운 형체를 드러내 과수농가 농민들이 열매 솎아 내기[摘果(적과)]와 병충해 방제에 바쁘다.

옥수수가 위로 키 크게 늠름히 솟구쳐 자라고 꼭대기엔 수꽃이 깃대처럼 솟아 그 기상이 가상한데 이른 놈은 벌써 수분이 돼서 옥수수수염이 나오는 거 보아 수확시기가 다가오고 있다. 농가들은 노랗게 시들어 가는 감자밭 감자 캐기에 바쁘다. 감자는 6월의 상징이다. 하지 감자라고 부르는 것처럼 6월 중하순이면 캐기 시작한다. 감자 작황은 보통 수준이었다. 김동인(金東仁, 1900~1951)이 쓴 단편소설 <감자>와 고흐(Vincent van Gogh, 1853~1890)의 <감자 먹는 사람들>이 생각난다. 김동인의 <감자>는 복녀가 남의 밭 감자를 몰래 캐다 들켜 시작되는 비극적 생애가 전개되는 이야기고, 고흐의 초기 걸작으로 대표적인 <감자 먹는 사람들>은 하루 농사일을 끝내고 농부 가족이 둘러앉아 저녁밥으로 감자를 먹고 있는 그림이다. 다섯 명이 식탁에 둘러앉은 농부네는 어두운 실내를 밝힌 램프 아래에서 감자접시와 물주전자가 말해 주듯 지극히 소박한 식사를 하고 있는데, 민중의 삶과 풍경을 자주 그렸다던 고흐의 면목을 잘 보여 주는 대표적 그림이라 생각된다. 고흐는 이 그림에 대해 동생 테오[Theodorus (Theo) van Gogh, 1857~1890]에게 보낸 편지에 이렇게 썼다.

"나는 램프 밑에서 감자를 먹고 있는 이 사람들이 접시를 드는 것과 같은 그 손으로 대지를 팠다는 것을 강조하려 했다. 이 그림은 '손과 그 노동'을 얘기하고 있다. 그리고 그들이 얼마나 정직하게 스스로의 양식을 구했는가를 얘기하고 있다. 나는 우리들 문명화된 인간의 것과는 전혀 다른 생활방법이 있다는 인상을 주고 싶었다. 농민을 소박한 모습 그대로 그리는 편이, 농민에게 진부한 매력을 부여해 그리는 것보다 훨씬 좋은 결과를 얻는다고 생각한다. 나는 귀부인 같은 사람보다도 농민의 딸이 훨씬 아름답다고 생각한다. 먼지투성이에 누덕누덕 기운 자리투성이인 푸른 치마를 입은 농민의 딸이……." (1885.4.30. 고흐가 테오에게 보낸 편지 중에서)

콩, 수수, 조도 때맞춰 심는다. 감자 거둔 밭에 심기 때문에 장마철이 시작되어 비가 내리는 날이 많아서 땅이 질면 일을 못 하기 때문에 날씨 틈새를 잘 노려 밭갈이해서 날 놓치지 않고 심어야 한다. 6월엔 장마가 올라와 비 오기 전에는 더욱 일이 바빠지는데, 6월 말 7월

고흐, 『감자 먹는 사람들(The Potato Eaters)』 April.1885

초는 감자 캐랴 콩 심으랴 농가 집집마다 일손이 부족하여 허리가 굳고 엉덩잇살 짓무르도록 밭일에 여념이 없다.

풀 자라는 힘이 드세다. 뽑아 던져 놓아도 뿌리 한 가닥만 흙에 닿으면 다시 의연히 나 보란 듯 일어선다. 작은 밭이나 텃밭을 가꾸기 시작한 사람들이 봄날 자기 땅에 씨 뿌려 가꾸고 풀 열심이 뽑고 일구다가, 이때쯤 되면 손을 들어 버리는 때이기도 하다. 비 오거나 다른 일로 바빠 잠깐 동안 밭을 놔두면 파랗게 올라오는 풀이 가득해지는 풍경에 다문 입이 벌어지기 마련인데, 지구를 푸르게 덮는 녹색식물의 위대한 힘을 알게 된다. 제초제 안 쓰고 해 본다며 뽑고 뽑고 해 보지만 초여름이 되면 풀 자라 올라오는 속도를 따라잡지 못하여 풀 뽑는 작업이 쉽지 않음을 알고 포기해 버리는 것이다. 농사일이 쉽지 않음을 깨닫는다.

오며 가며 자라고 꽃 피우는 풀, 벌레, 나무들을 대하는 것은 바쁘고 힘든 일을 잠시 잊게 해 준다. 그들을 보면 모두 각기 살 재주를 가졌다. 살아 터득한 생명력이 다양하게 진화해서, 풀은 강한 뿌리로 사는 놈, 뿌리와 줄기가 잘려서도 사는 놈, 잎을 남보다 빨리 솟아 올려 꽃 피우는 놈, 건조에 강한 놈…… 저마다 비상한 생존력을 지녔다.

겨울을 지내고 봄날이 엊그제인 것 같은데 어느덧 여름 가운데로 들어간다. 이제 여름 오는가 했는데 철 이른 코스모스 몇 송이가 꽃을 피우고 잠자리가 종종 나는 걸 보니 가을도 올 준비를 하고 있는가 보다. 찔레꽃이 지고 난 빈 자리를 요즈음엔 자귀나무가 채워 준다. 자귀나무는 다른 꽃나무들이 꽃을 피우고 잎이 무성해 질 때까지도 죽은 듯 조용히 지내다 여름 길목이 되어서야 잎이 나기 시작한다. 뒤늦게 무대에 등장한 자귀나무는 6~7월에 꽃이 피는데 어느 꽃나무보다 눈길을 끌 만큼 화려한 자태를 보여 준다. 꽃은 빨강, 분홍 빛깔의 꽃잎을 피우며 둔덕과 산밭에 실타래처럼 날린다. 자귀나무는 일명 합환목, 합혼수, 야합수, 유정수로도 불리고 사랑나무라고도 부른다. 자귀나무 잎이 밤이면 마주난 잎이 서로 접힌 데서 생긴 이름이다. 둔덕, 산길, 밭둑에서 어렵지 않게 볼 수 있고, 정원수로도 심는다. 콩과식물이어서 가을에 콩깍지처럼 열매가 달린다.

강냉이 아리랑

옥수수 수확 철이다. 옥수수는 다른 작물에 비해 유달리 키 크고 잎이 무성해서 한여름 중산간 농촌의 풍광에 빠질 수 없는 작물인데 옥수수수염이 말라 가니 딸 때가 되었다. 농촌엔 여기저기 옥수수 따느라 분주하다. 옥수수는 지방에 따라 강냉이, 옥시기, 옥새기로도 부른다. 한해살이 벼과식물이다. 꼭대기에 수꽃이 피고 암꽃은 잎겨드랑이에 핀다. 풍매화다. 보통 심은 지 80~120일이면 수확하는데, 지난 4월 5일 '청명' 무렵에 심어 7월 22일에 수확했으니 110일 걸린 셈이다.

식용 옥수수는 완전히 익기 전에 수확한다. 쪘을 때 입 안에서 느껴지는 쫀득쫀득한 찰진 맛이 가장 좋을 때를 맞춰 수확한다. 옥수수가 너무 익으면 맛이 떨어진다. 한창 성숙하는 옥수수는 완숙 정도가 오늘내일 다르기 때문에 때를 잘 맞춰 늦지 않게 적기 수확해야 한다. 그래서 수확도 날을 맞춰 한꺼번에 해치운다.

옥수수는 한 포기당 보통 1개를 딴다. 1개 이상 달리지만 가장 큰 것을 따면 나머지는 덜 익은 것이거나 크기가 작아서 팔기엔 적절치 않다. 300평당 옥수수 조수입은 1백 수십만 원 정도로 밭농사로는 보통 정도의 수입이 나오는 작물이다.

쪄 먹을 옥수수를 사면 곧바로 삶는 것이 좋다. 시간이 지날수록 건조해져서 본디 맛이 떨어지기 때문이다. 모두 솥에 삶아 냉동시켜 두었다가 필요할 때 꺼내 데워 먹으면 옥수수의 찰진 맛을 유지할 수 있다. 삶을 때 취향에 따라 설탕, 소금 등으로 맛을 내 주면 아이, 노인 할 것 없이 누구나 좋아하는 한여름 즐거운 간식거리가 되어 준다.

강원도, 충청도 등 시골길을 지나다 보면 도로 한쪽에 옥수수 파는 곳이 자주 눈에 띈다. 수확한 옥수수를 자루에 담아 파는데 보통 30개 정도를 담아 가격은 1만 수천 원 수준이다. 이곳 괴산지역에서는 '대학찰옥수수'를 많이 심는데. 이 옥수수는 맛이 좋아 괴산군의 명품이 되었다.

요즈음 옥수수는 여기저기 눈에 뜨일 만큼 농촌의 여름철 한 폭 그림 같은 정경이 되고 있지만, 속내를 들여다보면 한철 반짝하는 극히 작은 규모의 농사다. 옥수수는 쌀, 밀과 함께 세계 3대 작물인데 우리

요즈나라의 옥수수 자급률은 겨우 1% 미만 수준이다. 자급률이라는 말이 어울리지 않을 정도인데, 그 비율이 형편없는 가장 큰 이유는 축산 사료용으로 많은 양이 수입되기 때문이다. 그러나 식용기준으로도 2008년 옥수수 자급률은 겨우 3.2%에 지나지 않았다. 하모니카 불 듯 훑어가며 먹는 요즘 식용 옥수수는 전체 생산량으로 보면 겨우 명맥을 이어 가는 옥수수 농사의 범주에 머물고 있는 형편이다. 어디 비단 옥수수뿐인가. 밀, 보리, 콩 등 대부분 곡류 농사가 그렇다. 밀, 옥수수, 콩류의 2009년 자급률은 각각 0.5%, 1%, 8.4%에 불과했다. 우리나라 곡물수입국 순위는 세계 5위다.

한편 옥수수는 유전자조작(GM) 품종이 확대되고 있어 심각한 문제가 되고 있기도 하다. GMO옥수수는 주로 사료용으로 수입되었지만 이젠 GMO를 거부하는 강한 세계적 조류에도 불구하고 종자용, 식용으로까지 범위를 넓혀 가고 있는 상황이다. 유전자조작 식품은 생명공학, 바이오농업이라는 타이틀을 달고 이미 옥수수 말고도 넓은 범위로 확대되고 있어서 이젠 벼, 채소에도 예외가 아닌 영역이 되어 가고 있다. GMO는 국가에 따라 상황이 조금씩 다르지만 국가와 세계 독점자본의 날카로운 이익의 현실이 되어 있다. GMO를 거부하고 반대하는 데에는 생명윤리와 식품안전, 인체유해 가능성이 기본 논리라고 할 수 있을 텐데, 이러한 문제들이 단위국가에서 반영되는 정도는 차이가 있고, 우리나라에서는 일부에서 문제를 제기하고 있지만 국민적 인식의 폭에서 보면 갈 길이 먼 것으로 느껴진다.

또 최근 옥수수는 애꿎은 몰매를 얻어맞고 있기도 하다. 소위 바이오농업의 일환으로 자동차 연료 '에탄올'을 생산하기 위한 옥수수 재배면적의 급격한 확대가 세계 식량사정을 악화시키고 있기 때문이다.

세계 1위의 옥수수 수출국가인 미국을 비롯해 남미의 주요 생산지의 옥수수, 콩을 재배해 온 농민들이 농지를 앞다투어 에탄올 생산을 위한 재배지로 전환하고 있다. 지구의 한편에서는 식량부족으로 고통받고 있는데 가솔린에 첨가하기 위해 옥수수 연료 농사가 이루어지고 있는 것이다. 이른바 '에탄올발 옥수수파동'이 세계적으로 식량사정과 세계 곡물가격의 폭등과 불안을 더욱 심화시키고 있는 것이다.

지난 7월 13일 <美 에탄올정제사 옥수수 사용량, 가축업자 앞지를 것으로>라는 제목을 단 뉴스(아시아경제, 7.13.)는 이렇게 쓰고 있다.

> 미국 에탄올 정제사들의 옥수수 소비량이 올해 처음으로 가축과 가금 소비량을 앞지를 것이라는 전망이 나왔다. 동물사료와 옥수수 기름이 그랬듯이 에탄올 정제용 옥수수 수요 급증은 머지않아 공급에 차질을 빚어 가격상승을 불러올 것으로 예상된다.
> 13일 파이낸셜타임스(FT) 보도에 따르면 미국 농무부(USDA)는 오는 8월 말까지 1년간 에탄올 정제사들은 50억 5,000만 부셸의 옥수수를 소비할 것으로 전망했다. 이는 지난해 옥수수 추수량보다 40% 많은 양이다. 가축사료와 기타 수요는 이보다 적은 50억 부셸로 예상됐다. (중략) FT는 '미국 정부를 비롯한 글로벌 바이오연료 사용 장려 움직임이 옥수수 수요 급증을 이끌었다.'고 분석했다.

우리나라에서 주로 7월에 수확되어 팔리는 식용 옥수수는 전체 시장의 양으로 보면 극히 일부분에 지나지 않는다. 냉동 보관하여 겨울, 다음 해에도 팔기도 하지만 그 양은 많지 않다.

옥수수 수확이 끝나면 이제 가을농사로 접어든다. 가을농사는 무, 배추 농사가 일반적이다. 옥수수 밭에 배추를 심을 계획이다. 그러기 위해서는 밭 정리에 들어가야 한다. 옥수수 밭 정리가 만만하지 않다. 키 큰 한 짐 옥수수대를 무더기로 들어내고 큰물에 떠내려온 흙더미와 옥수수 뿌리가 단단히 움켜쥔 비닐을 걷어야 하고 옥수수 대궁도 걷어야 할 것이다.

언뜻, 농사의 시계가 벌써 종반으로 치닫는다. 감자 캔 밭에 심은 콩이 벌써 땅을 덮어 나가고 조생벼가 이삭머리를 내밀고 조, 수수 등 가을 곡식도 키가 부쩍 자랐다. 철이 빠르다. 이미 가을이 와 있다. 잦은 비와 이상기후, 그중에 열매 맺느라 풀, 나무들의 지친 기색이 엿보인다.

비는 그칠 줄 모르고

밤중에 잠이 깨어 방을 나서 마당에 섰더니 한여름 밤하늘 별이 총총하다. 참 오랜만이다. 구름이 종종 떠가고 하늘이 맑고 깊다. 연이은 비와 구름으로 맑은 밤하늘 대하지 못했는데 반갑다. 밤하늘 별을 쳐다보다 보면 별 속으로 몸이 빨려 들어간다. 별마다 밝기가 달라서 가물가물하며 희미하게 깜박거리는 별을 바라보며 좇노라면 빛에 이끌려 몸도 마음도 허공으로 올라간다. 하늘의 별마다 이 허공을 떠다니는 머나먼 행성들인데 그 거리가 빛이 1년 동안 가는 거리인 광년을 단위로 하니 별을 바라볼 뿐이다. 내가 아는 별자리는 고작 북두칠성, 카시오페이아 정도인데 우주는 관두더라도 별자리를 아는 것만도 만만한 일이 아니다. 이 역시 철따라 변화가 무한할 테다.

사람은 참으로 묘한 동물이다. 다른 동물에게서는 볼 수 없는 자신을 대상화시킬 수 있는 신비한 능력을 가졌기 때문이다. 인간이 다른 동물에 비해 여러 가지 특징이 있지만 그중 가장 차별적인 능력은 '자신을 바라본다.'는 점이다. 분석하고 종합하고 후회하고 예측하고 미안해하고 부끄러워하고 수치와 염치를 느끼는 이러한 인간의 감성과 마음의 변화들의 바탕에는 자신을 바라보는 능력이 있기 때문에 가능한 일이다. 걷고 쉬고 배고파하고 화내고 좋아하는 감성이 일차원적 감성이라면 이차원적 감성이다. 일차원적 감성은 진화한 고등동물에서도 나타난다. 즉, 사람은 원래 존재하는 '나'와 대상화된 바라볼 수 있는 '또 하나의 나'를 가진 묘한 동물이다.

밤중에 총총한 별을 보며 밤하늘이 저리 맑으니 오늘 낮에 비는 오지 않겠구나 생각했다. 그러나 오전 일찍부터 내리기 시작한 비가 폭우다. 어제 8백 평 옥수수를 수확하고 오늘 또 5백여 평 옥수수 밭을 베어야 하는데 비가 내린다. 비옷을 입고 오전 일을 마칠 때까지도 비는 그칠 줄 모른다. 몸과 속옷이 비와 땀에 젖고 골은 빗물이 차올라 진흙탕이 되어 질컥거린다. 올해 정말 비 많이 온다. 이날 전라도, 충청도에 많은 비가 내렸다. 이곳저곳 여기저기서 해일, 바람, 폭우로 침수, 사태, 물난리가 났다.

비가 언제부터 내렸나 되짚어 보니 지난 6월 17일부터 시작됐다. 오늘이 8월 9일인데 며칠 더 가면 두 달여 비와 더불어 온 셈이다. 6월 17일에 비 오기 전까지 가뭄걱정이 컸었다. 보름 이상 비가 오지 않아 봄 가뭄으로 땅이 마르고 흙먼지가 날렸다. 비를 기다리다 못한 농가는 물을 끌어 올려 댔다. 드디어 6월 17일 비가 내리자 모두 얼굴이 환히 펴졌다.

반가움은 오래가지 않았다. 비는 곧 태풍으로 이어졌다. 6월 22일 필리핀 마닐라 동부에서 발생한 제5호 태풍 '메아리(MEARI)'가 한반도로 북상해 27일 실종될 때까지 줄곧 비가 내렸다. 6월 말까지 14일 중 8일 비 내리고 4일 흐렸다. 비는 계속됐다. 7월 들어서는 16일간 비 내리고 흐린 날이 8일이었다. 비에 지겨움이 일기 충분했다. 8월 들어서도 비는 계속됐다. 13일까지 맑은 날은 고작 5일 하루였다. 더구나 제9호 태풍 '무이파(muifa)'가 28일 발생하여 8월 초 폭우, 강풍, 해일을 동반하여 큰 피해를 입혀 칠석이니 입추가 소리 없이 지나갔다. 비구름은 하늘을 덮고 걷힐 줄 몰랐고 오르락내리락 비를 뿌려 연이어 평년 강우량을 갈아치웠다.

날씨가 종잡기 힘들다. 농민들은 날씨 얘기를 많이 할 수밖에 없는데 거의 매일 내리는 비를 보며 하늘 쳐다보는 격이다. 세찬 바람에 과수 열매가 떨어졌다. 비가 자주 오면 과일 당도는 낮아지기 마련인데 그런 걱정은 저리 가라였다. 골에 찬 물이 빠질 줄 몰랐다. 밭에 뭐라도 심으려면 땅 갈고 거름 뿌려 밭을 만들어야 하는데 질척거려 발 쑥쑥 빠져 사람, 기계가 들어갈 수 없다. 옥수수 수확한 밭에 배추를 심게 되는데 밭 정리부터가 만만치 않다. 비가 지겹게 계속되고 있어서 옥수숫대 치우고 거름 뿌리고 로터리 치고 두둑작업 등 일이 연이어 대기 중인데 순조롭게 진행될는지 걱정이다. 논밭 작물에 병해도 심해졌다. 고추가 역병에 무더기로 말라 가지만 약 뿌릴 짬을 못 냈다. 채소는 광합성 부족으로 웃자라고 시들거리는데 빼꼼히 해 비치는 날은 볕에 타 시달렸다. 사람들은 말했다.

"요놈 날씨가 어떻게 되는겨?"

"만날 이러문 농사 못 져. 잘됐지 뭐여, 농사져 먹고살기도 힘든디 이참 고만둬어."

"날씨 변환가 기후 변환가 고것이 보통 문제 아녀."

"농사 안 되면 수입하면 돼잖아. 필요 없는 걱정 붙들어 매슈."

지난해 8, 9월에도 비슷한 상황이 벌어졌었다. 잦은 비와 흐린 날이 계속돼 벼가 영글지 못했고 가을농사 일정을 맞출 수 없었다. 콩은 덤불처럼 위로 자라기만 했다. 배추, 고추 등 채소작물 역시 마찬가지였다. 지난겨울엔 이상추위로 복숭, 사과나무 등 과실나무가 얼어 죽었다. 이렇게 날씨가 계속된다면 어떻게 될까. 새로운 환경이 한반도에 펼쳐지고 있는 것인가. 이미 지구는 이산화탄소 등 대기권의 변화가 몰고 온 기후변화로 해수면 상승, 해일, 사막화, 물 부족 등이 진행 중이다. 농사환경은 안정되고 예측 가능해야 하는데, 앞을 모를 정도로 갑자기 환경이 변화하면 전통적으로 지어 오던 농사라도 당황되고 혼란스러울 것이다. 농사에 제일 중요한 것이 물, 빛, 기온인데 이들이 변화되면 농사도 따라 변화될 수밖에 없다. 그러나 바꾸는 것이 말처럼 쉬운 일이 아니다.

여름, 가을날이 이래서는 햇빛 부족으로 수확이 제대로 될 리 없다. 수확이 줄면 그나마 쥐꼬리 같은 농가 수입도 줄어든다. 농사가 고생스럽지만 심고 거두어들이는 재미가 있어 이나마 지탱되는데 그마저 더 나빠지면 누가 신명 내어서 농사를 지으려 할까.

투망으로 여름을 지내다

지난해 여름부터 일 끝나고 강에 고기잡이를 다녔다. 피라미, 모래무지, 쉬리, 갈겨니, 붕어, 잉어, 배스 등이 잡힌다. 물고기 잡이는 앞 냇가, 윗물 계곡, 상류지역 등으로 나다녔다. 앞 냇가는 음성에서 물길을 시작해 마을 앞을 지나 충주로 흘러 남한강의 상류로 합류된다. '앵천'이라 부른다. '앵천보'라는 이름으로 한때 낚시꾼들에겐 꽤 알려진 곳이었고 20~30십년 전 마을에 사람이 많이 살 땐 그야말로 마을 어장 노릇을 했던 풍부한 자원을 가진 물길이었다.

한여름에는 낮이 길어 늦은 오후에 고기 잡기가 제격이었다. 일을 마치면 옆 동네 친구 윤 씨와 족대 들고 투망을 챙겨 나갔다. 그와는 지난해부터 고기잡이로 아주 가까워졌다. 윤 씨는 물고기 잡이 최고 고수다. 투망 퍼지는 모습을 보면 실력을 알 수 있다. 펴지는 모양이 구김이 없다.

여울에서 다리 밑에서 작은 물길이 합치는 합수머리에서 던졌다. 수차례 던지면 둘이 먹을 만큼 잡힌다. 작은 그릇 분량의 고기를 잡으면 매운탕이나 튀김, 도리뱅뱅이 등을 만들어 '소주 1병+맥주 2병'을 즐겨 먹다 보니 우리들의 단골 메뉴가 되었다.

토방에 자리를 마련해 앉으면 늘 소쩍새가 울었다. 여름 지나 선선해지면 남몰래 사라진 듯 안 들릴 거니 하기도 했었는데, 언제까지 울까. 봄부터 여름 지나 언제까지 우는지 지켜 들어 볼 일이다.

그런데 오늘 그동안 들어 오던 목소리와 달리 들린다. 탁하다. 쉤다. 아프고 가슴 답답하고 걱정 담긴 목울음이다. 접동접동 울다가 꽁 울고 소쩍소쩍 울다가 꾹 울고, 어떤 이 표현대로 피를 토하듯 운다.

술은 묘하다. 인간의 뇌도 묘하다. 술을 마시면 뇌가 활발해진다. 자유로워진다. 생각건대 알코올은 액체의 황제다. 먹은 것 중 다급하고 제일 좋은 건 뇌로 먼저 간다지, 술을 먹으면 뇌가 활발해져서 번쩍번쩍 좋은 생각이 난다. 그러다가도 일어서면 잊는다. 이것 기억해 두어야지 마음속에 모아 놓아 보지만 도로 아미타불이다. 일어서며 잊어버리고 잠깐 시간 지나면 기억에서 지워진다. 저녁에 우는 접동새 소리와 함께 생각 오고 생각 간다.

그런 날이면 저녁 늦게까지 잠이 들지 않았다. 시골은 해 떨어지면 조용하다. 그러다 보면 담배 떨어진 날이 종종 있는데 늦은 시간 밤이지만 숙소를 나섰다. 내가 사는 이곳 마을은 가게가 없다. 담배를 사러 집을 나서니 선선한 깊어 가는 저녁 날씨다. 사방 주위는 오가는 사람도 없고 간간이 지나가는 차량의 강한 불빛이 거슬릴 뿐이다. 마을 벗어나 다리를 건널 즈음 검은 구름에 숨어 있던 달이 얼굴 머리를 치밀고 올라온다. 달 오른쪽 얼굴이 일그러지듯 기울었다. 간간이 구름 덮인 밤하늘 지나가는 먹구름 속에 숨어 있다가 옷 내던지듯 빠져나오는 모습이 당차고 재빠르고 경쾌하다.

가게를 지키는 사람은 남자인데 몸이 불편한 것 같다. 얼마 전 담배 사러 갈 땐 밥을 먹고 있는 중이었는데 밥 먹고 가라고 호의를 건

네주기도 했다. 그러나 내가 담배를 사러 나선 시간이 늦은 시간인데 아직까지 가게를 지키고 있을까. 아마 닫혀 있을 것이다. 문을 두드려 사리라 생각하며 걸으며 찾아간다. 길옆에서 풀벌레가 울더니 이제 마을의 개들이 드물게 마주친 낯선 남자의 발소리와 체취를 맡았는지 컹컹 왕왕 짖는다. 개 짖는 소리가 넓고 힘차다. 사람이 짖어 본들 성량 좋은 개를 좇아가지 못할 것이다. 불 꺼지고 문이 닫혔다. 미안해 두드리지 못하고 돌아왔다. 돌아오는 길에도 달이 따라왔다.

이제 여름날이 가면서 해지는 시간이 매일 조금씩 앞당겨져 낮 시간이 갈수록 짧아져 간다. 환했던 늦은 오후 시간이 어두워져 가고 물도 차가워진다. 그래도 지난해 11월 말까지 고기를 잡았었다.

한번은 강물에 투망을 치다가 경찰 단속에 걸린 적도 있었다. 강에서 족대, 낚시는 할 수 있지만 투망은 못 하게 되어 있기 때문이다. 겨우 반 접시 정도 잡았을 때인데 잡은 고기를 강물에 풀어 주고 경찰관 앞에 섰다. 도구와 행색을 살피더니 그가 말했다.

"이 사람들 상습범이구먼!"

우의를 챙겨 입은 폼이 한두 번 다닌 것이 아니라고 판단한 듯하다.

"주민증 있어요?"

"없는데요."

"어디 살아요?"

"이 마을 살아요."

"그래요? 주민번호 불러 봐요."

경찰관은 무선전화기로 조회를 했다. 우린 사태가 어떻게 전개될지, 어떻게 하면 이 상황을 모면할 수 있을지, 내심 걱정이 컸다. 이 마을 사는 것을 확인한 그가 말했다.

"알 만한 사람이 왜 투망을 해요. 못 하는 거 알고 있죠?"

"네. 밭일하고 심심해서 잠깐 나왔어요."

"앞으로 하지 마세요. 족대 같은 거로 잡으시든지. 벌금도 적지 않은 것 알지요. 그 돈이면 매운탕 얼마든지 사 먹을 수 있지 않아요."

경찰은 우리가 이 마을 거주민이고 상습적으로 고기를 잡는 사람이 아니라고 판단한 것인지 상황을 더 이상 몰고 가지 않았다. 그동안 우리의 고기잡이는 두어 사람 먹을 만한 분량이면 족했지만 그렇다고 금지된 투망질이 면책되는 것이 아님은 분명했다.

불혹 지천명

 나이 먹어 가며 즐겨 인용되는 어귀 중에서 '40 불혹(不惑), 50 지천 명(知天命)'도 이런저런 자리에서 종종 인용되는 것 같다. 공자가 말 했고 그가 쓴 ≪논어(論語)≫가 가진 영향력이 적지 않기 때문이기도 하지만 나이 40~50대엔 인생 반환점을 돌아 되돌아보는 나이에 들어 서서 '천명'을 느낄 때이고 다른 세대와는 또 다른 '유혹'을 비켜 갈 수 없기 때문이기도 할 것이다. 불혹이나 지천명 말고도 공자는 논어 <위정편(爲政篇)> 제4장에서 '15 지학(志學), 30 이립(而立), 60 이순(耳 順)' 등을 거론하기도 했다. 이들 역시 나름 의미를 담고 있는 말이다.

 여하튼 그러더라도 '40 불혹, 50 지천명'은 자주 회자되는 어귀인데 공자가 나이 40에 더 이상 미혹되지 않고 50에 천명을 알았다고 했으니 나이 40, 50이 불혹하고 천명을 아는 기준 나이라고 생각해 봄직도 하다.

 그러나 현실은 나이 40이면 다른 나이대보다 '더' 유혹받고 미혹되 어 흔들리고 더 나이 들기 전에 무언가 이루어야 한다고 생각하고, 그것이 50이 되면 '더'해져 탐욕, 탐혹하고 불천명이어서, 불혹은커녕 일명(一命)도 모르고 사는 게 인생이 아닌가.

그래서 나는 소위 '40 불혹, 50 지천명'이, 나이 40에 들면 불혹의 나이라거나 50이 지천명 나이라는 의미가 아니라, 40이 되면 이제 미혹되지 않도록 조심하고 경계할 나이에 들어섰고, 50이 되면 자신 짧은 목숨 느낄 때가 됐다는 뜻으로 받아들인다. 40, 욕심에 조심할 나이, 50, 일명을 되돌아보는 나이. 50에 지천명한 사람도 있을 수 있겠지만, 나이 들어서도 이러저런 유혹을 좇아 허둥대고 하늘은커녕 자본주의 어망에 포위되어 살아가는데 불혹이니 천명이니 하는 말도 술자리 얘기를 벗어나지 못하는 것이 솔직한 삶의 현실인 것 같다.

그럴지언정, 농사일하면서 느낀 것인데, 농사지으려면 미혹되지 않아야 하고 천명을 알아야 한다면 너무 비약인가? 농사와 관련된 속담 중에 이런 말이 있다.

"흙은 거짓말하지 않는다."

"콩 심은 데 콩 나고 팥 심은 데 팥 난다."

"농사는 하늘이 짓는다."

짧은 경험이지만 그런 것 같았다. 흙이 거짓말하지 않으니 욕심내 보아야 헛일일 테고, 심은 대로 나니 노력해 심지 않고 거둘 수 없고, 하늘이 농사를 지으니 농민은 일하며 하늘의 부림을 받을 뿐이라는 말이다. 농사꾼 '마음'이라면 40, 50에 '불혹'하고 '지천명'했다 해도 걸림이 없겠다. 그렇지만 그도 말처럼 되는 일은 아닐 것이다.

배추 이야기

며칠 전 정류장에서 군내 버스를 타려고 기다리는데 나이 든 아주머니와 할머니가 장날 이야기를 주고받았다.

"어제 괴산 장날 고추금이 2만 2천 원이나 하데유."

"그렇게 가?"

"야, 고추농사 잘한 사람 돈 되겠슈."

"잘한 사람은 그럴지 몰라도 내다 팔 고추가 있나유. 병들고 타서 내 먹을 거나 건질는지."

평년 같으면 잘 가야 한 근에 1만 2천 원 정도일 텐데 2만 원이 넘었다니 놀랄 만하겠다. 내가 아는 사람도 잘 아는 사람에게 30근을 근당 1만 8천 원에 샀다. 올여름 비가 많이 와 과다한 습기와 일광 부족으로 농사가 잘 되지 않은 탓이다. 김장행사를 예정했던 어떤 곳은 비싸진 고추와 양념류 가격 부담 때문에 고민에 빠졌다. 고추를 안 먹으면 되겠지만 한국인 식성에 그렇기는 어렵다. 텁텁한 입 안을 깔끔히 맛을 내 주는 게 고추 말고 무엇이 있는가.

6, 7, 8월 동안 지겹게 내리던 비가 지난 8월 하순부터 맑은 날을

되찾아 열흘 넘게 비가 오지 않아 배추를 심기 위해 작업을 서두르고 있다. 쟁기로 갈아엎고 거름 뿌리고 로터리 치고 두둑 만드는 작업이 이어졌다. 다행히 그사이 비가 오지 않았다. 배추는 약 1만 포기를 심는다. 모는 길러놓아서 밭에 정식이 남은 상황이다. 우리뿐만 아니라 이 지역이 그치지 않은 비 때문에 올해 적기 날짜를 맞추지 못했다. 올 배추농사 포기할 생각까지 했었다. 그러나 심는 날이 늦어져 배춧속이 알차게 안기는 어려울 것이라고들 말한다. 하는 데까지 해 보아야지. 날씨가 받쳐 주면 된다. 가을 날씨 변덕이 없고 초겨울 영하날씨와 한파가 말썽을 내지 말아야 한다. 배추는 영하 4~5도 정도까지도 버티어 주는데 가을날 좋은 날과 초겨울 적당한 추위를 이겨 낸 놈들은 배추 그 맛이 죽여준다.

"앞으로 며칠만 비 안 오면 일 다 마무리하겠어요."

"그럴 것 같네요."

"그런데 여름 농사를 망쳐 모두 배추 농사로 달려들 텐데유."

"그런데요?"

"이집 저집 배추하면 시장에 배추가 미어터질 텐데 값이 나가겠어요?"

"그도 그러겠네. 지지난해도 배추금이 운반비도 안 나온다고 갈아 엎고 그랬지유."

"거기다가 요즘같이 고추금이 비싸지면 김장 많이 담그겠어요? 배추 심으면서도 걱정이어유."

"가을 농사가 여름 후작으로 무, 배추를 많이 하고 요즈음은 절임 배추로 많이들 달려드는데 잘 돼야겠지유."

한낮이 되니 무척 덥다. 한낮을 달군다. 뭉게구름 피어올라 떠다니고 하늘이 맑다. 그간 비가 지겹도록 왔는데. 비 없는 화창한 늦여름 공기를 대하니 청량감이 느껴진다. 공기도 좋고 진 땅도 말라 가고 살에 닿는 끈적거림이 없어 사람도 풀나무, 벌레들도 모두 좋아한다. 두 마리씩 붙어 날아다니는 잠자리들이 부쩍 많아졌는가 하면 산새, 벌레소리가 가득하고 매미들 긴 울음이 그칠 줄 모르고 이어진다. 배추 심기 위한 밭 작업에 멱을 감듯 땀이 흐른다. 며칠 쉬다 일을 시작한 탓으로 적응이 안 돼 몸이 둔하게 느껴진다. 며칠간 쉬면서 먹고 자고를 반복하고 밤새 잤는데도 누우면 다시 잠에 빠졌었다. 일할 때는 아침 눈 뜰 시간이 되면 제때 잘 일어나더니 쉬는 동안엔 일어나기 힘들고 게을러졌다.

맑고 더운 날 땀을 쭉 뺐더니 비로소 몸이 가뿐해진다. 땀 흘려 일하고 나니 몸 상태가 가지런해짐을 느낀다. 뼈, 근육을 가동하는 육체 노동은 몸을 깨우고 신체 세포를 각성시켜 준다. 느껴지는 맛이 개운하다. 일하던 사람이 갑자기 놀거나 쉬면 병이 난다더니 그럴 만하다.

올해 배추 가격은 어떻게 될까? 과잉생산돼 또 제값 못 받는 상황이 되지는 않을까. 시골 농사가 고만고만한 중소 규모의 농가들인데 이들은 그해의 농산물 시장가격과 매상에 절대적으로 의존하고 있어서 잘 돼도 걱정, 안 돼도 걱정이라고 마음을 표현한다. 잘 되면 가격이 안 좋고 안 되면 팔아 돈을 만들 수 없다.

배추, 무는 이제 올해 마지막 농사다. 찬 바람 오기 전에 시금치, 쪽파, 갓 등 가을 채소가 남아 있긴 하지만 벼, 감자, 옥수수, 배추 등 농사에 비하면 작은 규모이고 철이 겨울로 접어들기 때문이다. 배추 농사가 끝날 즈음이 되면 여기 농장에서의 나의 생활도 변화가 올 것 같다.

수확의 철로 접어들고 있다

사람 만나 농사일한다고 하면 자주 묻는 질문이 있다.

"어디서 살아요?"

"무슨 농사짓습니까?"

"땅은 얼마나 돼요?"

질문에 답하기가 어려운 것은 아니지만 한정된 시간과 옹색한 자리에서 묻는 사람의 궁금함이 해소될 만큼 말하기도 쉬운 일이 아니었다. 시골에서 농사일한다니 근황이 궁금한 것이지만 내심 알고 싶은 정보는 다른 데에 있는 경우가 많기 때문이다. 시골에 살려면 어떻게 시작하는 것이 좋은지, 어디가 좋은지, 무슨 농사를 짓는 것이 좋겠는지, 농사 말고 다른 일을 하면서 살 수는 없는지, 땅값 집값은 얼마나 하는지, 농사지어 살 만한지, 생활비는 얼마나 드는지 등등, 알아보고 싶은 것이 무척 세심한 내용까지 가 있는 경우가 대부분이다.

대도시에서 이래저래 살고 있는 많은 사람들이 농사에 대한 관심이 적지 않다. 텃밭, 도시농업 등 도시에서 일어나는 농사와 유관한 일들이 여러모로 벌어진다. 만나 얘기하는 것이 우연찮은 일이지만 묻는 것에 대해 간단히 말할 수밖에 없었다.

질문 중 거기서 무슨 농사일하느냐는 질문이 제일 번거롭다. 농사일이 한두 가지로 정해져 있지 않기 때문이다. 농가들 중에는 주 작물 몇 가지를 전문으로 하고 있는 경우가 많긴 하지만 재배 작물은 철의 변화를 따라 가기 때문에 종류가 여러 가지가 될 수밖에 없다. 더구나 내가 일하는 농장에서는 종자보존, 시험재배 등을 목적으로 하는 농사도 하기 때문에 더욱 많게 된다. 6천여 평 재배면적 중 논이 1천 평, 비닐하우스가 1천 평이다. 이참에 지난 2년여 동안 심었던 작물을 적어 보았다.

작물이랄 수 있는 품목으로 고추, 벼, 감자, 옥수수, 콩, 배추 농사를 들 수 있겠다. 고추와 벼는 1년 끌고 가는 농사이고 나머지는 봄, 여름, 가을 계절 따라 때맞춰 이모작으로 진행된다. 4~5월 봄철에 감자, 옥수수를 심어 수확한 밭에 8월 콩, 배추를 주로 심는다. 엽

채류는 상추, 근대, 아욱, 시금치, 청경채, 갓, 열무, 양배추, 브로콜리, 열매채소로는 오이, 애호박, 토마토, 가지, 깨, 수박, 참외, 호박, 뿌리채소로는 무, 고구마, 대파, 쪽파, 마늘, 양파, 당근 등이었는데, 이른 봄날 때를 당겨 2~3월 일찍 심는 일부 채소는 추위로 인한 동해 때문에 보온을 해 주어 관리하고 나머지는 모두 적기에 맞춰 심는다. 그리고 종자용이나 관상용으로는 수수, 조, 기장, 해바라기, 아주까리, 그리고 기타 약간의 약초식물 등을 명단에 올릴 수 있겠다. 적어 놓고 보니 그 수가 꽤 되었다. 의외다. 지금은 9월 중순인데 밭과 하우스에서 자라고 있는 작물은 고추, 콩, 배추, 무, 브로콜리, 양배추, 당근, 대파 등이다.

세월이 빠르다. 올 초 고추와 몇 가지 채소 농사로 시작된 농사가 막바지에 접어들었다. 나이에 km를 붙이면 그게 바로 세월 가는 속도라는 말처럼 나이 들수록 세월이 빨리 가기도 하지만, 농사일하다 보면 세월이 번쩍번쩍 지나가는 것처럼 느껴진다. 심고 거두다 보면 철

이 휙휙 훔치듯 지나갔다. 대개 계절작물과 채소의 생육기간이 3개월 정도 되는 것도 가고 오는 철의 변천에 박자를 맞추어 주는 것 같다. 10년의 시간도 10번 농사철 겪으면 지나가 버리니 긴 시간이 아니다.

이제 가을걷이 수확 철로 접어들고 있다. 논, 밭, 삼림의 식물들이 가을햇볕과 해진 뒤 떨어진 기온에 푸른 잎 색깔이 변해 가고 씨가 여물어 간다. 뭇 벌레, 미생물, 짐승들의 마음 채비가 바빠질 것임에 틀림없다. 돌아갈 때를 느끼고 있을 것이기 때문이다. 벼를 베고 콩, 배추, 무가 자라 거두어들이는 사이에 무서리 내리고 바람 불고 살얼음이 얼 것이다. 겨울이 머지않았다.

폐가와 빈 들판

수년 전, 가끔 만나는 한 분과 함께 그가 몇 해 전 사 두었다는 외딴 시골집을 보러 갔었다. 그가 노년에 살 생각으로 사 둔 집이었다. 그러나 그는 번다한 도시생활에 밀려 2~3년 동안 아무도 살지 않은 빈집인 채 방치할 수밖에 없었다. 어떻게 되어 있는지 궁금해진 그가 가는 길에 난 동행했다. 이른 아침 7시에 출발하는 고속버스를 타고 다시 시외버스를 바꾸어 타고 또다시 택시를 타고 도착했을 때는 한낮이 되어 있었다.

낡은 대문을 들어서자 난 당황했다. 시골집이 이 일과는 아무 상관 없는 나를 마치 분노를 가득 안고 쳐다보는 것처럼 느껴졌다. 제법 널따란 마당에 가득한 풀과 나무는 아직 지난겨울의 메마른 가지와 푸석푸석한 잎을 달고 있었다. 몇 년 동안 사람 손길, 발길이 끊기어 버린 그 집 마당은 낙엽과 풀이 덮여 발이 빠질 지경이었다.

하지만 마당에는 춘삼월 햇볕이 가득 쏟아지고 있었다. 땅속에서도 바야흐로 쏟아지는 봄볕을 맞으면서 나무 풀뿌리가 힘차게 빨아들이는 수액이 올라오는 소리가 들리는 듯했다. 그러나 나무와 벽을

타고 올라간 마른 칡넝쿨이 기둥과 지붕을 감싸고 있었고 넝쿨은 이제 여기저기로 발을 건너뛰고 손을 뻗쳐 생육번성의 왕성한 기세를 더할 태세였다.

사시사철 춘하추동을 몇 차례 겪은 흙벽은 참지 못하고 힘없이 넘어지기 시작했고, 칡넝쿨이 휘감아 올라간 한쪽 지붕도 기울어져 기와가 흘러내리고 있었다. 사람의 손길이 닿았던 문짝과 방벽은 어느 것 하나 온전한 것이 없이 찢어지고 비틀어져 너덜거렸다. 걸레질로 반들반들했을 마루와 방바닥에는 바람에 날려 온 나뭇잎, 흙먼지 등으로 아무렇게나 버린 쓰레기장을 연상케 했다.

그나마 다행스러운 것은 우물이었다. 우물은 둥그런 시멘트 원통을 하고 있었는데, 낙엽과 감나무 가지가 덮인 둥그런 시멘트 뚜껑을 들어 올리자 돌조각이 우물 안으로 떨어지며 퐁당 소리를 냈다. 깊이는 5~6미터쯤 되어 보였다. 줄 매인 바가지가 없어서 물맛을 볼 수 없는 것이 아쉬웠다. 오랫동안 사용치 않았을 터인데 우물은 잘 보존되어 있어 보였다.

이 뜻밖의 광경을 마주 대하자 '존 스타인백(John Ernst Steinbeck,

1902~1968)'이 쓴 소설 ≪분노의 포도(憤怒의 葡萄, The Grapes of Wrath)≫의 한 장면이 떠올랐다. '다음(daum.net)' 백과사전은 ≪분노의 포도≫를 다음과 같이 소개하고 있다. 잘 요약되어 있어서 그대로 옮긴다.

> 1939년 출판. 1940년 퓰리처상 수상. 이 소설의 무대는 1930년대의 텍사스로부터 캐나다 국경에 이르는 대평원으로 대사풍(大砂風)에 의한 피해와 대자본에 의한 농업 기계화로 경작지를 잃은 오클라호마의 농민 조드 일가가 낡은 자동차에 가재도구를 싣고 캘리포니아의 비옥한 토지를 찾아 이주한다.
> 그러나 그들이 꿈꾸던 자유의 땅에서 기다리고 있는 것은 착취와 기아와 질병이었다. 가족은 뿔뿔이 흩어지고 또한 사별한다. 갖은 고난을 겪은 후 아들 톰은 파업에 가담하여 살인을 저지른다. 노동자의 싸움에서 깨달은 어머니는 힘차게 살아 갈 것을 절규한다.
> 농장노동자의 비참한 생활을 ≪구약성서≫ 중 <출애굽기>의 구성을 빌려 묘사한 서사시적(敍事詩的) 작품이다. 미국사회 전반의 움직임을 간결하게 표현하고 포괄적인 시야에서 농민의 생활을 극명하게 묘사한 작품으로 이 작가의 소설 중 사회주의적 경향이 가장 짙은 걸작이다. 이 소설은 출판되자마자 커다란 사회적 반향을 일으켰다. 1940년 J. 포드 감독에 의하여 영화화되었다.

'농민 조드 일가'가 결국 대자본에 의해 고향에서 뿌리가 뽑혀 캘리포니아로 떠나기 전까지의 생활을 존 스타인백은 제10장에 이르기까지 혼신의 필력을 다해 과정을 묘사해 나간다. 그런데 고향을 떠날 즈음에 이르러 존 스타인백은 다른 장에 비해 아주 짧은 문단으로 구성된 장을 배치해 놓았다. 제11장이다.

이 장은 사람이 떠나 버린 집이 어떻게 생명을 잃고 폐가가 되어 가는지를 묘사하고 있다. 전체적으로 귀신 나오는 같은 음습한 느낌을 전해 주지만 스타인백이 그려 놓은 글을 따라 읽어 나가면 그것이 만들고 엮어 내는 정경과 장면은 가히 환상적 느낌을 전해 준다. "들판 위의 집들이 텅텅 비게 되니 결국 들판도 비어 갔다.”로 첫 문장이 시작되는 제11장의 일부분이다.

텅 빈 집들의 대문이 활짝 열린 채 바람이 부는 대로 나부끼고 있었다. 개구쟁이 꼬마 녀석들이 가까운 읍내에서 한 떼 몰려와 빈집의 유리창을 부수고 찌꺼기 물건들을 뒤적이며 보물찾기를 하고 있었다. 날이 반 토막 잘려 나간 손칼이 있었는데 그만하면 주워 둘 가치가 있었다.

또 어딘가로부터 쥐가 죽어 썩은 것 같은 냄새가 풍겨 왔다. 또 휘티 녀석이 벽에다 써놓은 낙서가 있었다. 그 녀석은 학교 변소에다가도 그런 낙서를 했다가 선생님한테 야단을 맞고 지운 일도 있었다.

사람들이 떠나간 첫날, 저녁이 되자 들판으로부터 고양이들이 기어와서 현관 앞에서 야옹거렸다. 인기척이 전혀 없자 고양이들은 열린 문 안으로 들어가 텅 빈 방을 야옹거리면 돌아다녔다. 그러다가 다시 들판으로 나가 도둑고양이가 되어 버렸다. 뒤쥐나 들쥐를 잡아먹으며 낮에는 도랑에서 잠을 잤다. 밤이 되면 박쥐들이 불빛을 경계하면서 문간에 멎어 있다가 집 안으로 살짝 들어가 빈 방을 왔다 갔다 했고, 낮에는 어두운 방구석에 처박혀 날개를 접고 서까래 위에서 고개를 아래로 하고 매달려 있었다. 박쥐똥 냄새가 집 안에 음산하게 풍기고 있었다.

생쥐들이 집 안에 들락거리면서 구석에다 잡초 씨를 갖다 놓았고 상자 속에도, 부엌 속의 서랍 속에도 무얼 자꾸 물어다 놓았다. 족제비들이 생쥐를 사냥하러 들어왔고 갈색의 부엉이가 울음소리를 내며 들어왔다가는 다시 나갔다.

어쩌다가 소나기가 한 차례씩 지나갔다. 사람들이 살 때는 볼 수 없었던 잡초가 문지방 앞에도 현관 바닥에도 자라고 있었다. 집들은 텅텅 비어 있었다. 빈집은 금방 무너지는 법이다. 녹슨 못이 빠지면서 벽의 판자들이 쪼개지기 시작했다. 방바닥에는 먼지만 쌓여갔고 쥐와 족제비와 고양이의 발자국만이 먼지를 흐트러뜨렸다.

밤이 되면 거센 바람이 지붕의 널빤지를 날려 땅바닥으로 떨어뜨렸다. 다시 불어제친 바람이 지붕에 새로 뚫린 구멍 속으로 들어가 이번에는 널빤지 석 장을 뜯어냈고 다음에는 열두 장을 뜯어냈다. 한나절의 태양이 이 구멍 속을 뚫고 들어가 방바닥 한 곳에 따가운 햇빛을 내리쬐었다. 도둑고양이들이 밤에 기어들어 왔지만, 그들은 이제 야옹 소리도 내지 않았다. 그들은 달 위를 지나치는 구름의 그림자처럼 사뿐히 움직이면서 방으로 들어와 생쥐 사냥을 했다. 바람이 세게 부는 날 밤에는 문짝들이 쾅쾅거리며 소리를 냈고 누더기가 된 커튼은 허물어진 창문 밖으로 아무렇게나 펄럭이고 있었다.

시골에는 이런 집이 종종 눈에 띈다. 도시로 떠나가 사람 살지 않아 허물어져 간다. 소설 ≪분노의 포도≫는 상당히 긴 줄거리이지만 읽기 시작하면 어느새 독자는 스타인백에 붙잡혀 책을 놓지 못한다. 긴장과 이완이 되풀이되면서 흥분과 감동이 교차된다. 존 스타인백은 ≪분노의 포도≫ 이외에도 ≪에덴의 동쪽≫ 등 좋은 작품을 많이 남겼다. ≪분노의 포도≫는 꼭 읽어야 할 고전에 속한다. 위 인용문의 출처인 네이버 블로그*에 소설 전문이 실려 있다. 농사, 농촌에 관심 있는 사람에게 일독을 권한다.

---

* http://blog.naver.com/killidmg/130027239951

토끼와 고정관념

　토끼 두 마리가 농장에 들어온 때는 지난 5월 하순이다. 감자가 무성해져 밭을 덮어 나가고 애호박, 오이가 달려 커 나가는 무렵이었다. 검은 토끼 한 마리, 흰 토끼 한 마리. 어린 것이었다. 함께 일하는 동료가 서둘러 토끼장을 지었다. 각목과 판자를 모아 뼈대를 세우고 바닥에 철망을 깔고 정면에는 가는 철사로 망을 엮었다.

　농장과 밭을 오고 가는 시간에 들여다보며 채소와 들판의 풀을 열심히 베어다 주었다.

　"저애들 어떤 놈이 수놈이고 암놈이유?"

　"내가 알아유? 확인해 보지 뭐."

　토끼를 잡아 올려 아랫도리를 살펴보더니 말했다.

　"아직 어려서 잘 모르겠네유. 더 커봐야지. 수놈 같기는 한데."

　그러고 얼마 있다 토끼 한 마리가 더 들어왔다. 처음엔 잘 어울리지 않았다. 먹이가 끊이지 않게 풀과 채소를 갖다 주었다. 그러던 어느 날 한 마리가 구석에 힘없이 앉아 있었다. 건들어도 귀찮은지 몸을 잘 움직이려 하지 않았다. 오래가지 않아 죽었다. 건너편 야산에 묻어 주었다. 여름철 내내 비가 자주 와서 물 묻은 풀을 잘못 주었거나 잦은 비 때문에 알지 못할 병이 들어 죽었을 거라고 생각했다. 또 한 마리를 얻어 왔다. 그동안 토끼가 제법 자랐다.

아침에 농장에 나오면 토끼장을 살피는 게 일과가 되었다. 밭일하다가 토끼 잘 먹는 씨아똥, 콩풀 등을 만나면 베어 가지고 들어왔다. 연휴 기간에도 한 사람은 들러 보살폈다. 그러던 어느 날이었다. 토끼가 누군가로부터 공격을 당해 귀, 얼굴, 몸에 상처가 나 있었다. 다른 동물이 토끼장 안까지 침범할 정도로 토끼장이 엉성하지 않는데 원인을 알 수 없었다. 며칠 앓다 죽었다. 땅에 묻었다. 두 번째 죽는 모습을 보고 마음이 좋을 수 없었다. 토끼 키울 일이 아니었다. 문을 열어 밖으로 방사해 버리고 싶었다.

다시 얼마 전 토끼 한 마리를 가져왔다. 흰색 털을 가진 암컷이었다. 두 마리 모두 수놈들이어서, 암컷 한 마리를 시장에서 사와 넣어

주었다. 몸 크기가 조금 차이가 났지만 암컷이라 잘 어울려 지내려니 생각했다. 장래에 새끼를 보려는 욕심도 작용했다.

그런데 들어온 지 얼마 안 돼 새로 들어온 암컷 토끼가 몸에 심한 상처를 입었다. 오른쪽 뒷다리 무릎이 부러져 덜렁거릴 지경이었고 엉덩이, 항문 부위를 집중 공격당했다. 수컷 두 마리 중 한 마리가 저지른 것이 분명했다. 회복되는가 싶었는데 상처가 깊어 결국 죽고 말았다. 수컷이 두 마리여서 암컷 한 마리를 두고 경쟁하다 시샘을 낸 수컷이 복수를 한 게 아닐까 추측했다. 암수 간에 벌어지는 싸움이나 경쟁이 동물 세계에서 일어나는 일이라고 생각했기 때문이었다.

"토끼가 순한지 알았는데 그게 아니네. 무지 사납네요. 오물오물 얌전히 풀만 먹는 모습하고 딴판이네."

"그럼유. 토끼 화나면 사납지. 새끼도 물어 죽이는데유."

"풀만 먹는 이빨로 어떻게 물어뜯는지. 종종 폴짝거리며 얌전히 앉아 풀 먹으며 입만 옴질거릴 줄 알았네."

암컷을 넣어 주면 다시 똑같은 상황이 벌어질지 몰랐다. 암수 두 마리를 짝을 맞춰 따로따로 넣어 주면 괜찮을 거라는 의견이 그럴듯하게 들렸다.

결국 토끼는 다시 두 마리가 되었다. 두 마리일 때는 토끼장이 평화로웠다. 서로 사이가 좋았다. 토끼장 밖으로 여기저기 돌아다니며 사람이 가면 먹을 걸 가져오지 않았나 가까이 와 기웃거렸다. 며칠 전같이 일하는 아주머니가 토끼장에 다녀오더니 고개를 저으며 말했다.

"토끼 한번 가 살펴보세유. 이상해유. 검은 토끼가 점박이 토끼 꽁무늬를 자꾸 따라다니며 붙잡는데 자꾸 내빼고. 싫은가 봐유. 내 생각에는 아무래두 한 마리가 암컷 같애유."

"그래유?"

우리는 그동안 두 마리 모두 수컷이라 생각해 왔다. 확인에 나섰다. 토끼 잡기가 쉽지 않았다. 붙잡히지 않으려 토끼장 이 구석 저 구석으로 도망 다니는데 아주 날쌨다. 점박이 토끼를 잡아 들고 밑을 살핀 동료가 말했다.

"으음, 맞네유. 암컷이네. 보세유."

"원 시상에 암컷인지도 모르고……."

충격이었다. 두 마리 모두 수컷이라고 생각해 왔는데 그중 한 마리가 암컷이라니……. 그동안 생각이 한순간 와르르 무너지고, 몇 달 사이 벌어진 일들이 번쩍이며 머리를 때리고 지나갔다.

오줌싸개

통상 오후 3시 반에서 4시 사이에 참을 먹는다. 빵과 우유를 먹는데 아주머니가 가져온 수박이 있어 목마르던 차에 아주 맛있게 먹었다. 그분이 사는 동네에서 수박농사를 많이 하는데 아직까지 수박이 매달려 있었던 모양이다. 하루 중 오후 참 먹는 시간이 가장 오고가는 대화가 많다. 수박을 먹고 한 사람이 말했다.

"오줌 싸겠네."

"오줌 싸는 게 뭐가 걱정이유. 먹고 싸는 게 좋은 거지. 못 싸는 게 문제고 병이지. 싸시우."

"싸면 돼유. 마누라한테 쫓겨나게."

"말려 입고 가면 돼지."

"말린다고 그걸 몰라유."

대화는 그치지 않고 이어졌다.

"어릴 때 오줌 싸고서는 이불 속에서 못 나오고 그랬잖아유. 혼나고 했지유."

"오줌 싸면 치 쓰고 소금 얻어 오라고 보냈지유."

"말도 말아요. 갑작스럽게 달려들어 소금을 때리듯이 던지면 혼겁해서……."

"나도 오줌 쌌는데 엄니가 소금 얻어 오면, 떡 해 준다고 해서 떡 욕심에 소금 달라고 이웃집에 갔어유. 그랬더니 방맹이로 죽도록 얻어맞고 왔지유."

"그래 떡은 먹었나유?"

"얻어맞고 와서 설랑 엄니한테 떡 해 달라고 했지유. 갔다 왔으니 어린 마음에 속없이 떡 해 줄 줄 알고……. 허허……."

"궁금해 죽겠네. 해 줬어요? 안 해 줬어요?"

"아 떡은 무슨 떡이요?"

"재밌네. 그때가 아마 네댓 살 무렵이나 되었겠지? 오줌 싸고 치 쓰고 얻어맞고. 그러고도 와서 떡 해 달라고 했으니……."

"요즘 그런 부모 있으면 방송에 나올 거여. 지금이야 애지중지 자기 자식 그렇게 내보내는 부모는 없을 거고……. 그렇게 했다간 아동학대니 뭐니 할지도 모르지."

요즘 철이 좋다. 8월 말까지 지겹게 내린 비로 농사 일정을 맞추지 못한 중에 배추, 무를 심었는데 무럭무럭 잘 자라 준다. 벼도 아주 좋다.

흙은 씨앗 더미다

　가까운 친구로부터 서울에서 일해 보지 않겠냐며 회사 입사 제안이 왔다. 이력서를 내는 등 절차가 남아 있어 확정된 것은 아니지만 된다면 괜찮은 직장이었다. 처음엔 그럴까 하며 이력서를 내는 쪽으로 마음이 일었다. 그날 하루 내 일이 손에 잡히지 않았다. 일 마치고 저녁에 이리저리 생각해 보았다. 그리고 이메일로 내 생각을 써 보냈다. 나에게 맞는 일이 아닌 것 같다고…… 농사일하다 보니 서울에서 다시 직장생활을 한다는 것이 큰 걱정으로 다가왔다. 예전 같으면 별 어려운 생각 없이 덤벼들었을 것이다. 아직 농사일하기 위한 터전을 마련하지 못한 터에 잠깐 몇 년 직장생활을 하려면 할 수 있을 것이다. 마음이 약해진 것일까, 아니면 나이가 들어서일까. 그러나 그렇게 마음 결정을 하고 보니 다시 일손이 잡혔다.

　초록으로 무성히 우거지던 나뭇잎이 단풍으로 물들어 가고 싱싱히 뽐내던 풀도 힘없이 시들어 가니, 가을이 깊어져 간다. 가을은 긴장의 철이다. 한 걸음 한 걸음 다가오는 겨울의 발걸음은 몸을 파고드는 혹독한 겨울의 전조곡이다. 풀과 나무는 잎을 떨구고 땅벌레들은 땅

속으로 파고들고 하늘을 날아 이동하는 철새 무리의 비행이 질서 정연하다. 땅을 뒤집으면 추위를 피해 흙을 파고드는 개구리, 우렁이, 지렁이가 움직거리고 비닐을 걷다 보면 뱀이 놀라 웅크린다. 그렇게 가을이 깊어 간다.

가을의 풍광은 종종 마음을 처연히 만든다. 특히 농부에게는 더 그런 것 같다. 가을에 추수하다 보면 봄날 한 알의 씨앗을 심었던 기억이 떠오르지 않을 수 없다. 좁쌀만 한 씨앗을 심었을 뿐인데 무성히 자라 대롱대롱 열매 맺는 것을 보면 한편에선 마음의 끈이 조여진다. 인간 역시 동물의 일원이어서 그렇다고 나는 생각한다. 생각해 보면 군집으로 모여 먹이를 충분히 얻고 추운 겨울을 따뜻이 지낼 수 있는 능력을 가진 동물은 인간뿐이다.

봄에 좁쌀이나 콩알, 혹은 바늘귀만 한 씨앗을 심었는데 가을에 되돌려지는 양을 생각하면 경이롭다. 볍씨 한 알은 수백 개의 알곡으로 재탄생한다. 사람이 먹을거리로 심는 품종은 자연계의 씨앗 중 극히 작은 일부분일 뿐이다. 자연에는 수많은 씨앗이 존재한다. 민들레 씨를 보라. 셀 수도 없이 많은 씨를 바람에 날리는데 여름날 들판을 가득 덮은 수많은 풀씨가 그렇게 날리고 흩어지고 떨어진다. 피는 한 알의 씨가 1~2만 개의 씨를 떨어뜨린다고 한다. 식물은 씨를 맺어 땅에 떨어지기 위해 자란다. 그렇게 떨어진 수많은 풀씨들이 철따라 해마다 땅을 덮는다.

그래서 흙은 씨앗의 더미라 불러도 틀림이 없다. 봄여름에 갈아 놓은 밭에 풀씨 돋아 올라오는 모습을 보면 그 세와 수에 놀라고 다시그 속도에 놀라기 마련이어서 애당초 이들을 이겨 농사짓는다는 것이 불가능함을 느낄 수밖에 없을 노릇이다. 땅 1미터를 뒤집어도 풀은 올라오고 뽑아도 뽑아도 올라오고 척박한 땅이라도 씨앗이 움틀최소한의 환경만 되면 올라오니 이들 녹색식물이 지구 지표면의 진정한 살림을 이루는 일꾼이요, 주인인 것이다. 흙은 씨앗 더미다. 흙은 씨앗의 요람이다.

그런데 흙은 씨앗만의 더미가 아니다. 또 있다. 미생물 덩어리이기도 하다. 한 연구자의 말에 따르면 건강한 흙에는 상상 이상의 미생물이 산다. 흙 1그램에 1~2억 마리의 세균이 산다고 한다. 물론 건강한 흙인 경우다. 건강한 흙이란 오염되지 않고 유기질이 풍부한 흙이다. 안타깝게도 우리나라의 경우 많은 농경지가 건강한 흙이 아니다. 오랜 기간 화학비료와 농약, 제초제를 과다사용하고 유기질 투입이이루어지지 않은 탓이다. 건강한 흙으로 만든다는 것은 미생물이 풍부히 살아갈 수 있는 흙을 만든다는 말과 다르지 않다. 건강한 흙은농사짓기에 좋은 흙이기도 하다.

농가의 겨울은 다시 봄을 기다린다

— 서리가 내리고 상방재의 날도 저물다 —

서리가(10월 18일, 19일) 내렸다. 가을 첫서리다. 앞 내에 물안개가 짙게 덮여 흐르는데 아직 베지 않은 논에 고개 숙인 이삭에 하얗게 서리가 내려앉았다. 살얼음도 얇게 얼었다.

서리 내릴 즈음은 농사의 변곡점이라 할 수 있다. 새벽 서리 내린 아침의 풍경은 가을의 정취를 더해 주기도 하지만 바야흐로 그간 기른 작물의 수확을 마무리하는 때임을 일러 주는 자연 변화의 신호다.

서리 맞으면 대부분 녹색식물이 삶을 포기하듯 풀이 죽는다. 들판의 색깔이 바뀌어 논의 황금빛이 진해지고 은행나무가 본바탕 노란색을 드러낸다. 단풍도 들기 시작한다. 추위를 버티어 오던 하우스 고춧잎이 한순간 축 처져 내뿜는 열기와 냄새가 가득 찬다. 조, 수수 등도 더 추워지기 전에 이삭을 따야 한다. 서리가 내리면 바빠지는 게 녹색식물 세상만이 아니다. 땅짐승, 벌레, 곤충들도 마음이 급해진다. 벌레들 땅속으로 기어들고 움직임이 둔해진다. 풀잎에 뛰놀던 메뚜기 등 곤충류도 몸 색깔이 변해 가고 개천에 새들도 후드득 날아올라 가는 날갯짓이 예사롭지 않다. 안타깝게도 길로 뛰어드는 동물이 많아져 고

라니, 뱀, 고양이 등 차에 치어 죽는 비참한 광경이 잦아진다. 산돼지
는 고구마 밭을 헤치고 앞 야산에 꿩은 날 잡아 보라 놀리는 듯 꺼겅
꺼겅껑 우는 소리가 힘차다.

"저 꿩 한번 잡아야 하는데……."

"말로만 잡는다, 잡는다, 그러면 뭐해유. 날 잡아 봐라 놀리는구먼."

그러나 서리 맞아가면서 그중 의연히 들을 녹색으로 채우는 녀석
이 있다. 바로 배추와 무다. 이들은 서리 맞아 가며 싱싱히 자란다. 이
른 아침 서리 맞아 처진 듯하지만 아침 햇살을 만나면 파랗게 몸을
편다. 가을을 대표하는 작물이다. 겨울철 김장으로 배추를 담가 오는
것이 범상한 일이 아니다. 지난 8월까지 비가 잦아 때맞춰 심기도 벅
찼는데 9~10월 날이 아주 좋아 이대로 가면 올 배추농사는 어려움 없
을 것 같다. 물론 끝까지 가 봐야 알지만. 그래서 한편에서는 배추 풍

년이 예상된다며 가격폭락을 걱정하는 시름이 떠나지 않는다. 배추밭에는 1주일 간격으로 충을 구제하는 약을 쳐 주고 있다. 수확 가능한 양은 8천 포기 정도 될 것 같다.

요즘은 종종 은행도 턴다.

"오늘 은행 한번 털어 볼까유?"

"은행 털라면 먼 장비가 있어야지. 맨손으로 되겠슈?"

"바로 옆이 지서여. 잽혀 가지나 마슈. 잡히면 혼자 했다고 하슈. 난 튈 테니께."

한동안 밤 줍는 재미가 있었는데 점심 먹고 돌아오는 길에 종종 은행을 턴다. 한번은 쇠파이프로 후려치며 털었더니 동네 아주머니가 달려 나와 못 하게 한다.

"아저씨—이! 그러면 안 돼요! 동네서 길 쓸고 청소해 은행 따 나누

는데 털어 가면 어떡해유!"

"그래요, 몰랐네. 이왕, 떨어진 거만 주워 갈게유."

이래저래 은행 알을 주워 모은 게 제법 되었다. 밤 줍고 버섯 따고 산나물 뜯고 올갱이 잡는 채취농사도 괜찮을 듯싶다.

벼도 벴다(10월 19일). 옥천찰벼를 심었는데 천 평에서 1,800킬로그램 수확했다. 괜찮은 수준이다. 건조시켜 정미해서 1,500킬로그램 정도 나오면 쌀로 스무 가마가 채 못 되는 양이다. 이제 쌀농사는 지어 봤자 손해라고들 말한다. 그래도 지난 시절에는 벼농사 지어 자식 가르치고 시집장가 보내고 했다면서…… 이렇게 만들고 있는 위정자들을 향한 분노와 안타까움이 교차한다.

베어 놓은 들깨도 털었다. 지난여름 비로 밭 정리가 불가능한 밭에 들깨를 심었더니 아쉬운 대로 20킬로그램 넘게 나왔다. 코로 들어오는 들깨향이 진하다. 콩도 일부 베어 털어 가기 시작했다. 서리태는 아직

수확하지 않았다. 서리태는 이름대로 서리 맞아야 여문다고 말한다. 홍고추는 모두 따서 고추농사는 끝났다. 참참이 곧 뽑아 정리할 고추밭의 늦은 초고추, 지고추를 딴다. 브로콜리와 양배추도 포기가 차는 대로 수확을 시작했다. 칼로 자를 때마다 속 찬 포기의 듬직함이 느껴진다. 한 톨 작은 씨앗이 만들어 내는 신비로운 세상의 감동을 전해 준다. 100평 정도 되는 대파도 다음 주에는 수확을 하게 될 것이다.

한여름 일과 푸르름으로 가득했던 논밭이 맨땅을 드러내는 면적이 하루하루 늘어 간다. 여섯 시도 못 돼 어둑어둑해지고 바쁘고 벅찼던 농사일도 리듬이 느려졌다. 삼방재의 날도 저물어 간다.

삼방재일월기를 마치며

　전날 조금 일찍 잠에 들었더니 새벽에 일어났다. 시계를 보니 4시 반이다. 마당에 서 하늘을 올려다보니 북두칠성이 땅에 꽂히듯 거꾸로 걸려 있다. 어제저녁 마을 친구 집에서 저녁 얻어먹고 돌아올 때 보던 모습과 정반대 형상이다. 북두칠성 일곱 개 별을 이으면 국자 모양인데 거꾸로 서 있으니 도발적으로 느껴진다. 맞은편 왼쪽 하늘에는 더블유(W) 자 모양의 카시오페이아 다섯 별이 질세라 마주 빛나고 있다. 북두칠성과 카시오페이아 중간에 자리 잡은 북극성이 오늘 밤 유독 선명하다. 별이 빛나는 밤이다. 밤하늘은 쳐다볼수록 신비롭다. 회오리 속으로 빨려 들어간다. 아득하다. 별자리가 철 따라 돌고 도는데 삼방재 시절 역시 그렇듯 돌아온 것이 아닌가 마음 빗대 의탁해 본다.

　여기서 농사일한 지 2년여의 시간이 지나갔다. 청소년기야 날마다 눈 뜨면 새로움으로 가득 차 있으니 그에 비할 바가 아니겠지만 그동안 생활도 새로웠다. 10월 말로 삼방리 농사일을 마감한다. 이번 주가 일하는 마지막 주여서 여러 상념이 교차한다. 막상 떠난다 하니 무엇보다도 같이 일해 온 사람들과 헤어져야 할 아쉬운 마음을 어쩔 수 없다. 평소에 대수롭지 않은 일들이 마지막이라 생각하니 하는 일마다 아쉽다.

동튼 아침엔 마당 한편의 산수유 열매를 땄다. 열매를 따 가지 않으니 조롱조롱 셀 수 없이 달렸다. 그중에 전화가 왔다. 이웃마을 사그내(沙斤乃)에 사는 동료가 아침 먹게 오란다. 아주머니께서 마음 써서 밥상을 차렸다. 모처럼 아침을 든든히 먹었다. 가더라도 잊지 말고 꼭 놀러 오라는 말이 거듭된다. 그동안 종종 어울려 정이 많이 들었다.

저녁엔 동네 아주머니를 찾았다. 얼마 전 수술해 회사를 그만두고 집에 계신다. 다행히 몸이 회복돼 다행이었다. 저녁 먹고 가라며 밥상을 차려 준다. 전라도 함평이 고향인데 여기 깊은 산골까지 시집온 곡절을 재미있게 들은 적이 있었다. 남편이 몸이 좋지 않아 20여 년을 보살피신다.

앞집 할머니께도 인사드렸다. 철 따라 사과, 복숭아 등 먹을거리를 자주 갖다 주었다. 일하러 가는 아침이나 귀가하는 저녁에 마주칠 때 인사드리면 애쓴다며 손을 잡아 주셨다. 경상도 상주가 고향인데 젊을 때 서울서 일하다 남편을 만나 여기에 오셨다며 살아온 그동안 인생길을 들으려면 끝이 없었을 것이다. 그 외 몇 분에게도 작별인사를 했다. 직원식당 일을 하다 몸이 좋지 않아 집에 계신 할머니와 농사 일머리와 일하는 태도를 가르쳐 준 아저씨, 비료 생산팀 등······.

2011년 ≪삼방재일월기≫를 여기서 끝낸다. 겨울을 지내고 나면 들에 다시 풀 돋고 꽃 피고 씨 뿌리는 봄이 다시 올 것이다. 지난해 봄부터 이어 온 이야기를 읽어 주신 분들께 감사드린다. 하시는 일에 보람이 함께하시길······.

정혁기

산골에서 태어나 그곳에 태를 묻고 초등학교 때 도시로 나왔다. 고등학교를 졸업하고 서울대학교 농과대학에 입학하여 서울생활을 시작했다. 대학 졸업 후 금융, 교육, 언론, 출판 등 농업과 관련이 없는 분야를 오랜 기간 돌았다. 이제, 농사일하며 틈틈이 글 짓고 이웃과 농사를 이야기하며 살기 위해 터 잡기 중이다.

글쓰는 농부의
시골일기

초판인쇄 | 2012년 7월 27일
초판발행 | 2012년 7월 27일

지 은 이 | 정혁기
펴 낸 이 | 채종준
펴 낸 곳 | 한국학술정보㈜
주   소 | 경기도 파주시 문발동 파주출판문화정보산업단지 513-5
전   화 | 031) 908-3181(대표)
팩   스 | 031) 908-3189
홈페이지 | http://ebook.kstudy.com
E-mail | 출판사업부 publish@kstudy.com
등   록 | 제일산-115호(2000. 6. 19)

ISBN   978-89-268-3638-5 03520 (Paper Book)
        978-89-268-3639-2 05520 (e-Book)

이담
Books 는 한국학술정보(주)의 지식실용서 브랜드입니다.